Felicitas von Lovenberg

Verliebe dich oft, verlobe dich selten, heirate nie?

Felicitas von Lovenberg

Verliebe dich oft, verlobe dich selten, heirate nie?

Die Sehnsucht nach der romantischen Liebe

Droemer

Für Patrick, natürlich –
in inniger nachehelicher Freundschaft

Der Abdruck der Zitate von Milena Jesenská auf S. 295 ff. erfolgte mit freundlicher Genehmigung des Verlages Neue Kritik aus:
Milena Jesenská: Alles ist Leben. Feuilletons und Reportagen 1919–1939.
Hrsg. von Dorothea Rein, Frankfurt a. M. 1999

Weitere Informationen zu Buch und Autorin finden Sie unter
www.droemer.de/lovenberg

Die Folie des Schutzumschlags sowie die Einschweißfolie
sind PE-Folien und biologisch abbaubar.
Dieses Buch wurde auf chlor- und säurefreiem Papier gedruckt.

Umschlaggestaltung: HildenDesign, München
Satz: QuarkXPress im Verlag
Druck und Bindung: Ebner & Spiegel, Ulm
Printed in Germany
ISBN-13: 978-3-426-27368-4
ISBN-10: 3-426-27368-3

2 4 5 3 1

»Wann überzeugt Sie die Ehe als Einrichtung mehr:
wenn Sie diese bei andern sehen oder in Ihrem eigenen Fall?
Welche Probleme löst die gute Ehe?
Hätten Sie von sich aus die Ehe erfunden?«

MAX FRISCH, »FRAGEBOGEN«

Danksagung

F.S., ohne dessen Ermutigung es dieses Buch nicht gegeben hätte;
R.S., ohne dessen Gastlichkeit es nicht begonnen worden wäre;
C.v.W., ohne deren Freundschaft es nicht geschrieben worden wäre;
M.D., ohne dessen Ansporn es nicht beendet worden wäre;
und natürlich
C.v.L., ohne deren Liebe dieses Buch undenkbar wäre.

Für den inspirierenden Beweis,
dass Ehe und Liebe aufs Schönste zusammengehen können,
danke ich meinen jetzt und hoffentlich immerdar glücklich verheirateten Freunden, insbesondere Barbara & Lutz.

Inhalt

Einleitung: Don't marry, be happy?
9

Die Liebesehe: Vom siebten Himmel ins dritte Kellergeschoss
17

Die konventionelle Ehe: Kinder, Küche, Korrosion
56

Die Zweck- und Vernunftehe: Karriere am Traualtar
99

Die Mehrfachehe: Zum Zweiten, zum Dritten, zum Vierten
138

Die Ehe zu dritt: Bermuda-Dreieck der Liebe
oder erfolgreiche Paartherapie?
177

Der Single: Lieber in Freiheit allein als einsam zu zweit
222

Die ideale Beziehung: Endstation Sehnsucht
256

Literaturverzeichnis
298

Mehr als ein Register
299

Einleitung: Don't marry, be happy?

»Nachdem sie zahlreiche Romane über die Ehe gelesen hatte, von einigen wissenschaftlichen Büchern ganz zu schweigen, wusste sie nicht nur, wie unglücklich sie war, sondern auch, wie unglücklich sie noch werden konnte.«
ELIZABETH BOWEN, »DIE FAHRT IN DEN NORDEN«

Alle Menschen sind klug – die einen vorher, die anderen nachher. Vor allem in einer Hinsicht sind sie es meistens nachher. Vorher denken sie, dass sie ganz gewiss verschont bleiben, dass die Statistik des Scheiterns niemals von ihrem Fall gefüttert wird. Also tun sie es! Geschwister, Freunde und Kollegen, Nachbarn, Kronprinzen und Fußballer. Arme wie Reiche, Junge und Alte. Picasso, Hemingway und Gerhard Schröder haben es gleich mehrfach getan, Claudia Schiffer hat es getan, und selbst Hugh Grant, Robbie Williams und Prinz William werden es wohl eines Tages noch tun. Die eigenen Eltern haben es in der Regel getan. Man selbst tut es meistens auch irgendwann. Die Reue kommt später. Obwohl doch eigentlich schon jedes Kind es besser wissen könnte: Verliebe dich oft, verlobe dich selten, heirate nie!

Um es gleich zu sagen: Ich habe mich nicht an diesen Ratschlag gehalten. Und wie fast alle Menschen, die heiraten, war auch ich eine Überzeugungstäterin. Bis es dann im statistisch fatalen vierten Jahr gehörig schief ging. Gerade dreißig, lebte ich in Scheidung, wiederum aus Überzeugung. Und begann, mir über die Liebe und die Ehe Gedanken zu machen und darüber, warum beides auf Dauer für die meisten Menschen so schwer unter einen Hut zu bringen ist – und weshalb wir dennoch von dem Konzept nicht loskommen.

Wer immer beschlossen hat, zu dem zarten, empfindlichen und kapriziösen Gefühl der Liebe müssten zwangsläufig Heirat, Leidenschaft und Ewigkeit gehören (und über diese Entwicklung und ihre Notwendigkeit wird noch zu reden sein), hat der Menschheit keinen Gefallen getan. Aber wie sollten wir denn nicht von der Ehe träumen? Literatur und Kino, Magazine und Fernsehserien stellen sie nach wie vor als das romantische Ziel schlechthin dar – obwohl sie sich vor ihrer Darstellung drücken. Beschrieben wird vor allem das Davor, nicht das Danach. Das strahlende Paar, das sich endlich gekriegt hat, wird dezent vor dem Traualtar verlassen. Happy End? Man stelle sich diese ganzen selig lächelnden Händchenhalter nur einmal fünf Jahre später vor. Eine der wenigen Ehen, bei der die Liebe nicht flöten ging, war die von Romeo und Julia – weil diese beiden nicht mehr dazu kamen, sie im leidigen Alltag zu verschleißen. Aber Warnungen sind gerade in der romantischen Domäne nicht willkommen. Wir hegen eine Idealvorstellung von der Liebe als einem totalen Gefühl – und tun uns mit der Verwirklichung schwerer denn je. Doch gerade weil es mit der Umsetzung dieser Phantasie so hapert, träumen wir weiterhin von ihrer Erfüllung.

Eine Antwort auf diese maßlose, aberwitzige Sehnsucht ist die ständige Erfindung von immer neuen Verhaltensratschlägen, die jedoch nie eine kohärente Gebrauchsanweisung für die Liebe ergeben. Dass Männer anders sind und Frauen auch, haben wir zur Genüge erfahren. Und doch sind schon Adam und Eva irgendwie miteinander ausgekommen, ohne Ehering und trotz Schlange und Apfel, und die trieb- und zweckorientierten Sippschaften von der Eiszeit bis zum Mittelalter waren offenbar auch nicht ganz unglücklich. Über Jahrhunderte war die Ehe als ökonomisches und soziales Zweckbündnis fest etabliert. Doch dann brach mit der Literatur die Liebe über uns herein, und seither regiert das Chaos.

Es scheint mir an der Zeit, die Verstiegenheit der emotionalen Ansprüche nicht nur in Frage zu stellen, sondern sie, wo immer möglich, auch zu kurieren. Es gibt zahllose menschliche Verbindungen, die eigens dazu geschlossen scheinen, den anderen irre zu machen – und die spätestens, nachdem sie durch die Ehe gesellschaftlich sanktioniert sind, auch harmlose Zaungäste in Mitleidenschaft ziehen. Erstaunlicherweise werden in einer Zeit, die für ihr Sicherheitsstreben bekannt ist, die Gefahren, die mit der Hochzeit beginnen, lächelnd ignoriert. Dabei drohen die schlimmsten Entgleisungen nicht im Rotlichtmilieu, sondern in der Reihenhaussiedlung, im Einfamilienheim mit Vorgarten, in Hinterhofwohnungen und Etagenbehausungen. Glaubt man Kriminalstatistiken und Psychologen, ist die Ehe eine geradezu lebensbedrohliche Angelegenheit. Dennoch hat man vor die Zulassung zur Hochzeit noch immer keine Prüfung gesetzt, bietet keine Eherücktrittsversicherung an und lässt keine Fragebögen ausfüllen, anhand deren festgestellt wird, ob die Partner überhaupt zueinander passen.

Zugegeben: Es hat auch Vorteile, verheiratet zu sein. Verheiratete Männer leben angeblich länger und gesünder, die Ehe verschaffte schon manchem die notwendigen Sozialpunkte, um von der Kündigung verschont zu bleiben, der Ehering steht Dicken wie Dünnen, und die allgemeine Vorliebe für Possessivpronomen verleiht den Begriffen »mein Mann« und »meine Frau« den Klang süßer Musik. Man mag vielleicht ab und zu einsam sein zu zweit, aber jedenfalls ist man in Gesellschaft. Über die Vorzüge der Ehe ließe sich ein ganzes Buch schreiben – nicht dieses.

Natürlich ist jede Ehe anders. Und auch wieder nicht. Wenn man sich aufmerksam umschaut, fallen unterschiedliche Typen auf. Da gibt es beispielsweise den Partner, der sein Glück, geliebt zu werden, gar nicht fassen kann und den anderen argwöhnisch und eifersüchtig überwacht, ob er nicht doch ein Zeichen von Untreue findet. Jeder kennt den entzauberten Prinzen, der zum Rüpel wird, oder die Prinzessin, die sich plötzlich als Zicke entpuppt, sobald sie sich nach der Hochzeit sicher wähnt. Es gibt die smarte Schöne, die ihres Ehemanns, kaum dass sie ihn sich geangelt hat, überdrüssig ist, und den eingefleischten Junggesellen, der keinen Grund sieht, sein Single-Verhalten nach Verlassen des Standesamts zu ändern, getreu dem Motto: »Festhalten und weitersuchen!« Es gibt Eheleute, die wie siamesische Zwillinge auftreten, und solche, die anscheinend nur heiraten, damit sie sich dank der Hochzeitsvorbereitungen endlich einmal wieder etwas zu erzählen haben.

Aber nicht nur die Beteiligten, auch ihre Partnerschaften unterliegen bestimmten Mustern. Ob Künstler oder Schauspieler, Schriftsteller oder Philosophen, geschichtliche Gestalten oder Romanfiguren: an ihren Ehen lässt sich die Macht des Begehrens, die Gewalt der Leidenschaft, die Hoffnung auf Vereinbarkeit des Feuers der Liebe mit dem Wasser des Alltags ablesen – spannender und lehrreicher als in der Illustrierten beim Frisör. Zwar entspricht der Weg zur Ehe noch immer dem traditionellen Muster: verlieben, verloben, Heirat, Kinder – zusammen sein, »bis dass der Tod euch scheidet«. Aber in zwei von drei Fällen ist es nicht mehr der Tod, der Ehen scheidet, sondern der Alltag, eine andere Frau oder ein anderer Mann, der Beruf, Langeweile, der Traum von der Selbstverwirklichung, Eifersucht, Unzulänglichkeit oder schlicht unheilbare Inkompatibilität. Die Liebe ist der Versuch der Natur, den Verstand aus dem Weg zu räumen; die daraus nicht selten resultierende Ehe ist der Versuch des Menschen, zu zweit mit Problemen fertig zu werden, die man alleine nie gehabt hätte. Sebastian Haffner befand, wer einmal geheiratet hätte, habe nur noch die Wahl, Schurke oder Trottel zu werden. Alle Beobachtungen des ungeheuren Ehealltags geben dem Historiker Recht. Die Taktiken und Strategien der Liebe, ob im Taumel der Verliebtheit, im Glück der Zweisamkeit, in der Marter des Zweifels oder im Drama der Trennung, machen Ehepaare interessant.

Und siehe da: Es lässt sich nicht nur eine tröstliche Wiederkehr des Immergleichen, sondern auch eine Weiterentwicklung des Paarverhaltens beobachten! Diese Weiterentwicklung vollzieht sich in sieben Stadien bis hin zur Krönung der Zweisamkeit, dem, was sich als ideale Beziehung beschreiben lässt. Doch folgen diese sieben Stadien keiner zwangsläufigen Chronologie, im Gegenteil: Manche Menschen machen im Laufe ihrer Lieben und ihres Lebens alle sieben durch, manche erleben nur zwei oder drei davon. Alle jedoch werden sich an der einen oder anderen Stelle wiederfinden.

Und so führt die Evolution der Ehe, die dieses Buch beschreibt, nicht linear vom dritten Kellergeschoss in den siebten Himmel, sondern sie ist ein Kreislauf, in dem sich jeder mal ganz oben und mal ganz unten befindet. Die gute Nachricht ist: Kein Stadium ist permanent. Und jedes lässt sich individuell zur idealen Beziehung ausbauen.

Innerhalb dieser Evolution der Zweisamkeit ist die weit verbreitete Liebesheirat ganz unten anzusiedeln: Sie trägt das unwägbare Gefühl, auf das sie gründet, bereits im Titel. Doch was für Paare wie Romeo und Julia, Napoleon und Joséphine oder Ingrid Bergman und Roberto Rossellini gut genug war, taugt allemal noch als Vorbild: Längst ist die Liebesheirat nicht mehr die Ausnahme, sondern die Regel. Da Leidenschaft jedoch bekanntlich nie von langer Dauer ist, nimmt die Verbindung, falls sie nicht ohnehin zerbricht, rasch den klassischen Verlauf und mündet im ruhigeren Fahrwasser der konventionellen Ehe.

Diese Eheform setzt auf die patriarchalische Arbeitsteilung. Die Frau bleibt zu Hause bei Kindern, Küche, Kühlschrank, der Mann zieht in die Welt hinaus und schafft das Geld heran. Wo Hausfrauen verzweifeln, ist das Frustrationspotential indes für beide Seiten hoch. Nicht jeder fühlt sich so sehr zum Dasein als bessere Hälfte berufen wie einst Denis Thatcher, der auf die Frage, wer in dieser Ehe eigentlich die Hosen anhabe, souverän antwortete: »Ich, und ich wasche und bügle sie auch.« Und so scheitert auch die konventionelle Ehe gern und oft.

Wenn man schon auf die Dauerhaftigkeit des Gefühls und die vermeintliche Sicherheit der klassischen Ehe nicht bauen kann, dann vielleicht auf die pure Vernunft? Zweckbündnisse, geschlossen aus solider Liebe zur Macht oder zum Geld, für die Dynastie oder als Alibi, sind auch in unseren liebestollen Zeiten keineswegs so selten, wie man vermuten könnte. Sie bilden das dritte Stadium der Ehe-Evolution. Die relative Haltbarkeit solcher Vernunftehen beweist, dass das Gefühl dem Verstand durchaus folgen kann – solange dem beschaulichen Glück nicht Langeweile oder eine plötzliche Leidenschaft in die Quere kommen.

Gemäß dem Motto »Neue Runde, neues Glück!« suchen denn auch immer mehr Menschen unverdrossen mit einem neuen Partner jene Erfüllung, die der alte nicht mehr bot. Und so bildet die Mehrfach-Ehe das vierte Stadium der Evolution der Zweisamkeit. Aber sind all jene, die zum zweiten, dritten oder vierten Mal heiraten, wirklich glücklicher als die idealistischen Anfänger? Haben sie aus Fehlern und Scheidungen gelernt, oder sind die Unterschiede zwischen den Ehegatten doch so gering, dass man besser gleich beim Ersten geblieben wäre?

Wer an seinem Ehestand festhalten möchte und doch nach Abwechslung trachtet, kommt vielleicht wie schon Alexandre Dumas senior zu dem Schluss, das Joch der Ehe sei so schwer, dass man nicht nur zwei Personen brauche, um es zu tragen, sondern drei. Die Ehe zu dritt, diese fortschrittliche und in vieler Hinsicht zeitgemäße Eheform, steht daher an fünfter Stelle der Evolution. Dass sich solche Ménages à trois trotz gewisser Vorteile für beide Gatten nur selten als haltbar erweisen, liegt vor allem daran, dass diese eigentlich ehrlichste Eheform meistens als Lüge gelebt wird – und so wird manch stabiler Ehe die verdeckte Affäre zum Verhängnis. Am Ende gehen oft alle drei Beteiligten getrennte Wege.

Wer nach all dem Tumult einmal vom Liebeskarussell absteigt, ist in der Regel froh, einige Runden auszusetzen: Diese Solisten befinden sich im sechsten und vorletzten Stadium der Ehe-Evolution. Die zunehmenden Single-Raten sind ein wichtiges Indiz für die fortschreitende Liebesweisheit unserer Gesellschaft, denn es handelt sich dabei vor allem um Menschen, die lieber allein bleiben als in einer Beziehung, die sie nicht erfüllt.

Den Singles geht es nicht anders als allen anderen auch: Sie träumen von der idealen Beziehung – nur sind sie näher dran als jene, die sich noch auf einer niedrigeren Stufe der Ehe-Evolution abplagen. Doch beruhigenderweise steht die ideale Beziehung jedem offen, den Singles ebenso wie den leidenschaftlich oder auch schon abgekühlt Verheirateten, eine romantische Liebe wie zwischen Abaelard und Heloïse oder Katharine Hepburn und Spencer Tracy. Aber was macht eine ideale Beziehung aus? Das erfahren Sie im siebten Kapitel dieses Buches.

»Wenn nun jemand rechte Ursache anzeigen kann, warum sie nicht miteinander verbunden werden sollten, so spreche er jetzt oder schweige für immer.« Warum folgt auf diesen Satz am Traualtar stets allgemeine Stille? Weshalb springen nicht gleich mehrere Freunde auf und erheben die Stimmen zum Protest? Dieses Buch will auf eigene Weise sprechen, laut und deutlich, um all diese stummen Momente zu füllen, um all die Ehen zu verhindern, die trotz besseren Wissens, aus Langeweile, Pragmatismus oder aus Konvention geschlossen werden, und damit zahllose Liebesbeziehungen zu retten, bevor es zu spät ist. Es versteht sich als eine Einladung zum Spiel – mit Möglichkeiten, Bedürfnissen und Sehnsüchten. Ein Gedankenspiel, das als Phänomenologie um die Ehe kreist und von ihren erstaunlichen Varianten erzählt. Vor allem aber handelt es davon, warum es in jeder Hinsicht klüger, gesünder, freudvoller und lohnender ist, NICHT zu heiraten – und wie sich die romantische Zweisamkeit dennoch bewahren lässt. »Ich habe die Ehre, nicht um deine Hand anzuhalten«, sang schon Georges Brassens. Ein Plädoyer also gegen die Ehe? Im Gegenteil. Vielmehr der gut begründete Vorschlag, alles miteinander zu tun – außer zu heiraten. Denn wer sich traut, auf die Annehmlichkeiten der Ehe zu verzichten, wird reich belohnt. Die wahren Romantiker sind heute diejenigen, die auf Sicherheit, Steuervorteile und Ehevertrag pfeifen. Sie haben begriffen, dass Liebe eine Sisyphosarbeit ist, bei der es nicht genügt, den richtigen Menschen zu finden, denn man muss auch selbst der richtige Mensch sein. Es gilt, sich guten Mutes auf eine lebenslange Anstrengung ohne Erfolgsgarantie und Haltbarkeitsversprechen einzustellen – mit phänomenalen Folgen für Leib und Seele. »Lieben belebt«, versprach schon Goethe, der es wissen musste. Worauf warten wir noch?

Die Liebesehe: Vom siebten Himmel ins dritte Kellergeschoss

»Ich bin für Liebe auf den ersten Blick. Das spart enorm viel Zeit.«
JENNY MCPHEE, »DER KERN DER DINGE«

»Aber Mortimer, du liebst doch hoffentlich auch meine Seele?« – »Alles zu seiner Zeit.« ELAINE HARPER UND CARY GRANT IN »ARSEN UND SPITZENHÄUBCHEN«

Was sich liebt, das traut sich

Beim Gedanken an eine Liebesheirat schlagen die Herzen unweigerlich höher. Hier haben wir sie: die prickelnde Ehe! Die Hochzeit als Krönung einer *amour fou!* Lebenslange Liebe und Leidenschaft mit Amtsstempel! Anders gesagt: Totaler Wahnsinn?

Die Beispiele sind so zahlreich wie inspirierend: allen voran Romeo und Julia, Orpheus und Eurydike, Napoleon und Joséphine, Tamino und Pamina, Richard und Cosima Wagner, Roberto Rossellini und Ingrid Bergman, Richard Burton und Liz Taylor, John Lennon und Yoko Ono … Die meisten dieser Liebespaare sind so berühmt, dass schon die Erwähnung ihrer Vornamen ausreicht, um Geschichten von wilder, wahnsinniger, hingegebener und hoffnungsloser Passion ins Gedächtnis zu rufen. Fasziniert betrachten wir ihre Bilder und lauschen ihren Schicksalen. »Nenn's Glück! Herz! Liebe! Gott!«, sagte schon Faust zu Gretchen. »Ich habe keinen Namen dafür.«

Tatsächlich haben die meisten dieser berühmten Liebesgeschichten ein schlechtes Ende genommen. Auf manche große Liebe folgte die große Beschimpfung wie bei Mia Farrow und Woody Allen; andere Leidenschaften endeten mit Mord (Othello und Desdemona; Gert Bastian und Petra Kelly); Selbstmord (Antonius und Kleopatra; Werther und Lotte; Amedeo Modigliani und Jeanne Hébuterne), mentaler Zerrüttung (Frida Kahlo und Diego Rivera; Zelda und F. Scott Fitzgerald; Ted Hughes und Sylvia Plath) oder völliger Selbstaufgabe und Verzweiflung. Auch in Mythologie und Fiktion gehen große Lieben gern tragisch aus, von Tristan und Isolde über Siegmund und Sieglinde, Hero und Leander, Aida und Radames bis hin zu Filmpaarungen wie in *Vom Winde verweht, Casablanca* oder *Jenseits von Afrika.*

Von solchen real oder fiktiv Liebenden wird noch die Rede sein, ebenso wie von einem anderen Paar: Leonard und Sophie. Die beiden sind sich vor einiger Zeit auf der Geburtstagsparty eines gemeinsamen Bekannten begegnet, und der Funkenflug zwischen ihnen ähnelte einem Feuerwerk. Fragt man Sophie, schaut sie verzückt und erklärt, es sei eben »Liebe auf den ersten Blick« gewesen. Er grinst und sagt: »Sie ist einfach hinreißend.« Wenn sie zusammen sind, was in jeder freien Minute der Fall ist, können sie die Hände nicht voneinander lassen. Sind sie getrennt, verzehren sie sich nacheinander. Im Büro kann Sophie sich kaum konzentrieren, weil sie dauernd an Leonard denken muss. Und Leonards Kollegen fällt auf, dass sein Gang plötzlich so elastisch ist und er immer wieder ohne erkennbaren Grund vor sich hin lächelt. Als Leonard und Sophie sich an einem lauen Sommerabend im Gartenlokal gegenübersitzen und noch während des Essens immer wieder Händchen halten, bemerkt ein Tischnachbar ironisch: »Da haben sich aber zwei gesucht und gefunden.« Seine Begleiterin schaut versonnen und seufzt: »Bei denen stimmt einfach die Chemie.« Leonard und Sophie kriegen davon nichts mit. Sie bitten lieber um die Rechnung, um sich möglichst rasch wieder ungestört in die Arme sinken zu können. Kurzum: Leonard und Sophie sind verliebt. Und in diesem wonnevollen Zustand lassen wir sie erst einmal zurück.

Wahnsinnige Liebe

Wenn die Liebe eine Himmelsmacht ist, dann ist die Verliebtheit ihr Erzengel, der gegen Bedenken, Furcht und Zweifel ankämpft wie Michael gegen den Drachen. Verliebtheit verleiht die inbrünstige und rührende Hoffnung, dass das Glück dauern wird, wenn man es nur genug will. Sie suggeriert ein Idealbild des anderen, ein magisches Einverständnis und eine gemeinsame Zukunft.

Die Liebe strapaziert unsere Vorstellung des Menschen als einem rationalen Wesen aber nicht nur in den vernunftwidrigsten Bindungen. Schon der große philosophische Trübsalblaser Arthur Schopenhauer wunderte sich über die peinliche Realität der Leidenschaft, die »die ernsthaftesten Beschäftigungen zu jeder Stunde unterbricht, bisweilen selbst die größten Köpfe auf eine Weile in Verwirrung setzt …, ihre Liebesbriefchen und Haarlöckchen sogar in ministerielle Portefeuilles und philosophische Manuskripte einzuschieben versteht, … bisweilen Leben oder Gesundheit, Reichthum, Rang und Glück zu ihrem Opfer nimmt.« Jedem kann sie zustoßen, überall und zu jeder Zeit – es sei denn, er ist gerade frisch infiziert. Denn Verliebtheit ist das Einzige, was vor neuer Verliebtheit schützt.

Galt die Liebe früher als das menschliche Echo der göttlichen Liebe, hat sie sich im Zuge der zunehmenden Verweltlichung und der nachlassenden Glaubensbereitschaft immer mehr vom Heiligen gelöst, um zum profanen Hauptspielplatz für die Suche nach dem Lebenssinn zu werden. Auf die Frage »Was ist Ihre Lieblingsbeschäftigung? antwortete schon Marcel Proust, stellvertretend für uns alle: »Lieben.« Inzwischen würde er wohl eher sagen: mich verlieben. Denn in das Gefühl der Verliebtheit sind wir heute mindestens so verliebt wie in den jeweiligen Partner: Die Macht der Leidenschaft ist zum Maßstab für Beziehungen geworden. Liebe wird immer mehr erfahren als eine Gewalt, die der konkret Liebenden bedarf und sich ihrer bedient, um real und erfahrbar zu werden. Gleichzeitig übersteigt sie die Wirklichkeit des jeweiligen Paars jedoch und wirkt in ihrer heftigsten Aufwallung gegen die Kälte und Entseelung der Welt.

Hormone in Aufruhr

Warum aber lässt sich dieser beglückende Zustand dann nicht konservieren? Die Antwort ist so einleuchtend wie bedauerlich: Weil wir es nicht aushalten würden. Evolutionspsychologen, Neurobiologen und Hormonforscher sind dem Phänomen mit Kernspintomographie, Hirnstrommessung und Blutanalysen zu Leibe gerückt. Sie haben herausgefunden, dass starke Verliebtheit Hirnregionen abschaltet, in denen negative Gefühle wie Angst, Trauer und Aggression beheimatet sind, also etwa das rechte Stirnhirn und Teile des Mandelkerns. Schon der Anblick des geliebten Menschen kann so die Wirkung eines Aufputschmittels oder Antidepressivums haben, den Espresso ersetzen und den Nachtisch dazu. Mehr noch: Hochgradige Verliebtheit und eine Zwangsneurose sind im Gehirn kaum voneinander zu unterscheiden – kein Wunder, sind Verliebte doch wie besessen vom Objekt ihrer Begierde. Gehirnschaltkreise, die für Planung und die kritische Bewertung anderer zuständig sind, werden in Hinblick auf das geliebte Wesen ausgeschaltet. Zugleich sinkt der Serotonin-Level, der in ausgewogener Mischung für die geschwinde Kommunikation im Gehirn zuständig ist, auf ein krankhaft niedriges, geradezu depressives Niveau: Darum leiden Verliebte oft regelrecht an ihrem Gefühl. Der vermeintlich freie Liebeswille ist also nichts als biologischer Determinismus, bei dem das Schicksal nur insofern die Hand im Spiel hat, als dass sich zwei Menschen erst einmal begegnen müssen, um mit Hilfe der richtigen Aufmerksamkeitssignale und anziehender Duftstoffe den hormonellen Dominoeffekt auch tatsächlich auszulösen.

Ist ein Paar hochgradig verliebt, verändern sich die Testosteron-Spiegel, der bei Männern im Normalzustand höher ist als bei Frauen. Beim intensiven Flirt, einem komplizierten unbewussten spiegelbildlichen Ritus, den Forscher bis ins letzte Detail der Körperhaltung und Gestik nachweisen können, gleichen sich auch die Hormonlevel der Partner an: Beim Mann sinkt der Testosteron-Spiegel, bei der Frau steigt er an. So lässt die Natur die störenden Unterschiede zwischen den Geschlechtern verschwinden, damit wir uns ganz auf den einzig wesentlichen, nämlich den körperlichen, konzentrieren können. Im Zuge der hormonellen Werbung wird der Mann einfühlsamer, die Frau reagiert entgegenkommender auf seine Wünsche. Die so entstehende Harmonie wird noch verstärkt durch eine deutlich erhöhte Ausschüttung von Dopamin und Noradrenalin: Diese Belohnungsstoffe übertölpeln das Gehirn auf ähnliche Weise wie Drogen und schaffen durch jenes starke Glücksgefühl die Voraussetzung für eine mögliche längere Bindung. In diesem Zustand sind wir geradezu süchtig nach einander. Dopamin weckt zusätzlich Aufmerksamkeit und Konzentration; Noradrenalin lässt Herzen rasen und Hungergefühle verschwinden. Zusammen ergibt sich so das typische Bild des Verliebten, der an nichts anderes denken kann als an den Partner, und dabei allein von Luft und Liebe zu leben scheint. »Verknallt« nennt man diesen Zustand bei Teenagern, worin bereits die leise Skepsis der Großen mitschwingt: Wer sich so benimmt, muss einen Knall haben.

Wer behauptet, er habe sein Herz verloren, meint oft genau das Gegenteil: den Verstand. Verliebtheit ist lediglich die freundliche Umschreibung für totale, wenn auch vorübergehende Unzurechnungsfähigkeit. Diese Anfälle können von einigen Monaten bis hin zu wenigen Jahren dauern. Mit der Rückkehr zum biochemischen Urzustand beginnen oft die Beziehungsprobleme, die dann in vielen Fällen schon handfeste Ehekrisen sind.

Wenn Gegensätze sich anziehen

Belege für das, was Hormone in Aufruhr mit den Menschen anrichten können, finden sich in jeder Illustrierten. So amüsiert der Leser über die ungleiche Paarung von Prinz und Busenwunder, Schriftsteller und Aktrice, Reitlehrer und Erbin sein mag, sind es doch gerade solche Geschichten, die immer wieder aufs Neue beweisen, dass Leidenschaft sich nicht um Sinn und Verstand schert. Colette sagte: »Sobald ein Mann anfängt, sich lächerlich zu benehmen, weiß man: Er meint es ernst.« Dass dieser Satz auch für den weiblichen Part gilt, bewies die Schauspielerin Ingrid Bergman, als sie sich auf dem Höhepunkt ihrer Hollywood-Karriere dem italienischen Regisseur Roberto Rossellini hingab. Die Empörung war kolossal: Eine der berühmtesten Schauspielerinnen ihrer Zeit verließ Hals über Kopf ihr Kind, ihren Mann und die Traumfabrik, um in Italien mit einem kleinen, hässlichen, intellektuellen Macho zusammenzuleben! Die Schuldigen mussten erst heiraten, drei Kinder in die Welt setzen und gemeinsam mehrere bedeutende Filme drehen, bevor ihnen vergeben wurde.

Der Legende nach war es Rossellinis Film *Rom, offene Stadt,* welcher der Bergman die Augen öffnete – und das Herz. Jedenfalls schickte sie 1948 folgende Zeilen an den ihr unbekannten Regisseur: »Wenn Sie Verwendung für eine schwedische Schauspielerin haben, die auf Italienisch nur *ti amo* sagen kann, bin ich bereit, zu kommen und mit Ihnen einen Film zu drehen.« Ein unwiderstehliches Angebot, nicht allein in künstlerischer Hinsicht. Was folgte, muss geradezu ein Tango der Hormone gewesen sein: Ingrid Bergman und Roberto Rossellini drehten *Stromboli* auf der gleichnamigen Vulkaninsel – und wie der Ausbruch eines Vulkans mutete auch die leidenschaftliche Beziehung zwischen Regisseur und Darstellerin an. Aber bei aller magnetischen Anziehung zwischen den beiden waren die Dreharbeiten auch anstrengend, zumal Ingrid Bergman bald entdeckte, dass sie schwanger war. Ihr schwedischer Ehemann Petter Lindström verlangte, sie solle zu ihm und der Tochter Pia nach Hollywood zurückkehren, wenigstens, um sich scheiden zu lassen. Ingrid Bergman blieb in Italien. Wie zur Strafe wurde *Stromboli* zum finanziellen Misserfolg. Die Liebenden schweißte das nur noch stärker zusammen. Nachdem beide ihre jeweiligen Ehen gelöst hatten, stand der Heirat nichts mehr im Wege. Doch so aufregend es für Ingrid Bergman auch gewesen sein mochte, einen Vulkan zum Ausbruch zu bringen, umso anstrengender entpuppte es sich, dauerhaft mit ihm zu leben. Die Lava erkaltete zusehends. Als das Paar die Dreharbeiten wieder aufnahm, war die Bergman konsterniert über die chaotische Arbeitsweise ihres Mannes, der sich an kein Drehbuch hielt, immer wieder zu spät kam oder ohne Erklärung verschwand. Die ostentative Ablehnung des Publikums machte die Sache nicht besser: Alle sechs Filme, die Rossellini und Bergman zusammen drehten, waren Kassengift. *Liebe ist stärker,* der von einer Trennung handelt, wurde unversehens zum autobiographischen Bekenntnis. Sie wollte zurück nach Hollywood, er forderte die Scheidung: »Ich möchte nicht Herr Bergman werden.« Rossellini behielt das Sorgerecht für die Kinder, sie nahm ihre Karriere in Amerika wieder auf.

Liebeshormone und Mäusetreue

Wenn die Menschen heute überhaupt heiraten, gibt es dafür zumeist nur einen allseits akzeptierten Grund: Sie tun es aus Liebe. Wo früher wirtschaftliche, familiäre und gesellschaftliche Gründe die Heirat notwendig machten und diese nicht zuletzt dazu diente, der subversiven Kraft der Leidenschaft entgegenzuwirken, ist es heute umgekehrt: Das Gefühl schleift die Vernunft hinter sich her. Liebe ist unser Lebenselixier. Dank ihrer wird Leid halbiert und Freude verdoppelt. Der geliebte Mensch erscheint als Retter aus Stumpfsinn und Gleichgültigkeit; das eigene Gefühl für ihn als höchste Auszeichnung.

Nun werden Liebe und Verliebtheit gern in denselben Topf geworfen, weil man hofft, dass das eine auf das andere folgt. Damit es dazu aber tatsächlich kommen kann, müssen wiederum die richtigen Hormone mitspielen, und zwar solche, die Vertrautheit, Wohlgefühl und Nähe auslösen: die Moleküle Vasopressin und Oxytocin. Was das im Idealfall bedeuten kann, haben nordamerikanische Präriewühlmäuse den Forschern vorgemacht. Sobald da ein Mäuserich und ein Weibchen festgestellt haben, dass sie sich gut riechen können, fallen sie regelrecht übereinander her. Nach vierundzwanzigstündiger Leidenschaft sind die Wühlmäuse so aufeinander fixiert, dass sie fortan für immer zusammenbleiben. In der Nacht der Nächte werden die Mäusehirne mit den Liebeshormonen Oxytocin und Vasopressin derart überflutet, dass die Tierchen vom Ohr bis in die Pfote auf Einehe eingestellt sind. Die Weibchen werden dank Oxytocin zu treu sorgenden Mäusefrauen, die Männchen mit Hilfe von Vasopressin zu Vorbildvätern. Und schon ist die Monogamie nicht Anstrengung, sondern beglückender Reflex.

Leider funktioniert das beim Menschen, der nicht nur ein wesentlich größeres Gehirn als eine Präriewühlmaus, sondern auch eine längere Lebensdauer hat, längst nicht so gut. Bei uns spielt vor allem Oxytocin eine Rolle, das Männer wie Frauen bei körperlichem Kontakt ausschütten. Doch das Bindungshormon, das Stress und Anspannung bekämpft, erreicht beim Menschen nicht annähernd mäuseartige Pegel. Mit anderen Worten: Nimmt die Verliebtheit ab, lassen uns die biochemischen Abläufe im Stich. Kein Hormon souffliert uns, wie wir uns weiter verhalten sollen. Nun sind wir selbst dafür verantwortlich, die Liebe als lohnendes Erlebnis zu bewahren.

In der Natur herrscht Damenwahl

Das größte Geheimnis der Liebe kann selbst die Wissenschaft nur teilweise lüften: Warum ausgerechnet ich? Oder: Warum ausgerechnet er? Weshalb suchen wir uns gerade diesen einen Menschen aus, wo es doch so viele mögliche Kandidaten gibt? Weshalb ist uns ausgerechnet dieser eine so lieb, obwohl er weder umwerfend schön ist noch besonders originell oder gewandt? Und wieso vermögen wir dann trotz beherzter Anstrengung kein erotisches Interesse an bestimmten anderen zu entwickeln, die objektiv womöglich attraktiver sind und mit denen es sich vielleicht sogar angenehmer leben ließe?

Dass wir angesichts unüberschaubarer Wahlmöglichkeiten eine gewisse Dummheit an den Tag legen, überrascht die Philosophen so wenig wie die Wissenschaftler. Doch während erstere noch versuchen, uns die Gründe unseres Paarverhaltens sinnstiftend zu vermitteln, winken letztere müde ab. Es steht uns nicht frei, uns in den besten Nächsten zu verlieben, weil unsere Hormone und unser Instinkt ein gehöriges Wort mitzureden und bereits festgestellt haben, dass er mit uns keinen guten Gencocktail ergeben würde. Der weibliche Instinkt prüft strenger als der männliche, denn im Vergleich zu den Millionen Spermien, die Männer täglich produzieren, sind die weiblichen Eizellen Mangelware, deren

Befruchtung keiner x-beliebig dahergeschwommenen Kaulquappe überlassen werden sollte – zumal die Folgen langwierig und anstrengend sind.

Der Wille, unsere genetische Signatur zu hinterlassen, mag uns einander zwar in die Arme treiben, dann jedoch werden strengere Kriterien angelegt, denn der Fortpflanzungstrieb ist dem Überlebenswillen überlegen und die sexuelle Auslese daher kein Luxus, sondern bittere Notwendigkeit. Jeder ist von der Natur dazu gehalten, sich einen Partner zu suchen, mit dem er überlebensfähige Nachkommen produzieren kann. Schon bei der ersten Begegnung sondiert das Unbewusste beider Beteiligter, ob eine Verbindung lohnend wäre. So erschnuppern Frauen auf der Suche nach der passenden Hälfte Männer, deren Immungene, die so genannten MHC-Moleküle, sich von ihren eigenen möglichst unterscheiden. Auf diese Weise wollen sie sicherstellen, dass ihr Kind ein besonders effektives Abwehrsystem erhält. Auch Männer haben eine Nase für Partnerinnen, deren MHC-Profil stark von ihrem eigenen abweicht. Da dieses gegenseitige Ausschnüffeln aber in der fruchtbaren Zyklusphase der Frau zu einem anderen Ergebnis führen kann als während der übrigen Tage, und da Hormonpräparate wie die Pille diese natürlichen Instinkte beim weiblichen Geschlecht ganz erheblich stören können, ist nicht immer darauf Verlass.

Neben diesen naseweisen Duftstoffen sind aber noch andere Faktoren ausschlaggebend bei der Partnerwahl. Forscher wissen inzwischen, dass Frauen an unterschiedlichen Tagen ihres Monatszyklus ganz unterschiedlich auf Männer reagieren: Während sie an fruchtbaren Tagen testosteronstarke, oft besonders männlich wirkende Typen bevorzugen, weil sie instinktiv deren Genpool plündern wollen, sind ihnen an allen anderen Tagen, also an gut 23 von 28, feminine Männer lieber, deren Testosteronspiegel niedriger ist, mithin sanfte, fürsorgliche und treue Partner. Mit diesen gehen sie eine feste Bindung ein, was jedoch nicht verhindert, dass sie sich vor allem in der Zeit des Eisprungs zu den Testosteronhengsten mit Muskeln und gutem Immunsystem hingezogen fühlen. So versucht die Frau, von beiden Männertypen das Beste zu bekommen: Für den Alltag hat sie den netten Kümmerer, für die Zeugung des Nachwuchses hält sie zur richtigen Zeit nach guten Genen Ausschau. Der schmähende Begriff »Samenraub« könnte durch diese Erkenntnisse der Naturwissenschaftler eine ganz neue Bedeutung bekommen.

Verglichen mit den zwischen Gen-Profilen und Männertypen hin und her gerissenen, hochkomplexen Frauen, sind Männer simpel zu entschlüsselnde Kreaturen, was niemanden ernstlich erstaunen wird. Die Befunde bestätigen denn auch, was alle Welt seit je wusste: Das Auge des Mannes ist besser entwickelt als sein Verstand. Männer lieben zu jeder Stunde Gleichmaß und alle Attribute der Weiblichkeit; außerdem liegt es in ihrer Natur, sich jüngeren Frauen zuzuwenden, weil diese Fruchtbarkeit verheißen. Zwar lassen sie sich ebenfalls nicht allein von optischen Signalen leiten, sondern auch von olfaktorischen: Darauf, ob Männer eine Frau gut riechen können, haben selbst die raffiniertesten Duft-Kreationen der Kosmetikkonzerne nur geringen Einfluss, denn da sind subtile Körperaromen gefragt. Doch während Frauen genau zwischen männlichen Eigenschaften abwägen, bevor sie sich die Mühe der Schwangerschaft und Geburt aufhalsen, schätzen die zeugungswilligen Herren der Schöpfung vor allem eine ansprechende Präsentation. Schon Karl Kraus wusste: »Es kommt gewiss nicht bloß auf das Äußere einer Frau an. Auch die Dessous sind wichtig.«

Hier stößt die Euphorie jedoch an ihre Grenzen. Denn selbst durch die Trüffelschwein-Methode des Ausgleichs ist noch lange nicht gewährleistet, dass eine Person, die zum Sinnesrausch zwecks gemeinsamen Kinderzeugens genetisch hervorragend geeignet ist, auch in charakterlicher Hinsicht zu uns passt.

Die Literatur ist an allem schuld

Ausgerechnet die Literatur, die sich sonst so oft durchschlagende Wirkungslosigkeit im Hinblick auf den gesellschaftlichen Alltag nachsagen lassen muss, trägt die Hauptschuld am Siegeszug der Liebesheirat. Über Jahrhunderte hinweg heiratete man aus Nützlichkeitserwägungen ganz im Sinne Kants, der die Ehe als »die Verbindung zweier Personen verschiedenen Geschlechts zum lebenslangen wechselseitigen Besitz ihrer Geschlechtseigenschaften« erklärte. Dem Königsberger ging es um die gesunde Regulierung der Triebe: Innerhalb der Ehe war Sex regelrecht vorgeschrieben, außerhalb verboten. Zweck eines solchen Bündnisses sei es, so der Philosoph weiter, »Kinder zu erzeugen und zu erziehen«. Von Liebe hingegen ist nicht die Rede. Kirchenvater Hieronymus hielt die glühende Liebe zur eigenen Frau sogar für einen Verstoß gegen Sinn und Zweck der Ehe, und noch mehr als tausend Jahre später postulierte Michel de Montaigne, man müsse unterscheiden zwischen der ruhigen, moderaten Zuneigung der Ehegatten und dem Gefühlsexzess außerehelicher Beziehungen: »Eine gute Ehe, falls es das gibt, lehnt es ab, sich mit der Liebe gemein zu machen.« Für Ehefrauen, so damals der Konsens der denkenden Herrenschaft, sei es ohnehin gesünder, wenn sie die heftigsten Aufwallungen der Erotik gar nicht erst kennen lernten. Man wollte wohl keine schlafenden Hunde wecken.

Schon der französische Barockdichter La Rochefoucauld meinte, wenige Menschen würden lieben, wenn sie nicht von der Liebe gelesen hätten. Die leidenschaftliche Liebe haben insofern nicht die ersten Menschen, sondern die ersten Dichter erfunden, als sie in leuchtenden Worten davon erzählten; was wir einander zuflüstern, sind romantische Ohrwürmer, beflügelt vom Hohelied Salomons, *Tristan und Isolde, Romeo und Julia.* Umgekehrt kann manche Lektüre die Abwesenheit von leidenschaftlichem Sinn im eigenen Leben schmerzlich fühlbar machen, wie die Selbstmordwelle zeigt, die Goethes *Werther* auslöste. Wenn das richtige Buch zur richtigen Zeit auf den richtigen Leser trifft, lassen sich Risiken und Nebenwirkungen nach wie vor nicht ausschließen. So wurde mir, einer Offenbarung gleich, das unwiderrufliche Ende meiner Ehe bewusst, als ich in einem Roman Sätze las wie diese: »Eines Tages aufwachen und ›diese Ehe ist zu Ende‹ denken. Ich wache eines Tages auf und denke, meine Ehe ist zu Ende, das denke ich, ohne das Lieben aufgehört zu haben. Das Erschrecken hierüber. Eine durch permanente Abwesenheit beendigte Ehe, deren Ende noch nicht ausgesprochen ist.«

Literatur, Musik und Kunst handeln aber nicht so sehr von der Zufriedenheit eines glücklichen Paares, sondern vielmehr von der wilden Sehnsucht jener, die nicht gleich zusammenkommen können. Wer mitfiebert, bekommt so einen Eindruck davon, dass ein intensiv erlebtes und gefühltes Leben möglich ist. Bei unserer Parteinahme für die Verliebten ignorieren wir geflissentlich die uralte Lektion, nämlich dass Leidenschaft, wenn ausgelebt, immer auch Unglück, Zerstörung, Egoismus und in neun von zehn Fällen Betrug bedeutet. Was bleibt, ist das Paradox, dass niemand, der dieses Leid mit seiner Leidenschaft auslöst, dies je beabsichtigt hat oder auch nur hat kommen sehen wollen.

Beseelte Deutsche: vom Roman zur Romantik

Die heute anerkannte Praxis der Liebesheirat ist ein Produkt erst des achtzehnten Jahrhunderts. Damals begann sich im aufgeklärten Europa die Auffassung durchzusetzen, dass eine Ehe unter Umständen auf gegenseitiger Zuneigung und nicht nur auf praktischen oder materiellen Erwägungen basieren kann. Auch auf dem Theater wurde zunehmend das Ideal der romantischen Liebe vorgestellt. Immer mehr Paare fanden aufgrund persönlicher Entscheidung zueinander, bildeten Wahlverwandtschaften, wie Goethes Bestseller es vorschlug. Mit Sturm und Drang suchten sie das tiefe Gefühl – und fanden es in der eigenen Einbildungskraft. Europa hatte genug vom feudalen Protz, genug von den Galanterien des Rokoko, genug auch von der revolutionären Libertinage zwischen den Geschlechtern. Zum Glücksstreben als menschlichem Urmotiv, wie es auch die amerikanische Verfassung anerkannte, genügte es nicht mehr, wenn zwischen den Partnern wechselseitige Achtung und stilles Einverständnis der gesellschaftlich zu wahrenden Normen herrschte. Die Ehe wurde plötzlich als wichtiges Mittel gesehen, Glück dauerhaft erfahrbar zu machen. So entwickelte sich die Liebe vom neckischen Spiel mit dem Trieb zu einer Sache der reinen Gefühle und des heiligen Ernstes. Mit der Romantik schlug die Stunde der größten Gefühlsduselei in der Geschichte des Abendlandes. So ergriffen waren die Menschen von der Entdeckung ihrer Herzen, dass sie darüber fast vergaßen, dass man sich nicht nur anschauen, schreiben und seufzend nacheinander sehnen, sondern auch umarmen kann.

Während Briten und Franzosen es sich aufgrund dringender Expansionsgelüste und unaufschiebbarer wirtschaftlicher Dynamik nicht erlauben konnten, im Gefühl zu versinken, hatten die bedächtigen Deutschen offenbar nur auf die große Liebe gewartet. Der Rationalismus eines Descartes hatte hier schon im lehmigen Sumpf des Dreißigjährigen Krieges nicht recht Wurzeln schlagen können, und auch anderthalb Jahrhunderte später sehnten sich die nostalgisch veranlagten Bewohner dieses beschaulichen Landes der Fachwerkhäuser, Handwerksstuben und Bauerngärten nicht nach Klarheit und Vernunft, sondern nach Innerlichkeit und Geborgenheit wie einst im Mittelalter. Ausländische Reisende jener Epoche schilderten die Teutonen als liebenswürdige, aufgeschlossene, rührende Leute, die nur beim Essen und Trinken gelegentlich zum Exzess neigten. Über ihren musizierenden, philosophierenden, plaudernden Zusammenkünften braute sich eine Bürgerlichkeit zusammen, deren Biedermeierlichkeit erst hundert Jahre später vorsichtig verspottet werden durfte. Goethes Leser waren so versessen auf starke Gefühle, dass sie sich sogar in ihr eigenes Unglücklichsein verlieben konnten. Doch mit der so schicken wie schicklichen Entsagung wollte man sich auf Dauer dann doch nicht zufrieden geben – allmählich fand man Geschmack an der Liebesheirat.

Diese Entwicklung, die das Gefühlsleben revolutionierte, hatte aber auch eine Kehrseite: Angesichts des neuen seelischen Gleichklangs konnte man sich plötzlich schlechter mit dem natürlichen, aber noch wissenschaftlich unerforschten hormonell-emotionalen Niedergang abfinden, den Männer, aber auch Frauen des Barock und Rokoko durch stete erotische Abwechslung so wacker bekämpft hatten. Plötzlich war die Ehe zum Risiko geworden. Wer wählt, ist schließlich auch für seine Wahl verantwortlich. Und wenn ihm diese nach einiger Zeit schal erscheint, muss er sich fragen, warum dies so ist. Die Nebenwirkung der Liebesheirat: Ehekrisen!

Speziell nach Erscheinen des *Werther* war die Epoche voll von romantischen Liebesgeschichten mit tragischem Ausgang. So war Clemens Brentano, dessen erste Frau, die Dichterin Sophie Mereau, im Kindbett gestorben war, in seiner zweiten Ehe mit Auguste Bußmann kreuzunglücklich. Er hatte die siebzehnjährige Nichte der Frankfurter Bankiersfamilie Bethmann in einer Gefühlsaufwallung entführt und musste sie daraufhin heiraten.

Was folgte, war eine Ehehölle, geprägt von Demütigungen und Selbstmorddrohungen ihrerseits und Flucht- und Trennungsversuchen seinerseits. Clemens schrieb seiner Schwester: »Die heilige Ehe, die mir sonst so wunderbar herrlich erscheint, kommt mir wie ein eisernes Halseisen vor.«

Liebe als Ideal und Ideologie

»Himmelhoch jauchzend, zu Tode betrübt«: Dieses von Goethe postulierte Wechselbad der Gefühle muss jeder Liebende gewahr werden. Da hilft nur bedingt, dass die Liebesheirat endgültig in allen Bevölkerungsschichten zur Norm geworden ist. Sie scheint die letzte, einzige Lebensform zu sein, die den radikal wechselnden äußeren Verhältnissen überhaupt noch zaghaft standhält. Selbst wenn alles dafür spricht, dass Ehen nach wie vor auch aus Karriere-Kalkül und Ehrgeiz eingegangen werden, klammern wir uns doch verzweifelt an die schöne Idee vom Bund fürs Leben als Bund fürs Lieben. Doch wo der sakrale Charakter des Gelöbnisses weitgehend verschwunden ist, muss die Liebe selbst zum Maß aller Dinge werden. Sie muss zumindest so tun, als stünde sie über allen eigennützigen Interessen, denn schließlich soll sie ihrem Charakter nach selbstlos sein. Daher darf sie keine Begründung außer in sich selbst finden. Ganz nebenbei bleibt so ihr Mythos gewahrt. Nur: Muss man wirklich heiraten, um an dieser Hoffnung teilzuhaben?

Nach dem Zusammenbruch von Kommunismus und Sozialismus ist die romantische Liebe die letzte große Ideologie, die uns geblieben ist. Den Beweis dafür, dass sie keine Utopie ist, strebt jeder Mensch auf persönlicher Ebene an. Öffentliche Zeremonien und Rituale sind die Insignien ihrer Macht. Kino- und Werbebilder aus unserer Alltagskultur haben erotische Modellfunktion. Wir sind der Liebesideologie verfallen, ohne es recht zu bemerken. Ihren Anhängern verspricht sie Erfüllung, Geborgenheit und Kinder, leinwandreife Küsse sind ihr Wahlplakat, und die Hochzeit ist der Schwur auf ihre Verfassung.

Wo es nicht mehr selbstverständlich ist zu heiraten, kommt dem repräsentativen Charakter des Fests allerhöchste Bedeutung zu. Der schönste Tag ist zwar ganz schön teuer – aber seine Symbolkraft strahlt dafür weit über ihn hinaus. Wer heute heiratet, tut dies immer auch demonstrativ, um zu zeigen, dass er es ernst meint mit seiner Liebe. Nach dem Vorbild aristokratischer Vermählungen lebt die festliche, aufwendige Zeremonie mit zahlreichen Freunden und Verwandten wieder auf. Längst ist die Hochzeit zu einem Statussymbol geworden, wo Gästezahl und Menüfolgen eine zentrale Rolle spielen und verglichen werden. Ab Mai haben Cutaway und Frack, bei den Damen Kostüme, Hüte und Ballkleider Hochsaison. Es gehört zum guten Ton, es zur Feier der Liebe richtig krachen zu lassen – was manchmal die Form eines doppelten Ego-Trips annimmt. Hochzeitslisten, auf denen kein Geschenk weniger als hundert Euro kostet, sind da keine Seltenheit, ebenso wenig wie Einladungen zu Zeremonien auf Berggipfeln oder im Wüstensand, bei denen niemand sagen mag, dass er sich die Reise im Dienst fremder Romantik eigentlich nicht leisten kann. Die Hochzeit, ultimative Huldigung der Liebes-Ideologie, kann aber nicht nur ein kapitalistisches Statement sein, sondern auch ein politisches. »Die Heirat kommt heute auch als Rebellion gegen die Rebellion in Frage«, stellte Benjamin von Stuckrad-Barre 1999 im popliterarischen Manifest *Tristesse Royale* fest. Die Liebe mag demokratisch sein; die Hochzeit, mit der sich die bestehende Ordnung seit je auch selbst feiert, wird immer ein konservativer Schritt bleiben.

Da die Ehe heute ihre traditionellen Aufgaben größtenteils verloren hat, stellt sie in vielerlei Hinsicht keine Erweiterung mehr dar, sondern eine freiwillige Beschränkung. In Zeiten maximaler Möglichkeiten ist sie eine Absage an die unendliche Vielzahl persönlicher Entfaltungsweisen. Deshalb ist der Einzelne mit der Hochzeitsfrage heute auch ganz auf sich gestellt: Er und nur er selbst kann der Ehe individuellen Sinn verleihen. Die Motive zu heiraten sind daher heute so vielschichtig wie nie zuvor – gerade weil die Religion in dieser zentralen Frage radikal an Einfluss verloren hat und sich die meisten Menschen von den gesellschaftlichen Verhältnissen und Einrichtungen erst recht nicht mehr diktieren lassen, was sie tun und lassen sollen.

Die Liebe ist der letzte Bereich, den wir ganz und gar selbst gestalten können. Das Problem ist nur: Wir müssen es auch selbst tun. Alles andere mag sich aufschieben oder delegieren lassen, doch die Arbeit an der Beziehung bleibt zu jeder Zeit ausschließlich uns selbst und dem Partner überlassen. Um frischen Mutes an die Liebesplanung zu gehen, braucht es eine Initialzündung, die dafür sorgt, dass das Ganze nach Vergnügen und nicht nach Mühe aussieht. Und so setzen wir der Vergänglichkeit der Liebe das Bestandsversprechen der Ehe entgegen – und hoffen das Beste.

Die Frage aller Fragen

Romantische Liebe erzeugt die intensivste Form von Zugehörigkeit, die es gibt. Leider auch oft die kürzeste. Denn die Liebe ist meistens der einzige und letzte Teil unseres Lebens, in dem wir nicht für unsere Taten gemocht, akzeptiert und gelobt werden wollen, sondern schlicht für das, was wir sind. Als stärkste Bestätigung dieses Geliebt-, Gemocht- und Akzeptiertwerdens ist der Heiratsantrag das schönste Kompliment, das ein Mann einer Frau machen kann. Bedauerlicherweise ist es häufig auch das letzte. Denn wie viele Komplimente ist auch dieses häufig stark übertrieben. Manchmal bedeutet es lediglich: Jetzt, in diesem Augenblick, erscheinst du mir begehrenswerter als alle anderen, und ich wünsche mir, dass es die nächste Zeit so bleibt. Nun sind Frauen ihrer Natur nach für Komplimente empfänglich. Aber dass die meisten auf die Frage »Willst du mich heiraten?« lieber mit »ja« als mit »nö, wieso?« antworten, liegt nicht nur an der Nachgiebigkeit und Duldsamkeit der Damenwelt, sondern ebenso sehr an Literatur, Kino und Kunst, an Zeitschriften, Fernsehserien und Werbeclips. Dort wird fortgeführt, was in der Liebe geschehen kann – und soll. Das Happy End trägt fast immer Schleier. Selbst die profane Wettervorhersage wird zur Frühlingszeit mit einem turtelnden Brautpaar als Symbol der Sonnen-Hoffnung aufgepeppt. Illustrierte verbreiten derweil königliches Hochzeitsfieber, und jeder Versandhaus-Katalog enthält einen Hinweis auf Hochzeitslisten. Im Alltag mögen sich diese Hinweise noch standhaft ignorieren lassen, aber im Kino kommt man nicht daran vorbei. In *Harry und Sally,* einem Kultfilm der späten achtziger Jahre, hieß der zentrale Satz: »Wenn man begriffen hat, dass man den Rest des Lebens zusammen verbringen will, dann will man, dass der Rest des Lebens so schnell wie möglich beginnt.« Einige Jahre später war *Schlaflos in Seattle* angesagt: »Es waren Millionen winzig kleiner Dinge, und wenn man sie alle zusammenzählt, bedeutet das, dass wir füreinander bestimmt waren. Und ich wusste es. Ich meine, ich wusste es in dem Moment, als ich sie das erste Mal berührt habe. Es war, als würde ich nach Hause kommen.« In *Notting Hill* waren 1999 die Rollen zwar vertauscht, aber die Botschaft blieb gleich: »Der ganze Ruhm ist nichts wirklich Echtes, weißt du. Vergiss nicht, ich bin auch nur ein Mädchen, das vor einem Jungen steht und ihn bittet, es zu lieben.«

Wo eine ganze Kultur derart vernarrt ins romantische Verliebtsein ist und die letzte Filmeinstellung regelmäßig läutende Kirchglocken, strahlende Brautpaare oder den zärtlichen Ehealltag ins kollektive Gedächtnis beamt, erscheint die Ehe als Verheißung, nicht als Drohung. Die Hoffnung, dass mit der Heirat alles an seinen Platz fallen könnte, hat sich sogar der misstrauischen Gegenwartsliteratur eingeschrieben, die sonst hinter jedem Gefühl gleich den doppelten Boden wittert. Selbst der kühle Analytiker Michael Lentz kann sich der Sehnsucht nach sinnstiftendem Überschwang im Roman *Liebeserklärung* (2003) nicht entziehen: »Würdest du mich heiraten, habe ich dich gefragt, obwohl ich verheiratet war, was ich dir sagte, verheiratet und keine Kinder, und abends, bei zahllosem Bier, langtest du über den Tisch und nahmst meine Hand, und ich halte deine Hand fest, würdest du mich heiraten, habe ich dich gefragt, und du hast ja gesagt.«

Verliebt, verlobt, verheiratet

Keine Frage: Nichts ist so aufregend wie frische Verliebtheit. Wenn die Schmetterlinge im Bauch sich dann aber allmählich beruhigen, in ein angenehmes Kribbeln und schließlich in ein wohlig warmes Gefühl übergehen, man sich an die Präsenz des anderen im Leben gewöhnt, erst an den allabendlichen Anruf, dann an die gemeinsamen Wochenenden, schließlich an die zusammen geplanten Einladungen und Reisen, wird es ruhiger – nicht weniger schön, aber doch weniger spannend. Es ist nicht mehr neu. Und weil Verliebte sich bevorzugt in Superlativen ausdrücken – »Ich habe noch keine so geliebt wie dich«, sagt Leonard in solchen Momenten, und Sophie sieht dann in seine blauen Augen und haucht: »Du bist mein Ein und Alles« –, wird es mit der Steigerung immer schwieriger. Leonard fiel nichts mehr ein, was er Sophie nicht schon Dutzende Male gesagt hatte. Immer wieder beteuerte er, sie sei die Liebe seines Lebens, aber manchmal hatte er den beunruhigenden Eindruck, dass seine Schwüre sie nicht mehr so beeindruckten wie zu Beginn ihrer Beziehung. Sie waren glücklich, sie waren verliebt, das Leben ging weiter – wie ließ sich dieser perfekte Zustand denn noch verschönern? Leonard sah nur eine Möglichkeit: den Heiratsantrag.

In den meisten Fällen bedarf es irgendwann nach der ersten Verliebtheit, dem zweiten Blick und dem dritten Jahr eines neuen dramaturgischen Höhepunkts. Die Gründe dafür, die verbindlichste aller Fragen zu stellen, können erschreckend banal sein, wie Hugh Grant im Film *Vier Hochzeiten und ein Todesfall* anklingen ließ: »Du meinst, die Ehe sei bloß eine Möglichkeit, eine peinliche Pause in der Konversation zu umgehen?«

Ob man eine offizielle Verlautbarung der gemeinsamen Liebeslebenspläne nun altmodisch und spießig findet oder *comme il faut* (spätestens ab der zweiten Heirat verbietet sich die Verlobung ohnehin von selbst): Die Zeitspanne, die vom Entschluss zu heiraten bis zum tatsächlichen Hochzeitstag vergeht, wird in unserer Kultur glorifiziert und katapultiert die Liebe noch einmal in neue ungeahnte Höhen. Das bestätigen auch Forscher, die herausgefunden haben, dass die Zufriedenheit der Partner miteinander um den Zeitpunkt der Hochzeit am größten ist. Dabei ist die Vorbereitungsphase für den großen Tag in der Realität einfach nur besonders anstrengend, angefüllt mit Vorbereitungen, Planung und Wettersorgen, Kleidanproben und Probeessen. Und dann ist er plötzlich da, der angeblich schönste Tag im Leben. Die ganze Welt freut sich mit einem, schreibt, gratuliert und schenkt. Zustimmung pur. Es ist verblüffend. Diese einzigartige, sonderbare und beflügelnde Erfahrung liefert mehr als genug Gesprächsstoff für die obligatorisch folgenden Flitterwochen, die man fast komplett mit dem Wiederkäuen des Hochzeitstages verbringen kann: Was Jutta anhatte und wie Dieters Rede ankam und wie seltsam das Geschenk von Tante Bibsi ausgefallen ist. Und dann ist es plötzlich vorbei. Verliebt, verlobt, verheiratet. Beim gleichnamigen Ballspiel scheidet man an dieser Stelle aus. Ein ritueller Zyklus ist an sein Ende gelangt. Der nächste Schritt heißt in vielen Fällen: geschieden.

Die Ehe besiegelt eine leidenschaftliche, eine große, mit viel Glück sogar *die* große Liebe – mit der es dann oft rasch vorbei ist, wenn der Alltag beginnt. In manchen Fällen lässt er sich jahrelang abwehren, aber irgendwann ist er unwiderruflich da. Sich zu arrangieren, Pflichten zu übernehmen, Verantwortung zu tragen gehört zu jeder Liebesbeziehung, die länger währen soll als ein paar Wochen. Der Alltag ist für die meisten Menschen gleichbedeutend mit Monotonie, Banalität, Sorgen – ebendas, wovon man Ferien macht. Das weiß man. Was man nicht weiß oder jedenfalls nicht wahrhaben will, ist, dass der Ehestand nichts, aber auch gar nichts daran ändert.

Sophie hat inzwischen aufgehört, neugierig in Leonards gigantischer CD-Sammlung herumzustöbern. Sie hören sowieso immer dieselben zehn Alben, und außerdem nervt es sie, dass er die CDs nie zurück in ihre Hüllen tut und Dutzende glitzernder Scheiben um die Stereoanlage herum liegen. Leonard dagegen kann nicht begreifen, warum Sophie partout noch abends um zehn vor acht in den Supermarkt schießen muss, bloß, weil nur noch ein Joghurt da ist. Ein leerer Kühlschrank mache sie nervös, erklärt sie ihm, aber er findet ihr eichhörnchenartiges Vorratsstreben kleinlich und lästig. Andererseits hütet er sich davor, dies auszusprechen: Eine der vielen angenehmen Nebenwirkungen des frisch gebackenen ehelichen Zusammenlebens ist, dass er gar nicht mehr in den Supermarkt gehen muss. Sophie weiß, dass er die Schlangen an den Kassen hasst, und hat diese lästige Aufgabe stillschweigend übernommen.

Solange wir verliebt sind, interessiert uns alles am anderen brennend. Wir verfolgen fasziniert, welchen Teil der Zeitung er als Erstes liest, registrieren seine Badezimmerrituale und merken uns, wie er seinen Kaffee trinkt. Aber dann lässt die Aufmerksamkeit allmählich nach, und ungefähr zur selben Zeit fällt uns auf, dass es dem anderen mit uns skandalöserweise nicht anders geht. Die Enttäuschung darüber wiegt umso schwerer, als dass Glashausbewohner mit Wortsteinen zurückhaltend sein müssen. Sophie bemerkt, dass Leonard ihr nie mehr den Schlag aufhält, und Blumen hat er ihr schon seit Ewigkeiten nicht mehr mitgebracht. Umgekehrt beobachtet Leonard, dass Sophie sich nicht mehr jeden Tag so sorgfältig kleidet wie in den ersten Monaten ihres Zusammenseins, und auch die *Sportschau* guckt sie kaum noch mit ihm, für die sie sich zu Beginn ihrer Beziehung anscheinend so sehr interessierte.

Forscher vermuten, dass der Rausch der Leidenschaft Frauen wie Männer blind gegenüber vielen charakterlichen Eigenschaften ihres Partners macht. Wir verlieben uns meistens zunächst tatsächlich in das Aussehen des anderen, nicht in sein Wesen. Unterschiedliche Charaktereigenschaften werden in diesem ekstatischen Zustand nicht nur geduldet, sondern sogar als spannend und bereichernd wahrgenommen. Diese Faszination sorgt dafür, dass wir uns zu einem gründlicheren gegenseitigen Auskundschaften zusammentun. In dieser Zeit steigt der Serotoninspiegel im Körper der Verliebten, der zuvor auf einen krankhaft niedrigen Pegel abgesunken war, wieder auf Normalniveau an: Der Gemütszustand der Zwangsneurose, dem die Verliebtheit so ähnelt, ist abgeklungen. Jetzt kommen nicht nur die legendären Bindungshormone Oxytocin und Vasopressin erneut ins Spiel, sondern endlich auch die Persönlichkeiten. Und von da an wird es kompliziert. Denn die Liebe, ganz anders als die großmütig veranlagte Leidenschaft, ist pedantisch. Sie verlangt mehr als lediglich aufregende Gefühle mit einem fremden Wesen, das gut aussieht und sich auch schön anfühlt. Und im Gegensatz zu unserer biochemischen Unterleibsmaschinerie findet die Liebe im

Kopf Gegensätze überhaupt nicht anziehend, sondern sie steht auf Ähnlichkeit – aus Bequemlichkeit. Denn je ähnlicher ein Mensch uns ist, umso leichter fällt es uns, ihn zu verstehen und sein Verhalten nachzuvollziehen. Ähnlichkeit vermittelt uns daher Sicherheit und Geborgenheit, während das Fremde uns nach anfänglicher Neugier mehr und mehr irritiert.

Lauter glückliche Ehepaare?

Bei Frischvermählten wird neben der hormonellen Ablenkung durch die leidenschaftliche Verliebtheit der Zusammenprall der Charaktere allerdings noch durch etwas anderes hinausgezögert: Zunächst ist schlicht das Glück, verheiratet zu sein, daran schuld. Alle Ehe-Studien kommen diesbezüglich zum selben Ergebnis: Verheiratete fühlen sich besser als Singles. Hat also die Hoffnung von der Liebe als Zweierglücksfabrik doch nicht getrogen? Die Antwort der Forscher ist ein entschiedenes Jein.

Langzeitstudien belegen, dass glückliche Menschen in der Tat häufiger heiraten als solche, die sich selbst als weniger glücklich einschätzen. Aber auch die Heirat selbst stimmt froh. Je näher der Hochzeitstermin rückt, umso glücklicher fühlen sich die Partner. Der zum Zeitpunkt der Eheschließung erhöhte Glückspegel hält sein Niveau allerdings nur vorübergehend. Nach einiger Zeit sind die Verheirateten nur noch ein bisschen zufriedener, als wenn sie nicht geheiratet hätten. Der Stolz, das gemeinsame Ziel erreicht zu haben, verebbt. Während jedoch bei Frauen die Lebenszufriedenheit im Verlauf der ersten Ehejahre rasant abnimmt und nach vier Jahren ganz verschwunden ist, sind Männer nach drei Jahren Ehe im Durchschnitt noch fast so zufrieden wie zum Zeitpunkt der Heirat. Dazu passt, dass bei vier von fünf Scheidungen der Trennungswunsch von weiblicher Seite ausgeht, was Soziologen wiederum darauf zurückführen, dass Frauen heute wirtschaftlich selbstständiger sind und sich die Trennung daher finanziell viel eher erlauben können als früher. Doch die ökonomische Unabhängigkeit ist nur der zweite wichtige Faktor. Denn je weniger Frauen heute auf den Mann als Versorger angewiesen sind, ist dieser umso stärker als emotionaler Partner gefragt – und wenn er als Bezugsperson versagt, gibt es für Frauen oft keinen Grund mehr, bei ihm zu bleiben. Umso erstaunlicher mutet es da an, dass eine Heirat die männliche Lebenserwartung um vier Jahre in die Höhe schnellen lässt – offenbar hat der Mann noch gar nicht richtig begriffen, dass er in der Ehe stärker gefordert ist denn je.

Der unbedarfte Leonard zum Beispiel gibt Sophies beruflicher Beanspruchung die Schuld an ihrem häufigen Genervtsein und käme gar nicht auf die Idee, dass er selbst etwas damit zu tun haben könnte. Sophie dagegen ist der Meinung, dass ihr Mann abends ruhig mal mit dem Essen auf sie warten könnte, und fände es auch nett, wenn er den Fernseher ganz ausschalten würde, anstatt nur den Ton abzustellen, wenn sie sich mit ihm unterhalten möchte. Aber sie schluckt ihre Kritik hinunter. Schließlich will sie keine dieser ewig nörgelnden Ehefrauen sein. Und außerdem hat Leonard im Büro derzeit ziemlichen Stress und muss sich auch einmal entspannen dürfen.

Liebe und Statistik

Das Glück in der Ehe, wo vorhanden, ist so individuell wie die Beziehungen, aber es lässt sich zumindest teilweise durch objektiv fassbare Faktoren erklären. So wird die subjektive Zufriedenheit in der Ehe durch die größtmögliche Übereinstimmung der Partner, beispielsweise ein ähnliches Ausbildungsniveau, vergleichbare familiäre Hintergründe und gleiche religiöse Auffassungen eindeutig unterstützt. Starke Diskrepanzen, was Alter,

Wissen und Herkunft angeht, machen sich dagegen fast immer negativ bemerkbar.

Allerdings würde kaum noch jemand heiraten, wenn er den bedrückenden Statistiken Relevanz für sein eigenes Leben zubilligte. Letztlich glauben die meisten Menschen, dass der Regelfall sich auf sie ohnehin nicht anwenden lässt. Es sind immer die anderen, von denen man annimmt, dass sie einen Autounfall haben, an Krebs erkranken oder in der Ehe Schiffbruch erleiden werden. Allerdings ist der »Überoptimismus«, wie Forscher diese Haltung nennen, in der Ehe leichter zerstörbar als in anderen privaten Bereichen: Den Beruf kann man wechseln, ein Hobby auch. In der auf Ewigkeit angelegten Ehe hingegen ist die tagtägliche Auseinandersetzung mit dem anderen gefragt – und mit den gegenseitigen Ansprüchen. Die Glückszuversicht kollidiert zusehends mit den Alltagssorgen. Gemessen an unseren Erwartungen, ist die Realität fast immer enttäuschend.

Wo wie in der Liebesehe nichts als Gefühle und Hormonseligkeit den Zusammenhalt garantieren sollen, ist die Trennung immer schneller eine Option. Da genügt es schon, dass der wechselseitige Beglückungsprozess sich verlangsamt und schließlich ganz ins Stocken gerät. Neulich hat Sophie die Fassung verloren und Leonard angeschrien: »Um jeden Abend alleine zu essen, habe ich nicht geheiratet!« Er brüllte zurück: »Und ich nicht, um jedes zweite Wochenende deine Eltern zu besuchen!« Um bei den Abendnachrichten Gesellschaft zu haben, braucht man eben nicht zu heiraten, und auch wer Nacht für Nacht friedlich nebeneinander einschläft, kann sich tagsüber auseinander leben.

Die hohe Frustrationsanfälligkeit von Liebesehen hat auch damit zu tun, dass emotionale Höchstleistungen hier nur für die Beteiligten sichtbar sind, und oft nicht einmal das. Neulich hatte Sophie sich überwunden und als Überraschung für Leonard Fußballtickets besorgt, saß einen ganzen Abend lang fröstelnd neben dem aufgeregten Leonard und machte gute Miene zum unentschieden endenden Spiel, dessen Verlauf sie nicht die Bohne interessierte. Ein anderes Mal hat sie ihren Mann spontan zu McDonald's eingeladen, als sie seines Missmuts über die selbst gekochte Erbsensuppe gewahr wurde. Doch das, was für sie Liebesopfer waren, die sie zum Wohle der Beziehung brachte, fiel Leonard nicht einmal als besonders auf. Nach dem Fußballspiel war er schlecht gelaunt wegen des Ergebnisses, und nach dem Essen beklagte er sich über die nach Frittenbude stinkenden Klamotten. Nähe und Vertrautheit lassen sich eben auf keiner objektiven Skala messen, sondern unterliegen der momentanen Einschätzung der Beteiligten, die nur einen Richtwert kennen: ihre Erwartung.

Familiensoziologen haben noch eine andere Ehe-Rechnung aufgemacht: die Kosten-Nutzen-Analyse, bei der Ehe-Hindernisse und -Alternativen berücksichtigt werden. Je niedriger die Trennungs-Barrieren und je verlockender die außerehelichen Möglichkeiten, desto gefährdeter sind selbst glückliche Ehen, stellen sie fest. Umgekehrt bedeutet dies aber auch, dass angeknackste Beziehungen halten können, wenn die Umstände sie dazu zwingen und kein Ausweg in Sicht ist. Günstig ist es zum Beispiel, wenn nicht so früh geheiratet wird: Sind die draufgängerischen Zeiten der Zwanziger überstanden, sinkt das Scheidungsrisiko beim Mann um zwei, bei der Frau gar um sieben Prozent pro Lebensjahr. Hat die Frau dagegen ein höheres Bildungsniveau als der Mann, steigt die Wahrscheinlichkeit einer Scheidung um fast 50 Prozent. Gemeinsamer Besitz, etwa von Immobilien, verringert die Gefahr der Trennung um sagenhafte 54, gemeinsame Kinder dagegen nur um 40 Prozent. Der Ehevertrag hingegen, der das Scheitern ja bereits annimmt, erhöht das Scheidungsrisiko um starke 47 Prozent. Demnach hätten mein Mann und ich eigentlich beste Chancen haben müssen:

Wir haben kirchlich geheiratet, was das Scheidungsrisiko um 40 Prozent verringert, sind beide katholisch, haben also die gleiche Konfession, was die Trennungswahrscheinlichkeit um starke 72 Prozent senken soll, er war 37, ich 26 Jahre alt, und wir hatten keinen Ehevertrag abgeschlossen. Auch was Familienhintergrund, Bildungsgrad und Wertvorstellungen angeht, war die von Soziologen empfohlene Ähnlichkeit durchaus vorhanden. Ist das Schiff der Liebe also an den Klippen des Alltags zerschellt, wie der Dichter Majakowski schrieb? Oder macht man es sich mit dieser Erklärung zu einfach?

Es ist wohl doch eher die Projektion, die mit der Zeit brüchiger wird und schließlich zerbricht, als das Gefühl. In enthusiastischer Verliebtheit begeben wir uns in einen anderen Menschen hinein, und um genug Raum darin zu haben, werfen wir alles hinaus, was ihn ausmacht, und ersetzen es mit unseren eigenen Vorstellungen. Wir wollen im anderen uns selbst erkennen, und sobald wir nicht mehr das eigene Spiegelbild, sondern einen Fremden entdecken, wird uns angst und bange.

Der Widerspruch von Liebe und Ehe

Schon während ich verheiratet war, habe ich mich immer wieder gefragt, ob es etwas in der menschlichen Natur ist, was Ehen zerstört – oder ob die Institution selbst an ihrem steten Niedergang schuld ist. Liegt es an unseren Erwartungen an die Ehe oder an unserem Verhalten in der Liebe? Und wenn die Antwort lautet: an beidem – dann müssten wir doch beides einfach ändern können, oder?

Nachdem man akzeptiert hat, dass es in jeder Beziehung mal treppauf, mal treppab geht, erscheint die Ehe als Geländer, an dem man sich festhalten kann, um nicht zu fallen. Die Liebe macht uns glauben, dass wir nicht auf unsere Füße achten müssen, weil die ganz von allein immer den Weg zum anderen einschlagen. Zusammengenommen können diese Fehleinschätzungen zu einem bösen und äußerst schmerzhaften Sturz führen.

Während die Ehe traditionell auf Dauer, wenn nicht gar Ewigkeit angelegt ist, steht die Verliebtheit auf der Seite alles Vergänglichen. Ihre Ewigkeit lässt sich nicht garantieren, wie sehr man sie auch beschwören, versprechen und beabsichtigen mag. Das Fundament der Liebesbeziehung zerbricht daher oft leichter als die auf Vernunft, Pflicht und Interessen basierenden Ehen. Da niemand anderes als sie selbst und ihre Gefühle sich füreinander entschieden haben, tragen die Beteiligten allein die Verantwortung für Dauer, Entwicklung und leider auch Ende ihrer Liebe. Man entscheidet sich füreinander, heiratet, weil man sich über die Maßen liebt. So stellt es sich im Innern dar, und so nimmt es die Außenwelt ohnehin als selbstverständlich wahr. Wissenschaftler wissen jedoch inzwischen, dass es keinen stärkeren Auslöser für eine Verliebtheit gibt als den Eindruck, dass man selbst von der anderen Person begehrt wird. Denn nicht zuletzt lieben wir die Idealvorstellung, die der andere von uns hat. Und so schaukeln sich manche Verliebte tatsächlich gegenseitig hoch, bis sich eine Hochzeit als letzte noch mögliche Steigerung zum Ausdruck dieses ekstatischen Verliebtseins geradezu logisch aufzudrängen scheint.

Danach folgt irgendwann das böse Erwachen: Liebe weg, was nun – insbesondere, wenn sonst nichts Verbindendes da ist? Niemand gibt schließlich gern zu, dass es sich bei seiner strahlend verkündeten »großen Liebe« lediglich um eine besonders explosive biochemische Verbindung gehandelt hat. Gefühl ist in, Vernunft ist out. Zumal die Ehe ist in Zeiten ihrer dauernden Gefährdung mehr denn je zu einem wichtigen Bestandteil des persönlichen Erfolgs geworden. Denn wo Liebesbeziehungen als wesentlich für Selbstverwirklichung und Individualität gelten, stellen dauerhaft gelungene Verbindungen eine Leistung an sich dar. Nach wie vor wird Junggesellen in exponierten Positionen oder im diplomatischen Dienst nahe gelegt, doch zu heiraten – aber der Hauptgrund ist nicht mehr der, dass die Ehe seit Kants Definition als beste Methode gilt, die Triebe unauffällig und legal auszuleben und so im Zaum zu halten, oder dass die Ehe einem die nötigen Sozialpunkte beschert, die vor der Kündigung bewahren. Wer heiratet, signalisiert damit vielmehr die Bereitschaft, sich festzulegen und auch dann durchzuhalten, wenn es einmal schwierig wird – Tugenden, die in Zeiten des Überangebots immer schwerer fallen und daher besonders lobenswert erscheinen. Wenn Leidenschaft den Charakter verweichlicht, stählt die Ehe ihn wieder. Einem Manager, der sich wegen einer Jüngeren nach zehn Jahren Ehe von seiner Frau scheiden ließ, wurde der bereits versprochene Posten in der Geschäftsführung unter fadenscheinigen Gründen wieder entzogen, während der junge Kollege, der seine langjährige Freundin heiratete, befördert wurde. Der Mut zur Ehe weckt Vertrauen und signalisiert, dass man sein eigenes Wohl von einem anderen abhängig macht: nicht nur Arbeitgeber und Regierende müssen das gutheißen.

Liebe als Schauspiel

Bei aller Unabsehbarkeit menschlichen Handelns, Denkens und Fühlens ist es tröstlich zu sehen, dass selbst die extrem Reichen, extrem Schönen und extrem Begabten in Sachen Liebe auch nur mit Wasser kochen. Wie vor allem Künstler leben, lieben, an der Liebe scheitern, hat nicht nur eine private Dimension, denn sie reflektieren intensiver als andere Menschen den Geist einer Epoche. Ihre Abweichungen von der Norm werden daher fasziniert, aber auch misstrauisch beäugt. Denn dabei zeigt sich immer wieder, wie gleichgültig der Leidenschaft das spießige

Homogenitätsverlangen der Gesellschaft ist, wie wenig sie sich um Gesetze und Normen schert – und wie kurzlebig sie oft ist. Paare wie Napoleon und Joséphine, Roberto Rossellini und Ingrid Bergman, Arthur Miller und Marilyn Monroe oder Tom Cruise und Nicole Kidman beweisen, dass die Welt sich ohne Leidenschaft nicht drehen würde.

Das Schöne aber ist, dass sich die Liebe, so entschlüsselbar ihre einzelnen Zutaten auch heute sein mögen, wieder in ein Geheimnis verwandelt, sobald sie zwei Personen erfasst. Dann nämlich kommen jene grundsätzlichen Eigenschaften zum Tragen, die Männer an Frauen und Frauen an Männern noch nie verstehen konnten, die aber nach wie vor starke gegenseitige Anziehung bewirken. Und so sind die überzeugendsten Beispiele für die Gefährdung der Liebesehe oft gerade die Liebenden, die sie eingehen.

Anders als in Literatur, Oper und Film, wo einmal glücklich geschlossene Ehen für immer Bestand haben, werden die Ehen von Schriftstellern, Komponisten und Leinwandhelden ebenso wenig im Himmel geschlossen wie unsere eigenen. Beispiele für Liebesehen gibt es zuhauf: Liebende, die ihre Leidenschaft verherrlichen, und mit der Heirat sich und andere davon überzeugen wollen, dass sie andauern wird, kennt man aus dem Bekanntenkreis ebenso wie aus den Zeitschriften. Als zynisch gilt, wer von vornherein nicht glauben mag, dass die Prinzessin mit dem Kellner glücklich wird, die Sängerin mit dem Tanzlehrer oder die Schauspielerin und der Kameramann. Hinterher häufen sich die Erklärungen und gut gemeinten Ratschläge fürs nächste Mal.

Ehen unter Schauspielern sind da besonders aufschlussreich. Vielleicht hat es damit zu tun, dass es schließlich ihrer Berufsbeschreibung entspricht, Liebe glaubwürdig zu gestalten und zu inszenieren, das, was die Amerikaner in unbekümmerter Verkürzung aufs Wesentliche »Kiss Kiss and Bang Bang« nennen, nicht nur auf der Leinwand herz- und hautnah erlebbar zu machen.

Der Brite Laurence Olivier tat sich als Sohn eines anglikanischen Pastors schwerer damit als Vivien Leigh, an die man sich heute vor allem in der Rolle der Scarlett O'Hara in *Vom Winde verweht* erinnert. Vom ersten Augenblick an – er sah sie 1935 in London in ihrer ersten Bühnenrolle in Sternheims Stück *Die Marquise von Arcis* – war es um ihn geschehen: »Sie hatte ... eine Anziehungskraft, die betörender war als alles, was ich gesehen hatte.« Sie hatte sich ebenfalls verliebt, als sie ihn auf der Bühne erlebte. Die Liebe zum Theater und zu Shakespeare verband sie. In seiner Autobiographie beschreibt Olivier diese erste Zeit auf eine Art und Weise, die als exemplarisch für die Liebeshochzeiter gelten darf: »Diese Sache war so schicksalhaft unwiderstehlich für uns wie für alle Paare von Siegmund und Sieglinde bis hin zu Windsor und Simpson. Manchmal fühlte es sich fast wie eine Krankheit an, aber das Gegenmittel war undenkbar; nur ein früher christlicher Märtyrer könnte es durchgestanden haben.« Zusammen sein um jeden Preis, lautete die Devise.

Doch wie so oft rissen auch hier die unter innigen Küssen rasch geknüpften Bande besonders schmerzlich. Gemeinsam eroberten sie Hollywood, er in der Rolle des Heathcliffe in der Verfilmung von Brontës *Sturmhöhe,* sie in der Mammutverfilmung von Margaret Mitchells Roman in der der Scarlett. Kaum waren beide von ihren bisherigen Ehepartnern geschieden, wurde im August 1940 geheiratet. Für so eine große Liebe bot ein Schloss gerade Platz genug: Das Paar bezog Notley Abbey im englischen Buckinghamshire. Dem Kollegen und Freund Douglas Fairbanks jr. erschienen sie als »das ideale Paar« ihrer Zeit. Doch da war die aufsehenerregende Kombination von zwei schönen und berühmten Persönlichkeiten trotz gemeinsamer Bühnenprojekte längst brüchig. Störungen, Konkurrenzdruck,

Eitelkeitskämpfe häuften sich. Der Direktor des Londoner Old Vic Theaters war viel unterwegs. Vivien Leigh erlitt zwei Fehlgeburten und erkrankte an einer manischen Depression. Erfolge wie sein *Hamlet* und ihr zweiter Oscar für die Rolle der Blanche DuBois in Elia Kazans Verfilmung von Tennessee Williams' Stück *Endstation Sehnsucht* brachten nur mehr vorübergehend Erleichterung. Die Ehe ähnelte mehr denn je einem Expresslift, der abwechselnd in die Höhe rast und in die Tiefe stürzt, wie Olivier selbst später zugab. Schließlich existierte sie nur noch auf dem Papier, und ab 1960 nicht einmal mehr das. Prompt heiratete Olivier die mehr als dreißig Jahre jüngere englische Schauspielerin Joan Plowright. Aber als Vivien Leigh 1967 an Tuberkulose starb, plagten ihn Gewissensbisse. Auch Stars sind auf ihrer privaten Bühne nicht vor dem Scheitern gefeit.

Aber nicht nur das Leben und Lieben der Mimen verkörpert oft die kollektiven Sehnsüchte einer ganzen Epoche. Als der englische König seinem Volk am 10. Dezember 1936 in einer Rundfunkansprache mitteilte, »ohne die Hilfe und Unterstützung der Frau, die ich liebe, ist es mir unmöglich, meinen Pflichten als König nachzukommen«, war ein neuer romantischer Mythos geboren. Eduard VIII. verzichtete auf den Thron, weil er ihn nicht gemeinsam mit der Frau seines Herzens besteigen konnte. Um die bereits zweimal geschiedene Amerikanerin Wallis Simpson heiraten zu können, versagte er sich Glanz und Ruhm: Ein größerer Liebesbeweis ist kaum vorstellbar, und da tut es auch nichts zur Sache, dass der introvertierte englische König an der Ausübung seiner Amtsgeschäfte ohnehin wenig Freude gehabt hatte. Die Abdankung beendete einen Skandal, der sich zur Staatsaffäre auszuweiten drohte – und entschied eine Zerreißprobe, bei der Wallis alles auf eine Karte gesetzt hatte. Allerdings war auch diese berühmteste Liebesehe des zwanzigsten Jahrhunderts nicht vor der Enttäuschung gefeit, dass die Leidenschaft erkaltet und sich Distanz einstellt. Zwar hatten der Herzog und die Herzogin von Windsor anschließend keine andere Wahl, als ein Leben lang zusammenzubleiben, aber sie sahen dabei nicht gerade ekstatisch glücklich aus.

Schmerzliche Entzauberung

Die Ehe ist eine Romanze, in welcher der Held im ersten Kapitel stirbt: Das haben Liebesheiratende entweder nicht begriffen oder wollen es nicht wahrhaben. Denn Liebe bedeutet keineswegs die Lösung aller Probleme, sondern schafft nur neue. Wer aber heute heiratet, tut dies fast zwangsläufig in der Zuversicht, dass gerade seine Ehe entgegen aller statistischen Wahrscheinlichkeit Bestand haben wird.

Wer so denkt, ist oft genug im Begriff, das zu begehen, was er später als »Fehler meines Lebens« bezeichnen könnte. Denn wie Woody Allen schon sagte, ist die Ehe »der Versuch, zu zweit mit Problemen fertig zu werden, die man alleine niemals gehabt hätte«. Allerdings befände er sich in seinem Scheitern ebenso in bester Gesellschaft wie bei seiner romantisch verklärten Eheschließung. Man könnte ganze Länder bevölkern mit Menschen, die aus Liebe geheiratet haben und von dem Versuch, die Lebens- als Liebes- und Leibesgemeinschaft zu führen, bitter enttäuscht wurden. Aber die Romantiker müssen ihr Vergissmeinnicht-Sträußchen nicht gleich in die Ecke feuern. Für viele prominente Liebeshochzeiter mag es zwar ein Ende vorm Scheidungsrichter gegeben haben, aber andererseits waren viele der großen Liebespaare gar nicht miteinander verheiratet – weder Antonius und Kleopatra noch Robin Hood und seine Maid Marian oder Bonnie und Clyde, ebenso wenig wie Eleonora Duse und Gabriele D'Annunzio, Tania Blixen und Denys Finch Hatton, Katharine Hepburn und Spencer Tracy, Maria Callas und Aristoteles Onassis oder Simone de Beauvoir und Jean-Paul Sartre. Womöglich liegt ja in der wilden Ehe eine Dauerglückschance für die Liebe?

Die Liebesehe ist zweifellos eine große literarische und philosophische Errungenschaft – aber ihre Alltagstauglichkeit muss heute mehr denn je in Frage gestellt werden. Das Pech der Schriftsteller und Philosophen ist, dass ihnen all ihre Erkenntnisse über die Liebe nichts nützen, wenn es zum Selbstversuch kommt. Auch die größten unter ihnen mussten feststellen, dass sich Leidenschaft schlecht domestizieren lässt. Selbst wenn man die eigene erfolgreich dressiert hat, ist auf die der anderen nicht unbedingt Verlass, wie Voltaire erfahren musste, als sich seine Lebensgefährtin, die Marquise du Châtelet, in fortgeschrittenem Alter einen jungen Liebhaber zulegte.

Schließlich wirft jeder dem anderen vor, dass er nicht oder nicht mehr das ist, was man erhofft, begehrt, geliebt hatte; jeder bedauert, dass der andere, o weh, nur ist, was er ist, und nicht mehr der Traumprinz oder das Feenwesen von einst. Die leidenschaftliche Bejahung des anderen ist ein Traum, aus dem jeder früher oder später erwachen muss. Serge Gainsbourg, einst mit jeder Faser der Schauspielerin Jane Birkin verfallen, sagte: »Man liebt eine Frau wegen dem, was sie nicht ist, und man verlässt sie wegen dem, was sie ist.«

Sobald unsere Hormone und Instinkte sich einigermaßen beruhigt haben, versuchen wir ja durchaus, die Stimmen von Herz und Verstand in Einklang zu bringen. Gelingt dies nicht, warten wir, ob das Gefühl den Verstand besiegt oder umgekehrt. Unser Verhalten kann in dieser Phase durchaus widersprüchlich sein, je nachdem, wer im Zweikampf gerade die Oberhand hat. Es ist schwer, mit einem Menschen, mit dem man abends fröhlich zu Bett geht, ähnlich frohgemut aufzustehen, wenn die Unterhaltung schon am Frühstückstisch versagt. Die Verschleißerscheinungen der Lust tun dann ein Übriges, mentale Differenzen in unüberwindliche Hürden zu verwandeln.

Viele versuchen, diesen Prozess der Erkaltung aufzuhalten, indem sie Liebesbeweise erbringen. Oft ist das Gleichgewicht der Beziehung da allerdings schon empfindlich aus dem Lot geraten. Und mit Opfern für die Beziehung ist es so eine Sache. Einerseits sind sie notwendige Kompromisse, Gesten der Anpassung an eine Gemeinsamkeit, die höher steht oder jedenfalls stehen sollte als die individuelle Selbstverwirklichung. Andererseits bringen die wirklichen, also die schwer zu bringenden Opfer es mit sich, dass sie einen reuen könnten, falls die Beziehung nicht hält, was sie im Moment der großen Verliebtheit zu versprechen scheint. Auf einen geliebten Wohnort, Beruf oder einzelne Freunde zu verzichten, weil sie nicht zum Lebenskonzept des anderen passen, kann sich ebenso rächen wie der Entschluss, daran um jeden Preis festzuhalten. Es sind allerdings bis heute meistens eher die Frauen, die solche Opfer bringen, ihren Job aufgeben, weil einer sich ja um die Kinder kümmern muss, ein Hobby verkümmern lassen, weil es der Mann nicht schätzt, dass der Enthusiasmus und die Zeit, die er gern auf sich verwendet sieht, anderen Beschäftigungen, Dingen oder Menschen entgegengebracht wird.

Im Gegensatz zur landläufigen Meinung macht Liebe nicht blind, sondern sehend – zumindest zu Beginn. Wer verliebt ist, betrachtet das Objekt seiner Begierde in besonders positivem Licht, nimmt Kleinigkeiten wahr, die anderen verborgen bleiben oder schlicht schnuppe sind. Die Kunst ist es, im Laufe der Zeit für die weniger entzückenden Angewohnheiten blind zu werden, damit wir nicht ebendiese eines Tages als unerträgliche Eigenart verabscheuen. Denn gerade Eigenschaften, die uns zu Beginn an einer Person reizen, verwandeln sich mit der Zeit nicht selten in Trennungsgründe: Der Mann, dessen Bildung uns so beeindruckt hatte, erscheint plötzlich nur noch besserwisserisch und unerträglich dominant, und die Frau, die so verführerisch wirkte, verbringt Stunden über ihren Schönheitsritualen im Bad und fühlt sich abends vor lauter Antifaltencreme unangenehm glitschig an. Das Problem unterschiedlicher Temperamente und Ziele bringt eine englische Karikatur auf den Punkt. Sie zeigt ein Paar, das sich in einem Restaurant gegenübersitzt. Er lauscht ihrer Trennungsstandpauke: »Du willst einfach nur Glück, Douglas. Ich aber will Liebe, Ruhm, Vermögen UND Glück!« Er will seinen Frieden; sie will Liebe, Leidenschaft und Halligalli.

Es liegt oft mehr Wahrheit im Nachlassen der Liebe als in der Liebe selbst, zumal, wenn es sich um eine Liebe handelt, die von dem Geheimnis dessen, den sie liebt, betört ist, weil sie es nicht versteht. Die Entschlüsselung birgt Entzauberung. Heute mehr als gestern und weniger als morgen? Das wäre der Idealzustand, doch zur Natur des Idealen gehört, dass es niemals oder nur für kurze Zeit erreicht wird.

Die Liebe vergeht, die Ehe bleibt

»Liebe ist etwas Ideelles, Heirat etwas Reelles, und nie verwechselt man ungestraft das Ideelle mit dem Reellen«, fand Goethe, der deshalb auch unter allen Festen die Hochzeit als das Unschicklichste verdammte. Natürlich ist die in Gedanken recht weit verbreitete Einstellung, wenn es nicht klappt, kann ich mich ja immer noch scheiden lassen, weder beziehungs- noch sonst wie fördernd. Dass sie trotzdem bei den meisten Hochzeitsfeiern einer oder beiden Hauptpersonen als Notausgang im Hinterkopf herumspukt, ist heutzutage wohl normal. Denn zur Natur der in diesem Kapitel geschilderten, aus bedingungsloser Verliebtheit geschlossenen Ehe gehört, dass sie rasch wieder verworfen wird, wenn Schwierigkeiten auftauchen. Der Widerspruch zwischen einer Ehe, die nichts als Liebe sein will, und einer Liebe, die sich durch die Ehe ihrer Beständigkeit vergewissern will, lässt sich trotz aller guten Vorsätze und wilden Wollens nicht auflösen. Denn während die Liebe sich nicht um gesellschaftliche Normen schert, muss sie sich ihnen mit der Ehe unterwerfen. Aus der Verheißung »Ich liebe dich und deshalb möchte ich dich heiraten« wird das Problem »Du hast mich geheiratet, also musst du mich lieben«. Unter dieser emotionalen Überlastung leiden alle Liebeshochzeiter, und nicht wenige zerbrechen an ihr. Denn nachdem sie im freien Fall in die Liebesfalle gerauscht sind, drohen die Enttäuschungen das Bild, das sich die Liebenden voneinander und von ihrer Beziehung gemacht haben, zu sehr zu beschädigen, so dass man sich oft lieber trennt, anstatt an der Überwindung der Probleme zu arbeiten. Denn umso besser lässt sich schon bald wieder davon träumen, einen anderen Partner zu finden, der dann endlich der richtige sein und alle Hoffnungen erfüllen wird.

Wir brauchen uns nur umzusehen: Die zahlreichen Beispiele von böse endenden, meist kurzlebigen Liebesehen können als Warnung dienen, die Passion zur alleinigen Grundlage einer Ehe zu machen. Der Konflikt zwischen ehelicher Ordnung und impulsiver Verliebtheit mag auf wissenschaftlichem Weg erklärbar sein, lösbar ist er nicht. Nachdem die gegenseitige Begeisterung abgeklungen ist, muss das schwärmerische Paar einsehen, dass der andere nicht alle Träume und Wünsche erfüllen wird. Wer diese Enttäuschung nicht bewältigen und seine Ansprüche nicht der Realität anpassen kann, trennt sich lieber. Wobei die Krise vor allem dann offenkundig wird, wenn beide etwa zur selben Zeit zu dieser Erkenntnis kommen. Bei einigen verpufft dann das einst so starke Zusammengehörigkeitsgefühl wie heiße Luft – ganz so, wie schon Robert Lembke akkurat bemerkte: »Eine Frau zu heiraten, weil man sie liebt, ist zwar eine Entscheidung, aber kein Grund.«

Die Liebesheirat steht auf der untersten Stufe der Ehe-Evolution, weil sie statt mit dem Verstand aus dem hormonell bewegten Unterleib heraus geschlossen wird. Und nicht nur bei Männern funktioniert bekanntlich entweder die eine oder die andere Körperregion, aber nie beide gleichzeitig. Dennoch wiegen wir uns in Sicherheit: Was kann da schon schief gehen, wo zwei sich lieben? Alles, natürlich. Denn nichts wird teurer bezahlt als die Hoffnung, die Ehe böte auf Endlosschleife programmiertes Liebesglück. Stattdessen ist die Liebesheirat oft der Auftakt zu einer Bewährungsprobe, die beide Beteiligte nicht bestehen. Am Ende müssen Gefühl und Verstand nicht selten vor ihrer gegenseitigen Unvereinbarkeit kapitulieren, stellt sich heraus, dass man einander nur noch traurig oder wütend macht, aber nicht froh. Ideal und Wirklichkeit klaffen unerreichbar weit auseinander.

Das ist kein Grund zur Bestürzung. Höchstens zur Kreativität. Denn wer rechtzeitig erkennt, dass es mehr als Leidenschaft braucht, um sich dauerhaft gut zu verstehen, wird selbst dafür sorgen, dass die Liebesehe sich verändert und weiterentwickelt.

Die konventionelle Ehe: Kinder, Küche, Korrosion

»Die Ehe soll unablässig ein Ungeheuer bekämpfen,
das alles verschlingen will, was an ihr erhaben ist: die Gewohnheit.«
HONORÉ DE BALZAC

»Als sie einander acht Jahre kannten (und man darf sagen: sie kannten sich gut), kam ihre Liebe plötzlich abhanden wie andern Leuten ein Stock oder Hut.« ERICH KÄSTNER, »SACHLICHE ROMANZE«

Letzte Ausfahrt Ehehafen?

Der ersehnte, womöglich gegen allerlei familiäre Bedenken durchgesetzte Augenblick ist da: »Sie dürfen die Braut jetzt küssen!« Jubel, Orgelklänge, Reis, Lächeln für die Kamera, viel Glück und viel Segen. Flitterwochen. So weit, so einfach. Doch dann verdrängt irgendwann der Alltag den festen Vorsatz, es besser zu machen als alle anderen Paare zuvor. Dieser und jener bisher übersehene oder ignorierte Unterschied im Lebensrhythmus fängt an zu bohren wie Kopfschmerz, der Grauschleier der Missverständnisse legt sich auf das Glück, Sex ist das, was andere haben. Plötzlich versteht man, was Montaigne meinte, als er sagte: »Eine gute Ehe gibt es nur zwischen einer blinden Frau und einem tauben Mann.« Dazu der ständige Streit ums liebe Geld, das Ein- und Ausräumen von Spülmaschinen, Gespräche zwischen Tür und Angel. Müdigkeit kommt beiderseits zum falschen Zeitpunkt auf, Auseinandersetzungen um das Haar in der Suppe häufen sich.

Bis dass der Tod euch scheidet. Das ist eine Ansage, einfach, klar und unmissverständlich. So ging es Jahrhunderte dahin, manchmal sogar gut. Man arrangierte sich, trat als Paar auf, war den Kindern Vater und Mutter, auch wenn man sich sonst wenig zu sagen und zu bieten hatte. Die konventionelle Ehe, die der Staat als Keimzelle der Familie unter seinen besonderen Schutz gestellt hat, ist das praktizierte Gegenteil des romantisch-idealistischen Ansinnens, die institutionelle Zwangsverwandtschaft durch geistige und freundschaftliche Assoziation zu ersetzen. Bei halbierten Rechten und verdoppelten Pflichten ist sie weniger auf das Glück der Gatten als auf den Nachwuchs ausgerichtet. Hier waltet die Mutter, die hofft, dass ihre Tochter eines Tages einen besseren Mann bekommt als sie selber, und die davon überzeugt ist, dass ihr Sohn niemals eine so gute Frau abkriegen wird wie sein Vater.

Dies ist die Eheform, von der die Engländer sagen: »It begins when she sinks into his arms and ends with her arms in the sink.« Auf gut Deutsch: Es beginnt, wenn sie in seine Arme sinkt, und endet damit, dass sie in Hausarbeit ertrinkt. Es ist die Ehe, in der die Banalität des Alltags die Liebe oft verdrängt und schließlich besiegt. Es ist eine Ehe, bei der Schein und Sein auseinander klaffen, wo die Tag- und Nachtseiten der Institution sich bemerkbar machen wie zum Beispiel bei den Nachbarn, die sich unter der Woche anbrüllen, dass die Wände wackeln, aber sonntags Arm in Arm zum Gottesdienst schreiten. Außen hui, innen pfui. Es ist die Ehe, in der die normative Kraft des Faktischen die Romantik niederringt – und die doch immer wieder Anlass bietet für den Versuch, den Traum der vollendeten Beziehung zu realisieren. Denn wo die Liebesehe oft als Erfüllungsgehilfin von Egoisten erscheint, ist die konventionelle Ehe ihrem Wesen nach altruistisch.

1799 meißelt Schiller in seinem *Lied von der Glocke* das bewährte Eheideal in Worte: »Der Mann muss hinaus / Ins feindliche Leben, / Muss wirken und streben / Und pflanzen und schaffen, / erlisten, erraffen / Muss wetten und wagen / Das Glück zu erjagen … / Und drinnen waltet / Die züchtige Hausfrau, / Die Mutter der Kinder, / Und herrschet weise / Im häuslichen Kreise, / Und lehret die Mädchen / Und wehret den Knaben, / Und reget ohn Ende / Die fleißigen Hände, / Und mehrt den Gewinn / Mit ordnendem Sinn.« Obwohl Caroline Schlegel, die später August Wilhelm Schelling heiraten wird, ihrer Tochter schreibt, man sei beim ersten Lesen fast »von den Stühlen gefallen vor Lachen«, hallt der Glockenton doch bis heute nach. Die Mehrzahl der Männer sehnt sich weiterhin nach weiblicher Rundumversorgung, und Frauen, die auf ihre Unabhängigkeit nicht verzichten wollen, reiben sich auf zwischen Schreibtisch, Herd und Wickelkommode, damit die eigene Emanzipation nicht zu Lasten des Mannes geht. Schiller, diesbezüglich ein Mann nicht nur der Stunde, sondern der Jahrhunderte, hatte schon seinem Freund Körner zu dessen Hochzeit 1785 geschrieben: »Glücklich macht die Gattin nicht, / Die sich selbst nur liebet, / Ewig mit dem Spiegel spricht, / Sich in Blicken übet, / Geizig nach dem Ruhm der Welt / In der neuen Robe / Stolzer, schöner sich gefällt / Als in deinem Lobe. / Glücklich macht die Gattin nur / Die für dich nur lebet / Und mit herzlicher Natur / Liebend an Dir klebet; / Die, um deiner wert zu sein, / Für die Welt erblindet / Und in deinem Arm allein / Ihren Himmel findet.«

Die Meinungen darüber, ob diese Art der Ehe heute noch erstrebenswert ist, gehen weit auseinander. Das widersprüchliche Image zeigt sich auch an zwei beliebten Werbespots. In einem muss sich eine Familienmutter auf einer Party anhören, wie andere über ihre Berufe sprechen und sich selbst dabei ins rechte Licht rücken. Schließlich neigt sich eine der Karrieristinnen zu ihr und fragt von oben herab: »Und was machen Sie so beruflich?« Vor dem inneren Auge der Frau und des Zuschauers erscheinen die tausend kleinen Pflichten und Arbeiten, die eine Familie Tag für Tag mit sich bringt. Sie strafft die Schultern, setzt ein strahlendes Lächeln auf und antwortet souverän: »Ich leite ein sehr erfolgreiches kleines Familienunternehmen.«

In einem anderen prämierten Werbespot piesackt die Tochter ihren Vater, mit dem sie vor einem Wohnwagen hockt. Das Mädchen erzählt begeistert von einer Familie, die in einem Eigenheim lebt, mit großem Garten und Pool. Der Vater sagt: »Das sind doch Spießer.« Dann erzählt das Mädchen von einem Freund, dessen Eltern eine Dachwohnung haben mit Blick über die ganze Stadt. »Auch Spießer«, konstatiert der Vater. Das Kind überlegt einen Augenblick und verkündet dann entschlossen: »Papa, wenn ich groß bin, dann will ich auch Spießer werden!«

Die eigentliche Kluft in der konventionellen Ehe verläuft jedoch nicht zwischen Eltern und Kindern, sondern zwischen Mann und Frau. Das, was als neue, schicke Spießigkeit ausgerufen wird, ist in Wahrheit die alte Bürgerlichkeit, mit der die Rückkehr zu längst überwunden geglaubten Geschlechterrollen geprobt wird. Die Frauen widmen sich der Aufzucht der lieben Kleinen und halten dem Mann den Rücken frei. Ob es aus ökonomischen, modischen oder psychologischen Motiven geschieht: der Staat sieht es gern, und die Nachbarn auch.

Je nach Couleur erscheint Außenstehenden die konventionelle Ehe, die in der Evolution der Zweisamkeit gleich auf die Liebesehe folgt, als Mischung aus Ereignislosigkeit, Konvention, Geldknappheit und Langeweile oder als leuchtendes neokonservatives Vorbild. Doch das, was zumal manche Akademikerin als ausgemachte Macho-Ehe weit von sich weist, hat seine uralte Berechtigung nicht ohne Grund. Schätzungsweise neunzig Prozent aller Ehen weltweit lassen sich dieser Kategorie zuordnen. Viele von ihnen werden zwar unter dem Vorzeichen der Liebesheirat begonnen, aber schon bald als konventionell-patriarchalische Verbindung mit klassischer Rollenverteilung geführt, durchlaufen womöglich lange Phasen, wo sich das Zusammenbleiben auf Vernunft zum Wohle der Familie gründet oder zwecks Abwechslung in eine Ehe zu dritt eingewilligt wird. Wenn alles gut geht, wird die konventionelle Lebensgemeinschaft eines schönen Tages sogar wieder zur Liebesehe – allerdings meistens erst, wenn die Kinder aus dem Haus sind. Manchmal sehen die Partner dann aber auch gar keinen Grund mehr, weiterhin zusammenzubleiben. Die Scheidungsraten steigen nicht nur im verflixten vierten Jahr heftig an, sondern auch um die Porzellanhochzeit, also das zwanzigste Ehejahr herum: Indiz, dass die erste Aussteuer endgültig dahin ist, dass der Kitt aus Küche, Kindern und Konvention auch nicht ewig hält.

Im Vergleich zur oft kurzlebigen Liebesheirat ist die konventionelle Ehe dennoch eine relativ stabile Form der Zweisamkeit – mit der Einschränkung, dass nicht jede Ehe, die andauert, allein deswegen unbedingt gut sein muss. Auch wenn die große Mehrheit der Ehen konventionell geführt wird, bedeutet dies keineswegs, dass die allermeisten Gattinnen im Hauptberuf Hausfrauen und Mütter sind, sondern dass ihre Ehen auf einer Arbeitsteilung basieren: Beide Partner übernehmen bestimmte Aufgaben und Pflichten; ihre Bereiche überlappen nur gelegentlich. Italienisch ausgedrückt, bedeutet dies: Der Mann ist der Herr im Haus, aber seine Frau gibt die Befehle.

Fast alle Spruchweisheiten über die Ehe meinen diese konventionelle Ausprägung, und aus ihnen allen spricht weniger Begeisterung als achselzuckende Pflichterfüllung. So ist einem französischen Sprichwort zufolge die Ehe eine Lotterie, in der die Männer ihre Freiheit und die Frauen ihr Glück aufs Spiel setzen. In Polen sagt man: »Die Frau weint vor der Hochzeit, der Mann danach.« Viele Gattinnen dürften Katharine Hepburn zustimmen, die warnte, wer heirate, tausche »die Bewunderung von zahlreichen Männern gegen die Kritik eines Einzelnen«.

Ruhe und Ordnung braucht der Mensch

Warum, so mag man fragen, gibt es die Eheform mit klassischer Rollenverteilung dann überhaupt noch? So vieles von dem, was frühere Jahrhunderte uns überliefert haben, haben wir über Bord geworfen; die Machtverhältnisse zwischen Männern und Frauen haben sich im zwanzigsten Jahrhundert so gründlich verändert, dass sich mancher Nachfolger Adams zum Spermienlieferanten abgestempelt und gänzlich überflüssig vorkommt. Als Frau braucht man heute auf seine Emanzipation nicht einmal mehr zu pochen; man ist so selbstverständlich und unbewusst eigenständig, wie man Frau ist – ein Idealzustand, von dem unsere Vorläuferinnen nur träumen konnten.

Der gigantische weltweite Erfolg der konventionellen Ehe hat meines Erachtens viel mit Kindheit zu tun. Von klein auf brauchen Menschen Rahmenbedingungen, innerhalb deren sie sich entfalten und gegen die sie pubertierend rebellieren können, bevor sie sich womöglich doch zur Nachahmung entschließen. Rückblickend gibt es eigentlich nur zwei Arten von Kindheit und Jugend: familiäre Verhältnisse, denen man später um jeden Preis entfliehen möchte, und solche, die man selbst eines Tages aufzubauen hofft. So oder so, sind die frühen Erlebnisse ein starker Antrieb: entweder, um es selbst anders zu machen, entspannter vielleicht oder weniger rigide und traditionell – oder um für sich selbst zu einer ähnlichen Form des Privatlebens zu finden. Flucht oder Nachahmung: Das sind, grob gesagt, die Möglichkeiten. Letztendlich sucht der erwachsene Mensch aber vor allem Ruhe und Sicherheit, einen geordneten Rahmen, in dem er seine Persönlichkeit entfalten kann. Die konventionelle Ehe schafft einen solchen beruhigenden Lebensrahmen in einem stärkeren Maße als alle anderen Ehe- und Beziehungsformen. Sie will eine Basis, keine Anstrengung sein. Denn dies ist eine Verbindung, in der Sicherheitsdenken, Tradition und Zufriedenheit ihre Berechtigung haben und von den Partnern geteilt werden. Nicht jeder will ja das ganz große Glück, die Ekstase und den Liebesrausch; nicht jeder Mensch glaubt, dass ihm dies überhaupt zusteht oder möglich ist. Die konventionelle Ehe ist nicht immer, aber oft eine Verbindung des Verzichts und der Bescheidenheit. Die gegenseitige Abhängigkeit der Partner wird als realistische Disziplinierungsmaßnahme betrachtet, die beide dazu anhält, ihren Teil der Abmachung zu erfüllen.

Diese Ehe ist, und das macht sie aus, die Grundlage der meisten Familien. Hier gehören Kinder einfach dazu, sind nicht nur erfreuliche Nebenwirkung von Liebe und Leidenschaft, sondern Ziel an sich. In dieser Ehe wird denn auch alles dafür getan, damit sich der Nachwuchs tatsächlich einstellt: Mondstand und Thermometer werden hier konsultiert, Tage gezählt und Fruchtbarkeitszyklen errechnet, Hormonbehandlungen durchgeführt und Adoptionsmöglichkeiten studiert. Denn für das Gleichgewicht und das Selbstverständnis dieser Ehe sind Kinder zentral. Bleiben sie aus, wenden sich die Partner nicht selten enttäuscht voneinander ab. Natürlich besteht auch in den anderen Ehetypen durchaus der Kinderwunsch, aber nirgendwo ist er für die Definition dessen, was eine gute Ehe ausmacht, so wichtig wie hier.

Die neuen Biedermeier

Glaubt man den Familienforschern, muss sich der Staat einstweilen keine allzu großen Sorgen machen, dass die konventionelle Ehe, die Keimzelle der Gesellschaft, ausstirbt. Im Gegenteil: Viele prophezeien ihr eine spektakuläre Renaissance, wobei man nicht weiß, ob der Wunsch Vater dieses Gedanken ist oder die Realität. Immerhin: Der Mannheimer Studie *Jugend. Werte. Zukunft.* zufolge gehören die Begriffe »Karriere«, »Vorsorge« und »Vernunft« zum maßgeblichen Vokabular der »Jugend von heute«. »Gesettelt« heißt der Anglizismus, der den Lebensstil dieser Neo-Biedermeier beschreibt: Wer sich niedergelassen und sein Nest gebaut hat, scheint angekommen. Und ankommen, ob in einer Beziehung, im Beruf oder im eigenen Leben, wollen schließlich alle.

Diese Sehnsucht drückt sich auch in den überaus erwachsenen Wohnungseinrichtungen, Gewohnheiten und Wertvorstellungen der heute Dreißig- bis Vierzigjährigen aus. Ausstaffiert mit Bausparvertrag, Ohrensessel, Holzspielzeug und Öko-Lebensmitteln ist die Familie so schön spießig, dass sie schon wieder »in« ist – Modezeitschriften beschwören regelmäßig das Baby als »wichtigstes Accessoire« der modernen Frau, vorgeführt an den Model-Müttern Elle Macpherson, Claudia Schiffer und Heidi Klum. T-Shirts mit der Aufschrift »100 % Spießer« verkünden die stolze Zugehörigkeit zum eingeschworenen Clan der Kombi fahrenden Mamis und Papis.

Aber Vorsicht: Diese Ehe ist nicht so entspannt, wie sie tut. Hier sind *Desperate Housewives* am Werk, hier ist der Konkurrenzkampf unerbittlich und die Langeweile gefährlich. Depressionen und Perversionen, Giftmord und verhängnisvolle Affären: Alles, was Ehen zu einem Anschlag auf die Gesundheit und das seelische Gleichgewicht macht, ist hier zu finden. Den Kriminalstatistiken zufolge werden Kapitalverbrechen wie grobe Körperverletzung, Vergewaltigung, Totschlag und Mord vor allem im häuslichen Paar-Bereich begangen. Der gefährlichste Mann ist für eine Frau ihr Ehemann, der umgekehrt von niemandem mehr zu befürchten hat als von seiner Gattin. Sagen Sie also nicht, es habe Sie niemand gewarnt: Betreten des Vorgartenrasens auf eigene Gefahr!

Alle Mann zu Tisch

Viele betrachten die Liebe als einen Anfall, von dem man erst durch die Heirat geheilt wird: Bei diesem beiderseits angestrebten Disziplinierungsverfahren schwingt allerdings immer die Hoffnung mit, dass die hormonelle Ernüchterung in gestärkter Bettwäsche, flauschig duftigen Badetüchern, am gedeckten Tisch und in der vertrauten, stärkenden Gegenwart des Partners in eine Art Dauerwohlbefinden übergeht. Leidenschaft als Aufruhr bis zur totalen Verausgabung von Kopf, Herz und Seele ist anstrengend und insofern im Alltag eher störend. Das wissen die Partner in der konventionellen Eheform, und so haben sie einen Pakt geschlossen: Man bemüht sich, einander das Leben so angenehm wie möglich zu machen, indem man sich umfassend aus dem Weg geht. Jeder hat hier seine eigenen Erlebniswelten: der Mann den Beruf, eine Passion für den Feierabend wie Fußball oder Skat, und vielleicht noch ein Hobby für die Wochenenden, Golf, Angeln oder den Garten. Die Frau kümmert sich derweil um die Kinder, putzt und wäscht, hält den Draht zur Schwiegermutter, drillt den Gärtner oder die Putzfrau, so vorhanden, liest gern ein gutes Buch und tauscht Rezepte und Schnittmuster mit Freundinnen aus, in der Regel Mütter wie sie selbst. Keiner von beiden käme auf die Idee, sich über diese Ordnung zu beklagen. Schließlich war die Erwägung, ob der- oder diejenige einen guten Vater und Familien-Versorger oder eine liebevolle Mutter abgeben würde, bei der Wahl des Ehepartners mindestens so wichtig wie gegenseitige Anziehungskraft.

In dieser Ehe trifft man sich morgens und abends, am Wochenende auch mittags, wobei die Partner nur selten miteinander allein sind. Die konventionelle Ehe lebt von und für Rituale: So ist das tägliche gemeinsame Frühstück und Abendessen in der Familie sowohl eine pädagogisch wirksame Stärkung des Zusammengehörigkeitsgefühls wie auch eine sinnvolle Maßregelung des individuellen Freiheitsbedürfnisses. Ein genauer Zeitplan und ein festes Gerüst sind nicht erst in Zeiten unablässigen Wandels wichtig geworden, aber heute womöglich hilfreicher denn je. Denn die patriarchalischen Stützmauern sind in den vergangenen fünfzig Jahren zwar nicht ganz eingerissen, doch mächtig wackelig geworden – eine Veränderung, die auch an der konventionellen Ehe nicht spurlos vorbeigegangen ist.

Heute wird diese Eheform von denen, die sie führen, ganz bewusst eingegangen und durchaus reflektiert. Wo die Menschen früher vor lauter Arbeit in der Regel gar nicht dazu kamen, über das Für und Wider ihrer Lebensumstände nachzudenken, ist der Denkprozess inzwischen schon am Joghurtregal gefragt. Wer die Wahl hat zwischen knapp dreißig verschiedenen Marken, Fettgehalten und Sorten, trifft mit seiner Entscheidung auch eine Aussage: Was ist wichtiger, Geschmack oder Gesundheit? Überwiegt die Neugier auf Neues oder bleibt man bei dem, was sich einmal bewährt hat? So ähnlich wie am Joghurtregal ist es auch mit den verschiedenen Formen des Zusammenlebens: Das weiß niemand besser als die Teilnehmer am konventionellen Ehemodell. Obwohl sie sich der Überlegenheit des eigenen Urteils trotzig gewiss sind, beobachten sie mit Argusaugen die anderen – und wehe, sie entscheiden sich statt für Joghurt für Kefir oder Buttermilch! Das können die Konventionalisten nicht verstehen. Ihr System ist das beste, und daher sollte es möglichst jeder befolgen, als guter Bürger allemal, zu seinem Besten und zum Wohl der Wunschkinder.

Mutti wird's schon richten

Sophie und Leonard waren nach ihrer Hochzeit im Alltag angekommen, ohne sich dies jedoch einzugestehen. Die beiderseitig aufgekommene Langeweile und die Furcht davor, dass es in

Zukunft eher schlimmer als besser werden würde, hatten sie im Bett bekämpft, mit dem Ergebnis, dass Sophie bald schwanger war. Darüber hatten sich beide gefreut, wenngleich Leonard zu Beginn etwas weniger begeistert reagiert hatte, als seine Frau angemessen gefunden hätte. Doch beiden verhieß der Familienzuwachs ein neues Kapitel ihrer Beziehung, und jeder von ihnen verband damit ganz eigene Hoffnungen. Nichts würde mehr sein wie zuvor. Nach Jakobs Geburt zogen sie aus der Wohnung im Zentrum in ein ruhiger gelegenes Reihenhaus, wo auch das zweite verfügbare Kinderzimmer nicht lange leer blieb.

Eine typische Woche sieht bei Leonard und Sophie inzwischen so aus: Am Montagmorgen sind alle etwas lustlos. Die Kinder ziehen sich auch nach der dritten Aufforderung, endlich aufzustehen, die Decken über die Köpfe. Sophie ist genervt, ihre Stimmpeitsche schallt durch alle Zimmer. Leonard beeilt sich, aus dem Haus zu kommen. Als er in der S-Bahn sitzt und zum ersten Mal seit Tagen dazu kommt, in Ruhe den Wirtschaftsteil seiner Zeitung zu lesen, fühlt er Erleichterung in sich aufsteigen: endlich zurück ins Büro. Sophie befördert derweil die Kinder zum Kindergarten und in die Schule; da die beiden zweieinhalb Jahre auseinander sind, geht die kleine Emma noch in den Kindergarten, während sie nach langem Hin und Her beschlossen haben, Jakob auf die französische Schule zu schicken. Sein Kauderwelsch ist allerdings für die stolzen Eltern kaum zu verstehen, und manchmal hegen sie den unausgesprochenen Verdacht, ihr Ältester könne sich über sie lustig machen. Während Leonard sich durch Meetings und Konferenzen kämpft, sich von der neuen Kollegin über die Marktentwicklungen unterrichten lässt, mehrere Telefonate mit Klienten führt und daraufhin verschiedene Transaktionen vornimmt, drei Briefe diktiert, dazwischen eine halbe Stunde in der Kantine verbringt, vier Espressi hinunterstürzt, aber noch die Zeit findet, sich im Internet den neuen Porsche anzusehen, bei eBay nach neuen Angeboten zu seinem Steckenpferd zu schauen und an die dreißig E-Mails zu schreiben, die nicht alle streng beruflicher Natur sind, geht Sophie einkaufen, wobei sie im Geiste schon das Abendessen vorbereitet, zu dem sie am Mittwochabend die Müllers eingeladen haben. Sie muss in den Supermarkt, zur Drogerie und zum Biobauern, weil ihr die gesunde Ernährung der Familie wichtig ist. Als sie nach Hause kommt, befördert sie den Wäscheberg vom Wochenende von der Waschmaschine in den Trockner, räumt die Spielsachen auf, die überall verstreut herumliegen, gibt der soeben eingetroffenen Putzfrau einige Instruktionen, ruft den Fischhändler an, um für Mittwoch eine Lachsseite zu bestellen, und überlegt, was sie den Kindern zum Mittagessen vorsetzen soll. Emma hat eine Lebensmittelunverträglichkeit, was die Möglichkeiten stark einschränkt, und Jakob ist ein notorisch schlechter Esser, der nur bei Nudeln und Fischstäbchen richtig zulangt. Dann muss sie sich auch schon beeilen, Emma abzuholen, weil der Montessori-Kindergarten so weit weg liegt und das Mädchen noch zu klein ist, um allein mit dem Bus zu fahren. Jakob kommt mit zerrissener Hose und aufgeschlagenem Knie nach Hause; er ist von den Mitschülern wegen seiner »uncoolen« Klamotten gehänselt worden, aber Sophie weigert sich nun mal, ihren Sohn in wabernden Jeans und Turnschuhen aus dem Haus zu lassen. Jakob heult das ganze Essen über und steckt schließlich Emma an, die ebenfalls zu weinen beginnt. Zum Mittagsschlaf sind beide nicht zu bewegen. Am Nachmittag muss Sophie Emma zur Flötenstunde bringen – man kann nie früh genug anfangen, die Talente seiner Kinder zu fördern – und Jakob zum Hockey. Als sie nach Hause kommen, hat Jakob keine Lust, seine Hausaufgaben zu machen, Emma ist quengelig, weil sie unbedingt eine Puppe haben möchte, »so eine, wie die Eva hat«, auf dem Anrufbeantworter sind drei Nachrichten, die einen Rückruf erfordern, die Putzfrau ist weg, ohne die Sachen aus dem Trockner gebügelt zu haben, und in der Post sind nichts als Rechnungen. Auf dem Tisch sind die Kleckereien vom Mittagessen angetrocknet, die Spülmaschine ist proppevoll, aber da Sophie zuvor vergessen hat, sie anzustellen, wird sie jetzt mindestens eine Stunde lang laufen. Die Kinder dürfen eine Weile fernsehen, damit Mami Ruhe hat. Sie telefoniert kurz mit einer Freundin, die ihr von einem tollen neuen Kindergeschäft erzählt und dass ihr Friedrich leider die ganze Familie mit dem Magen-Darm-Virus angesteckt hat, den er sich in der Vorschule eingefangen hat. Sie verabreden sich für einen der nächsten Tage auf einen Kaffee; da die Männer sich nicht mögen, was beide wissen, ohne je darüber gesprochen zu haben, wird die Einladung, am Wochenende gemeinsam zu grillen, höflich, aber bestimmt ausgeschlagen. Außerdem, fällt ihr ein, kommt am Wochenende ihr Schwager mit seiner Quasselstrippe von Frau und den beiden total unerzogenen Kindern zu Besuch. Sophie geht nach oben, zieht sich einen anderen Pullover an – an ihrem hat Emma sich die Hand mit Kartoffelpüree abgeputzt –, schickt die Kinder in die Badewanne, macht ihnen ein Schinkenbrot mit Ei zum Abendessen und denkt sich, da sie am Wochenende ja schon dauernd gekocht hat, muss es heute für Leonard mal eine Tiefkühlpizza tun. Der kommt statt wie sonst gegen sieben erst um viertel vor acht nach Hause, ist schlecht gelaunt, weil er einen Wortwechsel mit seinem Chef hatte, noch schlechter gelaunt, als er die Tiefkühlpizza sieht, und fragt seine Frau, was sie eigentlich den ganzen Tag über gemacht habe. Sophie setzt sich zu ihm, während er fluchend die Pizza vertilgt und sich ein zweites Bier einschenkt, bevor er sich zur Entspannung vor den Fernseher knallt. Sie schaut nach den Kindern, liest ihnen eine Gutenachtgeschichte vor und ermahnt sie, nun aber auch wirklich endlich zu schlafen, und ruft kurz ihre Mutter an. Als sie nach unten zurückkommt, um sich endlich ein Glas Wein einzuschenken und sich mit ihrem Mann zu unterhalten, ist Leonard vor dem Fernseher eingedöst. Als sie den Apparat ausschaltet und stattdessen Musik anmacht, brummt er unwillig, wacht halb auf, hat keine Lust zu reden, weil er bereits den ganzen Tag lang reden musste, und macht den Fernseher wieder an, um sich die Nachrichten anzuschauen. Auch an diesem Abend schläft er in null Komma nichts ein. Neben ihm liegt Sophie noch lange wach und fragt sich, warum sie eigentlich immer so deprimiert ist, sie hat doch alles: eine gesunde Familie, einen Mann mit einem anständigen Job, das Haus, das in einigen Jahren abgezahlt sein sollte. Manchmal telefoniert sie noch mit früheren Kollegen, aber meistens kommt sie sich dann vor wie ein wandelnder Anachronismus: Zum Zeitungslesen kommt sie kaum, so dass sie bei Diskussionen zu aktuellen Fragen lieber schweigt; Reisen sind seit Emmas Geburt fast unmöglich gewesen, weil die Großeltern sich von der Betreuung beider Kinder gleichzeitig überfordert fühlen. Und an ihren letzten Kinobesuch kann sie sich schon gar nicht mehr erinnern. Trotzdem, so sagt sie sich an den meisten Tagen, würde sie nicht tauschen wollen. Außerdem ist ihr der Rückweg in den Beruf ohnehin verbaut: Wer will schon eine Enddreißigerin einstellen, die nur halbtags arbeiten kann und seit sechs Jahren aus dem Rennen ist? Allein die Fortbildungskurse, die sie würde besuchen müssen, um sich wieder auf den neusten Stand zu bringen – da würde sie als Arbeitgeber auch eine allzeit einsetzbare Junge vorziehen.

Dienstag bis Freitag sehen ähnlich aus, nur dass am Mittwoch Müllers zum Essen kommen, was ein gelungener Abend wird, so dass Sophie und Leonard anschließend, vom Wein und der angeregten Unterhaltung beflügelt, erstmals seit Wochen miteinander schlafen. Am Freitag sind sie auf ein Glas Wein in der Nachbarschaft eingeladen; es ist eine nette Runde, die sich um halb zwölf abrupt auflöst, weil die meisten Gäste wie Leonard und Sophie dringend den Babysitter ablösen müssen, der eigentlich nur bis elf bleiben wollte. Das Wochenende ist durch den Besuch der Familie blockiert, die allerdings überstürzt wieder abreist, als sich herausstellt, dass Jakob sich die Schulläuse eingefangen hat.

Mein Geld, dein Geld, unser Geld

Wenn die SILKYs (Single Income, Loads of Kids) gegen die DINKYs (Double Income, No Kids) antreten, entsteht leicht der Eindruck eines Zusammenpralls der Wertsysteme. Freunde mit fünf Kindern können anschaulich beschreiben, dass sie in Hotels und Restaurants angegafft werden wie Außerirdische. Das ungläubige Staunen über die Kinderschar weicht aber auch oft einem mitfühlenden »ihr Armen«, als könne es sich bei derart zahlreichem Nachwuchs nur um einen Unfall und keineswegs um Absicht handeln. Wer mutet sich und seiner Bank denn heute noch fünf Kinder zu?

Die konventionelle Ehe hat für Frauen einen gewaltigen Vorteil, der gleichzeitig einen enormen Nachteil darstellt: Weil der Mann das Geld verdient, ist sie einerseits in der glücklichen Lage, nicht auch noch neben den Mutterpflichten dem Erwerbsstress ausgesetzt zu sein. Andererseits ist sie meistens finanziell vom Mann abhängig, weil sie kein eigenes Einkommen hat. Nun ist aber jeder zweite Mann der Meinung, seine Frau leide unter Verschwendungssucht, wohingegen nur jede vierte Frau findet, dass ihr Mann sich wie ein finanzieller Gernegroß benehme. Solange beide ihr eigenes Geld haben und nicht bei jeder Ausgabe erst der Familienrat zusammengetrommelt werden muss, herrscht immerhin ein Quentchen Freiheit und Unabhängigkeit. Wenn das ohnehin knapp bemessene Haushaltsgeld aber auch noch für das ein oder andere harmlose Privatvergnügen wie ein neues

Kleid oder eine kosmetische Behandlung reichen muss, wird es für die meisten Frauen schwierig: Es ist demütigend, sich für jede Ausgabe rechtfertigen zu müssen. Männer dagegen fühlen sich meistens ganz wohl in der Rolle des Versorgers, weil sie ihnen zumindest in einer Hinsicht unangefochtene Herrschaft suggeriert: Wer zahlt, schafft bekanntlich an.

Neuerdings machen ihnen Wissenschaftler jedoch einen Strich durch die Rechnung: Die ökonomische Abhängigkeit innerhalb der konventionellen Ehen, in denen ein Partner, meistens der Mann, sich ganz dem Beruf widmet, während der andere Partner, in der Regel die Frau, sich um die Familie kümmert, besitzt heute keine Relevanz mehr. Die Abhängigkeit eines Partners vom anderen macht diese Ehen nicht stabiler als jene, in denen beide ihrem Beruf nachgehen und keine Kinder haben. Das liegt an den veränderten Vorzeichen der konventionellen Ehe, die nicht mehr unbedingt lebenslänglich mit traditioneller Rollenverteilung geführt wird, sondern nur, bis die Kinder groß sind. Dann haben viele der Mütter und Hausfrauen den dringenden Wunsch, in den Beruf zurückzukehren, und sind enttäuscht, wenn der Arbeitsmarkt ihnen dazu wenige Chancen bietet. Die Frustration darüber bekommt vor allem der Partner zu spüren, der sich daraufhin zurückzieht oder anderweitig nach Aufmunterung und Verständnis sucht.

Doch selbst, wenn die Frau wieder arbeitet, geht dies unter Umständen zu Lasten des Mannes. Forscher haben herausgefunden, dass zwar die Wahrscheinlichkeit von Ehekrisen proportional mit dem steigenden Gehalt der Frau sinkt, diese Krisen jedoch dann, wenn sie auftauchen, fast immer zur Scheidung führen. Die Erklärung? Es fehle die gemeinsame Zeit zur Problembewältigung – vor allem aber sei die Frau, die ihr eigenes Geld verdient, auf den Mann als Ernährer nicht mehr angewiesen, und trenne sich kurzerhand.

Dass materielle Abhängigkeit die Partner eher auseinanderdenn zusammentreibt, hat sich herumgesprochen. Zwar begünstigen gesicherte finanzielle Verhältnisse den Eheverlauf grundsätzlich, doch hat die Institution ihre Funktion als wirtschaftliche Notgemeinschaft weitgehend verloren – eine Tatsache, der auch das neue Unterhaltsrecht Rechnung tragen soll. Es sieht vor, dass im Fall einer Scheidung vor allem für die Kinder Unterhalt gezahlt werden soll, und weniger für den gleich bleibenden Lebensstandard der geschiedenen Mutter. Damit könnte vielen die Lust auf Scheidung gründlich vergehen.

Ehepraxis royal

Dass die Ehe unter konventionellen Vorzeichen nichts von ihrer Attraktivität verloren hat, liegt nicht zuletzt an den prominenten Beispielen aus Lifestyle und Glamour. Bei Königs stehen junge Paare wie Willem und Maximá der Niederlande, Felipe und Letizia von Spanien oder das dänische Traumduo Frederik und Mary ihren Eltern in nichts nach. Der moderne Pluralis Majestatis lautet: »Wir sind schwanger!« Es geht eben nichts über den Anschein von schöner, heiler Welt. So wird auch über Edwards erotische Vorlieben nicht mehr spekuliert, seitdem der jüngste Sohn der englischen Queen und seine Frau Sophie von Wessex eine Tochter bekommen haben. Und Österreichs Kaiserin Elisabeth, gespielt von der jungen Romy Schneider, erobert als Löwenmutter, die ihr Kind vor dem Zugriff der gestrengen Schwiegermutter bewahren will, im zweiten Teil der *Sissi*-Trilogie von Ernst Marischka alljährlich zu Weihnachten oder Ostern wieder die Herzen der Fernsehzuschauer.

Die wohltuende, harmonische Ausstrahlung von Vorzeige-Ehepaaren ist eben erst dann perfekt, wenn mindestens ein Kind auf Mutters oder Vaters Arm sein hinreißend zahnloses Lächeln zeigt. Die Tennisstars Steffi Graf und André Agassi sind dafür ebenso gute Beispiele wie der gezähmte Schauspieler Heiner Lauterbach und seine Frau Viktoria oder Formel-1-Pilot Michael Schumacher und Gattin Corinna, ganz zu schweigen von der Hollywood-Schönheit Gwyneth Paltrow, ihrem Sänger-Gatten Chris Martin und dem gemeinsamen Fruchtzwerg, der Tochter Apple. Nicht nur Julia Roberts entdeckt ihre mütterlichen Seiten, sondern selbst Vorzeige-Flippie Madonna scheint mit Mann und Kindern endlich zur Ruhe gekommen. Nur Alt-Streuner Mick Jagger konnten offenbar selbst seine zahlreichen Kinder nicht zum häuslicheren Dasein bekehren. Gerade an den Ehen der Prominenten bestätigt sich allerdings auch Françoise Sagans böses Bonmot: »Viele, von denen man glaubt, sie seien gestorben, sind bloß verheiratet.« Die Abwesenheit von medialer Aufmerksamkeit bedeutet bei prominenten Paaren vor allem eines: Friede, Freude, Eierkuchen. Keine Nachrichten sind gute Nachrichten. Zwischen dem Kinderwagenalter und der Pubertät herrscht in den meisten Fällen einigermaßen Ruhe. Erst wenn die Kinder flügge werden, erste eigene Erfahrungen in Sachen Sex, Drugs and Rock 'n' Roll machen, scheint die Berichterstattung wieder lohnend.

Alles im Griff? Verzweifelte Mütter mit Vorbildfunktion

Männer haben Affären, Frauen einen Beruf – das ist der Stoff, aus dem moderne Beziehungsdramen gestrickt sind. Erfolgreiche Fernsehserien wie *Sex and the City* leben von dem Versuch der vier Heldinnen, Beruf, Liebe und guten Sex zu vereinen. Aber ob es die Eifersucht eines schriftstellernden Jack Berger auf Carries Bucherfolg ist oder Mirandas Überstunden, die Steve zum Wahnsinn treiben – verglichen mit dem Kampf von arbeitenden Müttern, Kindern, Ehe und Job gleichzeitig gerecht zu werden, ist das noch harmlos, wie man es nicht nur der Realität, sondern auch derzeit sehr populären Büchern entnehmen kann.

Eine der erfolgreichsten neueren literarischen Gattungen sind Romane, die das domestizierte Chaos inklusive des wenig aufregenden Ehemanns beschreiben und die Frauen, die all das auf die leichte Schulter nehmen oder auf hohen Hacken elegant darüber hinwegstiefeln, als moderne Heldinnen feiern. Einer der lesenswertesten ist Allison Pearsons ungeheuer komisches Buch *Working Mum* (2003), dessen Heldin zwischen halb sechs Uhr in der Früh und Mitternacht das meiste aus einem ohnehin schon verplanten Tag macht. Kate Reddy hat alles, was eine Frau sich wünschen kann: zwei entzückende Kinder, einen verständnisvollen Gatten, ein einigermaßen zuverlässiges Kindermädchen und einen gut bezahlten Job als Fondsmanagerin. Das Einzige, was ihr fehlt, sind 24 zusätzliche Stunden am Tag. Denn in Kates Leben ist jede Minute doppelt verplant. Mit Volldampf rast sie durch den Alltag, reibt sich auf zwischen Schreibtisch und Schulaufführung, Klienten und Kinderzimmer. Was bleibt, ist ihr Eindruck, keinem Teil ihres Lebens wirklich gerecht werden zu können. Sie fühlt sich als Versagerin in der Rolle der »richtigen« Mutter, perfekt organisiert und pädagogisch wertvoll. Ihr Mann Richard gibt sein Bestes, doch das ist seiner Frau nicht genug. Kate wiederum kann es ihrem Chef nicht recht machen, für den jemand schon auf der faulen Haut liegt, wenn er nur Vollzeit arbeitet. Jeder Bereich ragt in den anderen hinein und sorgt so für unentwegtes Chaos. Das Einzige, was Kate über Wasser hält, während sie an allen Fronten kämpft, sind die aufmunternden E-Mails ihres attraktiven amerikanischen Kollegen Jack. Bis Richard ihr eines Tages alles vor die Füße schmeißt und sie verlässt. Was *Bridget Jones* für Singles ist, sind Allison Pearson & Co. für jene Frauen, die Kinder und Karriere verbinden.

Die amerikanische Fernsehserie *Desperate Housewives* spielt ebenfalls konsequent mit Fluchtphantasien: Ähnlich wie Lynette, die vor sechs Jahren ihren erfolgreichen Job als Managerin aufgab und dann regelmäßig Beruhigungsmittel schlucken muss, um ihren vier Jungs gewachsen zu sein, ergeht es in *Sex and the City* Miranda, der die Doppelbelastung, Brady eine gute Mutter und für ihre Firma eine gute Anwältin zu sein, gelegentlich über den Kopf wächst. Wie groß der Bedarf danach ist, die weniger erfreulichen Seiten des Mutter- und Hausfrauendaseins endlich offen anzusprechen, zeigt auch die Flut von Zeitschriften für Mütter oder das Buch der Schauspielerin Brooke Shields, die weltweit Applaus für ihre schockierend ehrlichen Schilderungen über postnatale Depression einheimste.

Doch auch wenn Versagensängste, Überforderung und andere negative Gefühle im Zusammenhang mit Ehe und Familie plötzlich durchaus im medial ausgeleuchteten Vordergrund stehen dürfen, werden diese in der Wirklichkeit nach wie vor häufig verdrängt. Aber es ist nicht nur miese Stimmung, sondern eine schwere Krankheit, die sich in manchen Fällen abzeichnet.

Phänomen Depression

Wie viele Frauen an der Unfähigkeit verzweifeln, ihr Selbstbild und das Hausfrauendasein harmonisch miteinander in Einklang zu bringen, verrät die Depressionswelle, die seit einigen Jahren durch die westlichen Kulturen schwappt und immer häufiger junge Frauen befällt, die um die vierzig sind, eine klassische, konventionelle Ehe führen, Kinder haben, oft auch einen Beruf und keine unmittelbaren finanziellen Sorgen. Über diese Depressionen wird vor allem von Männern nicht gern geredet, die im Zweifelsfalle sowieso glauben, dass ihre Frau einfach nicht ausgelastet sei – »das kleine bisschen Haushalt, das kann doch nicht so schlimm sein«, behauptete schon ein Schlager in den fünfziger

Jahren. Doch gerade die Mütter, die immerzu alles geben, fühlen sich oftmals irgendwann wie entleert. Die emotionalen Energien sind erschöpft und werden nicht neu aufgeladen. Das führt zu Symptomen wie Reizbarkeit, Frustration, Unsicherheit, Angst und schließlich Depression.

Dass wir es dabei nicht mit einer kollektiven Zivilisationsneurose zu tun haben, wie manche meinen, beweisen schon die Zahlen. Allein in Deutschland sollen rund vier Millionen Menschen an einer behandlungsbedürftigen Niedergeschlagenheit leiden, darunter mehr Frauen als Männer. Wissenschaftlern zufolge erkrankt etwa ein Fünftel der Bevölkerung im Laufe des Lebens mindestens einmal an Schwermut. Der Weltgesundheitsorganisation zufolge wird Depression neben Herz- und Gefäßleiden schon 2020 die häufigste Krankheitsdiagnose sein. Erkrankte Menschen fühlen sich als Versager, weil sie den Erwartungen ihrer Umwelt nicht mehr entsprechen.

Obwohl die Depression auf dem Weg ist, sich zur Volkskrankheit zu entwickeln, ist kaum ein anderes Leiden von einem so dichten Gespinst aus Tabus und Halbwahrheiten umgeben. Denn noch immer herrscht die Ansicht, die abgrundtiefe, oft im Wortsinn tatsächliche Todtraurigkeit sei ein Zeichen der Überforderung, eine Verweigerung als Reaktion auf schwierige Lebensumstände. Gerade wenn eine Mutter oder eine Ehefrau daran erkrankt, wird die Depression als Kritik an der Umwelt wahrgenommen – die darauf allzu oft mit Unverständnis, wenn nicht sogar Aggression reagiert. Häufig wird die Schwere der Depression außerdem geleugnet; schließlich kennt jeder Phasen der Mutlosigkeit und Niedergeschlagenheit. Sprüche wie »Nun reiß dich mal zusammen« machen alles nur noch schlimmer. Wenn den Depressiven die Krankenrolle nicht zugestanden wird, fühlen sie sich erst recht zu Versagern abgestempelt.

Schuldgefühle kennt wohl jede berufstätige Mutter. Frauen

fühlen sich als schlechte Mütter, wenn sie ihre Kinder nicht 24 Stunden selbst betreuen. Ihre Abwesenheit, so drohen ihnen Experten aus dem konservativen Lager, könne beim Kind Fehlentwicklungen und Persönlichkeitsstörungen verursachen. Der Mythos, dass eine gute Mutter rund um die Uhr zu ihrem Kind gehöre, schüchtert die Frauen ein und beordert sie, vor allem wenn Arbeitsplätze knapp werden, zurück in die Küche. Dieser Muttermythos mag schrumpfen, aber er hat sich keineswegs aufgelöst. Dabei haben Psychologen längst Entwarnung gegeben: Kinder brauchen in erster Linie zufriedene, glückliche Mütter. Und glücklich sind nachweislich vor allem Mütter mit eigenen Interessen. Junge Menschen benötigen Bezugspersonen, den Kontakt zu anderen Kindern und ihren eigenen Freiraum. Das Fazit: Kinder berufstätiger Mütter sind selbstbewusster, selbstständiger und verantwortungsvoller als Kinder von Vollzeitmüttern.

Verfluchte Normalität

Dass die Nerven in der konventionellen, auf Kinder ausgerichteten Ehe so oft blank liegen, hat allerdings mindestens so viel mit der Anstrengung wie mit Sorgen zu tun. Studien zufolge beschert schon das erste Kind den Eltern einen Mehraufwand von wenigstens 35 Stunden in der Woche – von denen die Mutter mindestens dreißig übernimmt. Damit kommt nicht nur der jeweilige Partner, sondern auch ihre Liebe in Zeitdruck. Die Intimität der Zweierbeziehung droht auf der Strecke zu bleiben. Haushalt und Kinderbetreuung sind immer noch Sache der Frau, gleichgültig, ob diese einem Beruf nachgeht oder nicht. So meistern selbst jüngsten Umfragen zufolge sechzig Prozent der Frauen den Haushalt allein, während der gleiche Prozentsatz der Männer angibt, keinen Handschlag zu rühren. Für die Zukunft ist keine Änderung der Gewohnheiten in

Sicht: Töchter helfen bereits doppelt so viel im Haushalt mit wie Söhne.

Gegenseitige Zuneigung ist die Basis auch der konventionell geführten Ehe, mit dem Unterschied, dass dieses Gefühl von vornherein nicht übersteigert wahrgenommen wird. Dies ist aber auch die Ehe, in der die Beteiligten nach Jahrzehnten Sprüche klopfen wie: »An Scheidung habe ich nie gedacht, nur an Mord!« Oder, wie eine Bekannte es neulich ausdrückte: »Scheiden lassen? Niemals! Den Gefallen tue ich ihm nicht!« Wer Rache üben will, tut dies am effektivsten aus nächster Nähe.

Die konventionelle Ehe mag zwar die Sehnsucht nach gelegentlichem Gefühlsüberschwang ignorieren, aber dafür stillt sie das männliche Bedürfnis nach Stabilität und den weiblichen Wunsch nach Sicherheit. Man könnte auch sagen, beide Partner wissen, dass Kompromisse nötig sein werden, und verklären ihre Bindung nicht romantisch. Die klassische Ehe begreift sich selbst ähnlich wie die Demokratie als beste aller schlechten Möglichkeiten und wähnt sich als Ergebnis einer jahrtausendealten Anstrengung von Männern und Frauen. Sie dient schließlich einem höheren Zweck als dem individuellen Glücksstreben der Partner: Ihre Begründung liegt in der Geburt und Aufzucht von Kindern, der Stabilisierung der eigenen Person, der erfolgreichen Bewältigung des Alltags.

Die konventionelle Ehe mit klassischer Rollenverteilung ist auch deshalb die häufigste Form des institutionalisierten Zusammenlebens, weil sie sich in der Praxis am offenkundigsten anbietet. Die meisten Liebesehen, wenn sie nicht schon in der ersten Krise wieder geschieden werden, gehen früher oder später in dieses Stadium über, wie überhaupt auf fast jede eheliche Zweisamkeit dieses Etikett zumindest eine Weile lang zutreffen dürfte.

Dass in diesem Stadium jedoch häufig Langeweile droht, zeigt sich schon daran, dass die meisten Ehe-Ratgeber mit ihrem Appell zur »aktiven Beziehung« auf sie abzielen. Der Alltagstrott, der allem schnell den Glanz nimmt, setzt dieser Ehe besonders zu, weil er das Geheimnisvolle, an dem sich die Liebe entzündet, zunichte macht. Träume und Sehnsüchte richten sich nun einmal für 98 Prozent der Menschen nicht auf das Gewohnte, sondern auf das Fremde, Neue, Unbekannte. Amerikanische Psychologen haben für den Zustand der rastlosen Zufriedenheit, in dem der Mensch dennoch nicht verharren mag, bereits einen Namen gefunden: HES *(Happy-End-Syndrome).* Ihre Patienten haben alles erreicht, was den gängigen Visionen vom persönlichen Glück entspricht: eine angesehene Karriere, ein pralles Konto, ein Traumhaus und den perfekten Partner. Doch dann, wenn es scheint, als könne man sich höchstens noch um die Bewahrung des Status quo sorgen, fällt es ihnen schwer, sich an dem Erreichten zu freuen. Wunschloses Unglück ist die Folge: Die Betroffenen leiden, ohne dass sie sagen könnten, woran es ihnen eigentlich fehlt. Gewiss: Wer sein Glück nicht sucht, wird krank und verkümmert seelisch. Wer es aber gefunden hat und keine Träume mehr hat, wird ebenfalls krank. Es gibt keinen Stillstand im Glück. Die Erfüllung von Wünschen – sei es nach neuen Schuhen, einem neuen Job, einer neuen Beziehung – kann sich eben auch in einen Fluch verwandeln: Kaum hat man das sehnsüchtig Erträumte erreicht, erscheint es einem schon wieder schal, und man fragt sich, warum man je so erpicht darauf war.

Doch wenn sie gelegentlich tatsächlich Zweifel überkommen sollten, teilen die Anhänger der konventionellen Ehe das ganz sicher niemandem mit. Lieber spielen sie Theater und propagieren die Maxime »Mütter zu Kindern, Väter an die Arbeitsfront«, als dass sie zu erkennen geben, dass ihre Weltanschauung auch sie selbst nicht immer glücklich macht. Und sie haben es gar nicht gern, wenn jemand sie in Frage stellt.

Verzeihung, ich hoffe, meine gescheiterte Ehe verdirbt Ihnen nicht die Ihre

Der missionarische Geist der Konventionalisten kann für Ausreißer gelegentlich schwer zu ertragen sein, wie ich am eigenen Leib erfuhr, nachdem »es« geschehen war. »Es« war das Unaussprechliche, das Skandalon: die Trennung von meinem Mann.

Nachdem er und ich uns getrennt hatten – ohne Streit, ohne Vorwürfe, ohne gerichtliches Gezerre –, verabschiedete sich mehr oder minder der gesamte gemeinsame Bekanntenkreis stante pede. In den ersten Monaten rief gelegentlich jemand aus der alten Runde an, um ein mitfühlend gedehntes »Wie geeeht es dir denn so?« in den Hörer zu hauchen, ungefähr im selben Ton, wie man mit einem Unzurechnungsfähigen spricht, der im nächsten Moment handgreiflich werden könnte. Die pikierte Intonation dieser alltäglichen Frage war aber auch schon der einzige Hinweis darauf, dass mein Leben in ihren Augen komplett gekentert und sinnlos geworden war. Ansonsten wurde das Thema mit hausfraulicher Effizienz ausgeblendet, ganz so, als hätte der noch nicht ganz stubenreine Hund vor aller Augen gerade auf den besten Teppich gepinkelt. Verständlich: Wenn so etwas unerhört Peinliches schon geschieht, muss man ja nicht auch noch darüber reden. Aber das war nicht alles. Auch die Einladungen versiegten schlagartig. Zunächst hatte ich der Prophezeiung einer Freundin (verheiratet, ein Kind), als Single-Frau sei man bei Verheirateten nicht gern gesehen, keinen Glauben schenken wollen, doch sie hat sich absolut bewahrheitet; eine Erfahrung, die viele geschiedene Frauen machen, wie ich inzwischen weiß.

Zu der Zeit jedoch war ich erstaunt zu erleben, wie sehr die atavistischen Reflexe auch heute noch greifen – aber nicht bei den Männern. Männer, ob Familienväter oder nicht, verhielten sich wie Kavaliere, machten mir Komplimente (»Wie konnte er nur so dämlich sein«), munterten mich auf (»Zum Glück hast du einen Beruf, der dir Freude macht«), und trösteten mich mit der Versicherung, ihre Geschlechtsgenossen würden schon bald vor meiner Haustür Schlange stehen. Es waren meistens Männer, die mir schon früher zugeflüstert hatten, wie froh sie seien, wenn sie am Montagmorgen wieder ins Büro dürften und mir dabei komplizenhaft zublinzelten: Du weißt schon, was ich meine.

Ausschließlich von Frauen bekam ich dagegen Sprüche zu hören wie: »Tja, das hast du nun von all deiner Schufterei. Hättest du deinen Job an den Nagel gehängt und Kinder bekommen wie andere Frauen auch, wäre dir dein Mann nicht stiften gegangen!« Diejenigen, die es nicht ganz so unverblümt sagten, fanden andere Wege, ihrer Meinung Ausdruck zu verleihen. »Was macht denn dein Joohoob?«, hieß es dann, gleich nach dem mitfühlend gedehntem Ausruf: »Du Aaaarme! Wie geeeht es dir?« Die Gleichung war klar: Ist der Mann erst futsch, hat die Frau mehr Zeit, um zu arbeiten. Etwas anderes bleibt ihr ja ohnehin nicht übrig, als armer, einsamer Single, der sie jetzt ist. Mangelware, zurück aufs Regal – aber wer will schon Gebrauchtware? Mein sanfter Einwand, dass es viel schlimmer sei, sich zu trennen, wenn Kinder in Mitleidenschaft geraten, wurde ungeduldig beiseite gewedelt, nach dem Motto: Wenn du ein Kind hättest, wärst du ja schließlich gar nicht erst in diese bedauernswerte Lage gekommen.

Woher junge Mütter, denn um solche handelte es sich vornehmlich, dieses feindselige Selbstbewusstsein nehmen, ist mir nach wie vor schleierhaft. Es muss wohl daran liegen, dass ihre ganze Existenz auf der Annahme basiert, dass nur totale Mistkerle eine Frau mit Kind sitzen lassen. Die Statistik beweist, dass es davon allerdings eine ganze Menge gibt: In der Hälfte der geschiedenen Haushalte Deutschlands leben Kinder unter achtzehn Jahren. Aber solche Statistiken behielt ich zu jener Zeit lieber für mich: Was nützt es schon, den präpotenten Supermüttern ins kriegsbemalte Gesicht zu sagen, dass ihre Prada-Schuhe und

Miele-Waschmaschinen ihre Ehen ebenso wenig retten werden wie ihr beeindruckendes Joghurt-Wissen, wenn es so weit ist?

Gewiss, man muss das verstehen – sie meinen es nicht böse, es sind wahrscheinlich Frauen, denen Scheidungen wie meine Angst machen, die insgeheim befürchten, dass sich eines Tages herausstellen könnte, dass auch sie nicht Alleininhaberinnen jener wundersamen Ehegabe sind, die bewirkt, dass ihr Mann niemals eine andere anschaut, sondern nur die eigene Frau verehrt wie die Göttin des Lichts und sich aufopferungsvoll wie eine männliche Version von Mutter Teresa um den gemeinsamen Nachwuchs kümmert. Dass sie insgeheim fürchten, dass der Feind die Spezies der kinderlosen Single-Frauen ist, zu der auch ich nun nolens volens zähle, die ihnen womöglich irgendwann den Mann ausspannt. Schließlich weiß man auch in jenen Kreisen längst um die berühmt-berüchtigte »zweite Runde«. Gemeint ist die Phase, in der die ersten Ehen reihenweise kippen wie beim Dominospiel, und das ganze Bäumchen-wechsle-dich wieder von vorne losgeht. Es soll in Düsseldorf, Hamburg und München bereits ganze Viertel geben, in denen der turnusmäßige Gattentausch nach der Einschulung des jüngsten Kinds zur Hauptbeschäftigung geworden ist.

Die Einzigen, die meiner Erfahrung nach wie echte Menschen statt wie Aufziehpuppen reagieren, sind Frauen, die eigene einschlägige Erfahrungen hinter sich haben, oder solche, die vom Leben einiges begriffen haben und denen jeglicher Hochmut aufgrund ihrer Klugheit, Herzenswärme und Sensibilität ohnehin wesensfremd ist. Es sind zumeist reifere Frauen, und oft leben sie allein, meistens, weil ihnen kein Mann das Wasser reichen kann oder will. Diese Frauen sagen einfach nur so etwas wie: »Schade, dass es nicht geklappt hat mit euch.« Ohne besserwisserischen Unterton, ohne gespielte Theatralik, ohne Schuldzuweisung zur einen oder anderen Seite. Und das tut gut.

Warum ist es für Ehefrauen im gebärfähigen Alter offenbar so schwierig, das Thema Scheidung auch nur anzudenken, geschweige denn anzusprechen? Warum bringen sie so simple, folgenlose Worte wie »schade« oder »es tut mir Leid« weder über die Lippen noch auf eine Postkarte? Schließlich tut den Menschen heute so vieles Leid, dass wir zusammen mit den angelsächsischen Völkern demnächst eine Gemeinschaft der dauernden »Sorry«-Sager bilden werden. Aber offenbar ist die Floskelkultur zum Eheende noch nicht recht ausgereift; vielleicht, weil es an Grußkarten mit vorgefertigten Sprüchen fehlt. Oder aber ich bin einfach unheilbar seltsam, wenn ich finde, dass es einem durchaus Leid tun kann, wenn eine Ehe zerbricht. Wo doch jeder zumindest ahnt, dass damit Hoffnungen, Sehnsüchte, Wünsche und Lebensbilder zu Grabe getragen werden, um die die einstigen Gatten trauern. Dass man nicht gewollt hat, dass es so endet, dass es überhaupt endet. Mehr als eines einzigen kleinen Satzes bedürfte es in den allermeisten Fällen gar nicht; und man kann sehr wohl zu verstehen geben, dass man damit kein Scheunentor zu langwierigen und tränenreichen Erzählungen öffnen will. Manchmal frage ich mich, wie viele der Frauen, die mich ungewollt so verletzt haben, sich wohl eines Tages selbst in Situationen befinden werden, in denen ihnen ein freundliches Wort gut täte. Und dann hoffe ich, dass ich niemanden derart vor den Kopf stoßen werde.

Lauter Vorbilder?

Beispiele für konventionell geführte Ehen kennt jeder zu Dutzenden aus dem eigenen Familien- und Bekanntenkreis. Da lässt sich beobachten, wie die Unterordnung des einen Partners zugunsten des anderen funktioniert – wobei die Rolle des Felsens in der Brandung im Regelfall der Frau zugedacht ist. Das liegt nicht nur daran, dass diese klassische Eheform ein Mittel zur

Unterdrückung der Eigenständigkeit und Unabhängigkeit der Frau ist, weshalb zahlreiche Feministinnen denn auch dagegen gewettert haben. Das stimmt zwar, doch braucht es zur Unterdrückung auch immer einen, der sich unterdrücken lässt. Es gibt aber durchaus Beispiele für konventionelle Ehen, in denen sich der Mann als aufopfernder Diener seiner Frau versteht, wie etwa John Bayley, der Iris Murdoch nicht nur durch alle Phasen der Alzheimerkrankheit hindurch zur Seite stand, sondern sich auch schon vorher bemühte, ihr jene Umgebung zu verschaffen, die seine Frau für ihre schriftstellerische Arbeit brauchte. Ähnlich fürsorglich war Leonard Woolf, der sich ständig um Virginia Woolf kümmerte, dafür sorgte, dass sie genug schlief und aß; überdies war er immer der erste Leser ihrer Texte. Philip Mountbatten, geborener Prinz von Griechenland, geht seit nunmehr über fünfzig Jahren stets zwei Schritte hinter seiner Frau, Elizabeth II. von England. Der Biograph sagt: Sie trägt zwar die Krone, aber er hat die Hosen an.

Bei Fontanes war sie es, der die wirtschaftliche Seite der Ehe oblag, da der Dichter nicht mit Geld umgehen konnte; sie schrieb seine von Korrekturen und Einschiebseln bedeckten Manuskripte ab – rund vierzig Bände waren es, die sie druckfertig machte. Der »Realpolitiker des Lebens« hatte das Glück einer Frau, die es an Lebenstüchtigkeit allemal mit ihm aufnehmen konnte. An ihrer philisterhaften Konventionalität allerdings rieb er sich gelegentlich auf. Alles in allem jedoch bot sie ihm eine unermüdliche Quelle für das Studium »der Frau an sich«, deren gelegentliche Launen- und Rätselhaftigkeit den Dichter mehr inspirierten als die häuslichen Qualitäten, weil sie sich in Esprit und Caprice zeigten – und so für größere Unterhaltung sorgten.

Als »nicht gefesselt, aber entschlossen, es zu werden«, als »frei« und jemand, dem »das ganze Weibergeschlecht« noch offen steht, der aber wünscht, »bestimmt zu sein« – so verstand sich Schiller

1788. Als Vagabund, so schien es ihm, war er bislang durch die Welt geirrt. Mit Charlotte von Kalb hatte er seinen Spaß gehabt, doch dauerndes Herzensglück schien ihm in ihrem Weimarer Haus, wo auch ihr Gatte sein Zuhause hatte, nicht zu winken. »Wenn andre meinesgleichen durch häusliche Fesseln für weitere Pläne der Wirklichkeit verloren gehen, so ist Häuslichkeit just das Einzige, was mich heilen kann, weil es mich zur Natur, zur sehr prosaischen Alltagsnatur zurückführt, von der ich erstaunlich abseits geraten bin … Auf welchem anderen Wege kann ich diese gleichförmige Zufriedenheit erhalten als durch häusliche Existenz?« Als er Charlotte von Lengefeld im August 1789 seinen Antrag machte, verriet dieser viel über seine Vorstellungen von der Ehe: »Vortrefflichkeit der Seele ist ein schönes und ein unzerreißbares Band der Freundschaft und der Liebe.« Sie antwortete: »Der Gedanke, zu Ihrem Glück beitragen zu können, steht hell und glänzend vor meiner Seele.« Auf solche noblen Absichten reagierte der Dichter prompt mit Entschlossenheit: »Es lebt sich doch so ganz anders an der Seite einer lieben Frau als so verlassen und allein. Meinem künftigen Schicksal sehe ich mit heiterem Mut entgegen.«

Der Wunsch, etwas Höherem zu dienen als dem eigenen Glück, kam und kommt in diesen Ehen spätestens dann auf, wenn die erste Verliebtheit abflaut. Wenn es nach dem Mann geht, ist dieses Höhere die weibliche Unterstützung der eigenen Mission. So heiratete Goethe, obwohl ihm sämtliche Frauen der Klassik zu Füßen lagen, darunter so exzentrische Modelle wie Lili Schönemann, Charlotte von Stein oder Bettine Brentano, schließlich die treue Christiane Vulpius. Motiv dafür, die bereits lange bestehende Verbindung 1806 endlich zu legalisieren, war eine sehr männliche Mischung aus Rührung, Pflichtgefühl, Zuneigung und Bequemlichkeit. Achtundzwanzig Jahre währte die harmonische Gemeinschaft, die Friedrich Ludwig Christian

Oertel einem Freund beschrieb: »Goethe führt mit ihr ein häusliches, ruhiges, vergnügliches Leben, sie wohnt in seinem Hause und besorgt die Wirtschaft.« Und wenn er auf Reisen war, betonte Goethe in seinen Briefen, wie sehr er sich nach seiner Frau und dem gemeinsamen Sohn August sehnt. »Von Osten nach Westen / Zu Hause am besten«, beschloss der Dichter.

Ähnlich mochte auch George Sand, die eigentlich Aurore Dupin hieß, zunächst empfunden haben, nachdem sie 1822 Casimir Dudevant geheiratet hatte, einen Freund der Familie, mit dem sie einen kameradschaftlichen Umgang pflegte. Doch der Optimismus der temperamentvollen jungen Frau währte nicht lange. Sie liebte Literatur und Musik und wollte sich mit ihrem Mann über philosophische und religiöse Themen austauschen, doch dieser hatte sich ganz den Treibjagden, den Saufgelagen und den Frauen verschrieben. Sie dachte nach – und kam zu dem Schluss: »Wenn zwei Menschen miteinander eine Ehe eingehen, so muss, glaube ich, einer von ihnen vollkommen auf sein eigenes Ich verzichten und nicht nur auf seinen Willen, sondern auch auf seine eigene Meinung: Er muss sich entschließen, mit den Augen des anderen zu sehen und das zu lieben, was dieser liebt.« Zur Rettung ihrer Ehe arbeitete sie einen Vertrag aus. Die Abmachung sah vor, dass sie gemeinsam Fremdsprachen erlernen sollten, er sollte Bücher lesen, über die sie gemeinsam diskutieren würden; dafür würde sie in seiner Gegenwart auf das Klavierspiel verzichten. Es blieb bei den guten Vorsätzen. Immerhin verdankte sie den enttäuschenden Erfahrungen ihr Thema als Schriftstellerin: Ihren Büchern, welche die alltägliche bürgerliche Existenz aus Frauensicht schilderten, wie die Verfasserin sie selbst erlitten hatte, war großer Erfolg beschert. Trotz zahlreicher späterer Liaisons, unter anderem mit dem Dichter Alfred de Musset und dem Komponisten Frédéric Chopin, zog George Sand die Ehe für sich nie wieder in Betracht.

Andere arrangieren sich und finden Mittel der Kompensation. Wenn die einen Freuden des Ehelebens vergehen, werden sie eben mit anderen vergolten: So ersetzte Alfred Hitchcock, seit 1926 mit Alma Reville verheiratet, mangelnden Sex durch Nahrung. Seinem Gewicht von 150 Kilo nach zu urteilen, bestand diesbezüglich nach etlichen Ehejahren beträchtlicher Kompensationsbedarf. Er machte keinen Hehl daraus, dass zwischen ihm und seiner Frau nur noch ein platonisches Verhältnis bestand: »Bei den meisten verheirateten Paaren«, sagte er einmal, »beginnt im Verlauf des Zusammenlebens, nach etwa fünf oder sechs Jahren, jenes gewisse Gefühl zu schwinden. Dann nimmt Essen oft den Platz von Sex in der Beziehung ein.« Der vollschlanke Gottfried Benn nannte die Ehe rundheraus eine »Institution zur Lähmung des Geschlechtstriebes«. Dem stimmt auch sein englischer Schriftstellerkollege Martin Amis zu: »Eine Ehe wird nach einigen Jahren zu einer Art von Geschwisterbeziehung, gekennzeichnet von gelegentlichen, eher bedauerlichen Vorfällen von Inzest.«

Die K-Frage: Kind oder Karriere?

Nicht nur der Kirche, sondern auch der Bundesregierung zufolge ist vor allem die Liebe heilig, die der Gründung einer Familie dient. Zwar haben wir meist nicht den Fortbestand unserer Gattung im Sinn, wenn wir einen attraktiven Fremden nach der Uhrzeit, einem Stift oder einer Zigarette (auch dieses Alibi schwindet dahin) fragen, aber wenn es eines schönen Tages dazu beiträgt: umso besser. Gefragt nach ihrer liebsten Lebensform, nennen die Deutschen jedenfalls regelmäßig und in großer Mehrzahl die traditionelle Liebesbeziehung. Rund 90 Prozent der jungen deutschen Erwachsenen wünschen sich, später eine eigene Familie zu gründen.

Aber die Familie hat eine grausame Konkurrentin bekommen: die Karriere. Kinder mögen zwar zu einem perfekten Lebensentwurf gehören, aber zunächst wird in der Regel ein ausfüllender Beruf angestrebt, der einen hohen Lebensstandard für die spätere Familie ermöglicht. So wird der Kinderwunsch immer weiter verschoben – und in der Zwischenzeit ist dann die Beziehung gescheitert, der Wunsch versiegt oder es ergeben sich biologische Hindernisse. Vielen stehen, je älter sie werden, auch die Verantwortung und die Verpflichtungen, die eine Familie mit sich bringt, klarer und bedrohlicher vor Augen: für immer mehr Individualisten Grund, lieber ganz auf Nachwuchs zu verzichten – zumal man die romantische Liebe ja auch ohne Familie erleben kann, aber letztere schlecht ohne erstere.

Wenn junge Frauen heute in überwältigender Mehrzahl angeben, nicht mangelnde Betreuung oder Einbußen im Beruf, sondern einzig der fehlende richtige Partner sei der Grund für ihre Kinderlosigkeit, zeigt sich, dass die Krise der Liebe auch eine Krise der Familie nach sich zieht. Wir sind argwöhnisch geworden, trauen der Stabilität unserer eigenen Gefühle ebenso wenig wie der emotionalen Ausdauer unseres Partners. Und da gerade Frauen durch ein Kind beansprucht und belastet sind, nimmt bei vielen von ihnen die Bereitschaft ab, die eigene Erlebniswelt für den Nachwuchs zu opfern und dann womöglich noch ohne die Hilfe und Verstärkung eines Partners dazustehen.

Wo dagegen die Liebesbeziehung intakt ist und beide sich voll und ganz auf den anderen konzentrieren, droht ein Kind das fragile Gleichgewicht aus dem Lot zu bringen: Männer fühlen sich zu wenig beachtet, Frauen sind zu erschöpft, um sich gleichermaßen um das große wie das kleine Baby zu kümmern. Ob also durch die Abwesenheit des richtigen Partners oder die Anwesenheit des falschen: ein Drittel aller Frauen bleibt heute kinderlos, dreimal so viel wie vor hundert Jahren. Die durchschnittliche europäische Geburtenrate liegt bei erschreckenden 1,5; in Deutschland beträgt der Schnitt sogar nur 1,4. Es wären aber statistische 2,1 Kinder pro Frau nötig, um der Schrumpfung der Jugend entgegenzusteuern. Während die hiesige Heirats- und Scheidungshäufigkeit europäischem Mittelmaß entspricht, bildet die deutsche Geburtenrate zusammen mit der Italiens das Schlusslicht der EU. Die sich dramatisch verändernde demographische Lage hat nicht nur zu einer Neubewertung des Alters geführt, sondern erzwingt immer mehr auch eine neue Sicht auf Familie und Elternschaft.

Mit Kindern ist es offenbar ähnlich wie mit der Institution der Ehe: Der Wunsch danach ist stabil geblieben, doch mit der Umsetzung scheint es zu hapern. Dabei beweist der überfällige Aufstand der so genannten Rabenmütter, dass die Vermutung der Unvereinbarkeit von Kind und Karriere sich ebenso wenig halten lässt wie die Behauptung, die Kinder brächte der Klapperstorch. Die Vereinbarkeit von Familie und Beruf wird aber nach wie vor in erster Linie als Frauenthema angesehen. Zwar hat der moralische Druck auf Mütter abgenommen, ihren Beruf aufzugeben und sich möglichst umfassend den Kindern zu widmen. Stattdessen gibt es mittlerweile, zumal unter Akademikerinnen, einen mindestens ebenso starken Druck, den Beruf auch nach der Geburt eines Kindes nicht zu vernachlässigen. Für viele Frauen mit guten Berufsaussichten ist es in Zeiten verschwindender Arbeitsplätze manchmal schwieriger, sich zu ihrer Mutterrolle als zu ihrer Karriere zu bekennen. Es gibt aber auch Frauen, die das Gegenteil berichten, was das gesellschaftliche Ansehen von arbeitenden Müttern und den kollektiven moralischen Druck angeht: böse Blicke auf dem Spielplatz und hochgezogene Augenbrauen von Nachbarn und Kollegen angesichts der unterstellten Vernachlässigung der Kinder zugunsten der eigenen Selbstverwirklichung.

Der praktizierende Rabenvater, der sich mit der Rabenmutter seiner Kinder solidarisiert, kann sich zwar der Liberalität rühmen. Das emotionale Dilemma vieler Frauen zwischen Mutterschaft und Karriere ist damit jedoch nicht gelöst. Das bringt auch die Statistik zum Ausdruck, die besagt, dass ein gemeinsames Kind das Scheidungsrisiko zwar um 36 Prozent senkt, die Erwerbstätigkeit der Frau die Wahrscheinlichkeit einer Trennung aber um fast dreißig Punkte erhöht. So gesehen, wäre die Verbindung von Kind und Karriere für das Eheglück ein Nullsummenspiel. Zum Glück gehorchen Gefühle nicht solchen Mischkalkulationen. Soziologen bestätigen, dass die meisten Frauen glücklicher sind, wenn sie sich nicht allein über die Mutterschaft definieren müssen, sondern sich auch aufgrund finanzieller Eigenständigkeit und beruflichen Erfolges in ihrer ganzen Person bestätigt fühlen dürfen. Und die subjektive Zufriedenheit und Ausgeglichenheit der Eltern ist für die Entwicklung der Kinder, sobald sie aus dem Säuglingsalter heraus sind, wesentlich wichtiger als die Anwesenheit eines Elternteils rund um die Uhr.

Die zum Teil erbittert geführte Diskussion um die Vereinbarkeit von Kindern und Karriere zeigt nicht allein, dass es in Deutschland zu wenige öffentliche Kinderbetreuungsstätten gibt. Ungewollt hat sie einen tiefen, hässlichen Riss zwischen zwei Erziehungsmaximen sichtbar gemacht, der wiederum einem ideologischen Grabenkampf den Weg geebnet hat, bei dem arbeitende und Vollzeit-Mütter sich kreischend an der Spielplatzrutsche gegenüberzustehen scheinen. Die Arroganz und Überheblichkeit, die sich in die selbstzufriedenen Äußerungen derer mischt, die ihre Kinder »selbst« erziehen und nicht »aufziehen lassen«, kann eine ans Hysterische grenzende Defensivhaltung nicht ganz kaschieren. Selbsternannte Supermamis, die die Kinder von arbeitenden Müttern am Spielplatz mit Argusaugen beobachten, ob sich nicht Indizien für eine »Störung des sozialen Verhaltens« oder andere Vernachlässigungserscheinungen ausmachen lassen, haben vor allem Angst vor jenen Frauen, die für alle Welt sichtbar und in immer größeren Zahlen den Beweis antreten, dass Kinder und Karriere durchaus gleichermaßen wohlgeraten sein können. Dabei ist die leise herablassende Genugtuung, mit der arbeitenden Müttern begegnet wird, die oft genug gar keine andere Wahl haben, als zu arbeiten, um zum Familienunterhalt beizutragen, Zeichen einer durchaus verständlichen Paranoia. Frauen vergleichen sich mit anderen Frauen, ganz gleich, ob es um Aussehen, Figur, Kleidung geht oder um Mann, Kinder, Haus und Handtasche. Ob bewusst oder unbewusst, spielt dabei auch eine Rolle, dass angesichts der Scheidungsraten keine halbwegs realistische Frau wirklich sicher sein kann, dass ausgerechnet ihre Ehe halten wird.

Es gibt zwei Dinge, die die Motivation von Frauen, Kinder zu bekommen, außerordentlich erhöhen könnten: erstens eine positivere Einstellung gegenüber Kindern in der Gesellschaft und zweitens die Anwesenheit von Männern, mit denen sie Kinder haben wollen. Letzteres Problem haben die konventionell verheirateten Frauen für sich bereits gelöst, zunächst jedenfalls. Und da man sich das, wofür man sich entscheidet, nun einmal immer auch ein bisschen schönredet oder jedenfalls zurechtdenkt, ähnelt das Familienidyll hier fast einem Klischee, wie es uns sonst nur noch die Werbung vermittelt. Erst wenn man hinter die schnieke Fassade schaut, erkennt man feine Risse, die das perfekte Bild durchziehen und die manchmal alles zum Einsturz bringen.

Frauen mit Männern brauchen keine Karriere, meint der Mann

Dass es den Männern in der konventionellen Ehe so gut gefällt, hat vor allem mit ihrem mitgelieferten Status als Familienoberhaupt zu tun. Auch wenn sie es heute nicht mehr wagen, würden viele Männer ihrer Gattin wohl gerne untersagen, ihre eigene Karriere weiter zu verfolgen, um sich Konkurrenz zu ersparen. So hielt Alma Schindler ihre eigenen Kompositionen denen ihres Mannes Gustav Mahler weit überlegen und sagte dies auch laut und deutlich. Auch wenn er ihre Einschätzung kaum geteilt haben dürfte, verbot Mahler ihr bald nach der Hochzeit, selbst weiter zu komponieren. Erst als sie sich Walter Gropius zuwandte und ihn damit in eine tiefe Krise stürzte, erinnerte er sich seines Kleinmuts und ermutigte sie, doch wieder ihre Arbeit aufzunehmen. Robert Schumann fühlte sich an der Seite seiner Frau, der gefeierten Pianistin Clara Wieck, ins musikalische Abseits gedrängt und hielt sie über seinen Kompositionen tagelang vom Üben am einzigen Klavier des Hauses ab. Bettine Brentano blühte erst nach dem Tod ihres Mannes Achim von Arnim zur gefeierten Schriftstellerin und Berliner Salonlöwin auf. Obwohl selbst ein berühmter Mime, sah Mel Ferrer seinen Stern am Schauspielhimmel Hollywoods nach der Eheschließung mit Audrey Hepburn sinken und wachte eifersüchtig über die Auswahl ihrer Rollen. Jahrelang durfte sie nur Filme annehmen, in denen auch ihr Mann mitspielte. Lauren Bacall entschied sich in vorauseilendem Gehorsam für die alleinige Rolle als Mrs. Humphrey Bogart und wirkte erst nach dem Tod ihres Mannes wieder auf Bühne und Leinwand.

Viele Männer mögen heute den Erfolg ihrer Frauen mit ähnlichem Missfallen betrachten, doch hüten sie sich, ihr Weib zurück an den heimischen Herd zu beordern – allein der Gedanke an die Missbilligung im Bekanntenkreis dürfte reichen, um sie von einem solchen patriarchalischen Akt abzuhalten. Dabei wären ihnen die heimlichen Sympathien vieler männlicher Freunde sicher, die ihre Frau auch lieber am gedeckten Tisch wartend sähen als noch nach ihnen aus dem Büro nach Hause eilend.

Glückliche Glucken und rackernde Rabenmütter

Die Gleichberechtigung von Mann und Frau hat auch vor der Institution Ehe nicht Halt gemacht. Die konventionelle Ehe bietet daher heute weniger Stoff für große Heimatidyllen als für Karikaturen. Doch gerade Frauen müssen sich gut überlegen, ob sie die traditionelle Ehe mit ihrer klassischen Rollenverteilung von vornherein in Bausch und Bogen verdammen wollen. Denn es ist dabei nicht nur an die Bedürfnisse von Männern und Kindern gedacht worden.

Wer sich für eine emanzipierte Ehe entscheidet, ist pausenlos im Einsatz, denn in einer solchen Ehe verordnet die Frau sich die Arbeit selbst – zusätzlich zu ihren »normalen« Aufgaben. Wer sowohl seinen Kindern wie auch seinem Beruf gerecht werden will, dem bleibt keine andere Wahl als der doppelte und dreifache Einsatz. Natürlich fordert die Erziehung von Kindern enorme Kraft, und kaum jemand wird heute noch ernstlich die Behauptung wagen, die Aufgaben einer Mutter und Hausfrau seien weniger aufreibend als die einer Angestellten. Dennoch hat die Konventionalistin es leichter: Sie leistet hundert Prozent, während ihre emanzipierte Geschlechtsgenossin sich zweihundert Prozent abverlangt, denn auch in einer Ehe, in der die Mutter arbeitet, bleibt der überwiegende Teil der familiären Verpflichtungen ihre Sache. Sollte der Mann ihr ein Fünftel abnehmen, ist das schon viel, die restlichen vier Fünftel bleiben ihr so oder so überlassen.

Ohne jemandem zu nahe treten zu wollen: Frauen, die Mutterschaft und Berufsleben vereinen, leisten Außerordentliches. Und der von Konventionalistinnen immer wieder vorgetragene Einwand, die Berufstätigkeit dieser Frauen ginge auf Kosten des kindlichen Wohlbefindens, mag zwar in einzelnen Fällen berechtigt sein, trifft aber sonst nicht zu. Umgekehrt würde jedoch keine arbeitende Mutter einer Vollzeitmutter Vorhaltungen machen, weil sie rund um die Uhr auf ihrem Kind hockt wie eine glückliche Glucke. Die Bedürfnisse unterscheiden sich eben. Die rackernde Rabenmutter braucht die Bestätigung, die sie in ihrem Job findet, und überhäuft ihre Kinder jeden Morgen, jeden Abend und jedes Wochenende mit Liebe, die andere lebt all ihren Ehrgeiz an ihrem Nachwuchs aus, der schon im Vorschulalter mit drei verschiedenen Fremdsprachen konfrontiert wird und mit zehn bereits sämtliche Judo- und Karate-Gürtel hat. Wer will schon pauschal entscheiden, welches Kind glücklicher ist?

Da ist die Situation der Ehepartner schon leichter zu unterscheiden. Mal ehrlich: Wer einen Mann hat, der den Familienunterhalt verdient und sich auf die Erziehung der Kinder konzentrieren kann, hat heutzutage wirklich kein schlechtes Leben – trotz durchwachter Nächte an Kinderbetten, pausenloser Sorge und viel Stress. Während sich früher die Frauen, sobald einiger Wohlstand vorhanden war, zur Lektüre der *Gartenlaube* in dieselbe zurückziehen konnten, ermöglichen heute Au-pairs und Kindermädchen, dass sich die Mütter zum Kaffee oder Lunch im Club treffen. Im Grunde verbringt so manche Konventionalistin auch nicht mehr Zeit mit ihrem Nachwuchs als Mütter, die zur Arbeit gehen.

Der Bestseller *Die Tagebücher einer Nanny* (2002) beschreibt das Leben so einer modernen Mary Poppins: Erzählt wird die Geschichte von Nan, die als Kindermädchen für den vierjährigen Grayer in die Manhattaner Familie von Mr. und Mrs. X kommt. Grayer zählt zu jenen Kindern, denen es an nichts fehlt – für Französischstunden, Musik, Malen, Sport und Spielverabredungen ist gesorgt –, außer an Nestwärme. Da seine Mutter lieber das Geld ihres Mannes ausgibt, als sich um ihr Kind zu kümmern, übernimmt Nan nicht nur die Pflichten einer Aufpasserin, sondern wird für Grayer zum heißgeliebten Mutter-Ersatz, was ihr wiederum Konflikte mit Mrs. X einbringt. Der Roman, den die beiden Autorinnen Emma McLaughlin und Nicola Kraus nach jahrelangen Erfahrungen als Kindermädchen der feinen New Yorker Gesellschaft schrieben, löste in Amerika heftige Diskussionen aus.

Keine Frage: Kinder brauchen Präsenz – doch tagsüber muss ihnen diese nicht ausschließlich von den Eltern entgegengebracht werden. Von den Eltern brauchen sie Wärme, Liebe und Geborgenheit. Doch wenn die Frau den ganzen Tag mit den Kindern zusammen war, ist sie abends, wenn der Mann nach Hause kommt, oft genervt. Während er – in ihren Augen – interessante Deals abgeschlossen hat, spannende Konferenzen hatte oder womöglich auf Dienstreise war, hat sie den ganzen Tag über die Kinder bespaßt und naturgemäß wenig Aufregendes darüber zu berichten. Früher waren Frauen in der konventionellen Ehe glücklich, weil es nichts anderes gab. Nicht selten waren die Kinder ohnedies nur ein kleiner Teil ihres Alltags: Ob sie in bäuerlichen Gegenden auf dem Hof mit anpacken mussten oder in der Stadt ihren gesellschaftlichen Verpflichtungen nachgingen, sie kamen kaum zum Nachdenken über ihre Situation. Heute gestehen Frauen, die ein Jahr Mutterschutz haben, durchaus, dass sie sich geradezu danach sehnen, wieder arbeiten und sich über etwas anderes unterhalten zu können als Kinder.

Ist die Macho-Ehe am Ende?

Es sind die vielen verschiedenen Möglichkeiten geglückter Partnerschaften, die der konventionellen Ehe das Leben schwer machen. Dauernd vorgeführt zu bekommen, dass andere Frauen Kinder und Karriere unter einen Hut bekommen, setzt diejenigen, die sich für die Vollzeit-Mutterrolle entschieden haben, unter Druck. Obwohl die meisten Männer nach wie vor die klassische Arbeitsteilung befürworten, leugnen die wenigsten, dass sie sich mit ihrer Frau oft nicht mehr viel zu sagen haben. Inspiration suchen sie dann früher oder später woanders. Affären sind hier denn auch keine Seltenheit, wobei ihre Existenz meistens ähnlich wirkungsvoll übersehen wird wie das Scheitern dieses Ehemodells im Freundeskreis. Gefährlich wird es, wenn der Mann sich in eine Frau verliebt, die für die emanzipierte Partnerschaft steht: Dann droht nicht nur das Ende der Ehe, sondern auch eine tiefe Sinnkrise der Frau – die oft zu einem Zeitpunkt kommt, da eine Rückkehr ins Berufsleben tatsächlich keine Möglichkeit mehr ist.

Familien, in denen beide arbeiten, haben dagegen in den meisten Fällen größere Chancen, glücklich zu sein – weil zumal die Mutter immer ein latent schlechtes Gewissen der Familie gegenüber hat, gibt sie sich besondere Mühe. Eltern, die ihre Kinder den ganzen Tag über kaum gesehen haben, stürzen sich am Abend auf sie und bemühen sich, auch am Wochenende etwas zusammen zu unternehmen. So bekommen die Kinder oft tatsächlich das Beste beider Welten: Eltern, die zufrieden sind, weil sie in ihren Berufen Herausforderung und Bestätigung finden, die sich ihnen zugleich mit großer Aufmerksamkeit widmen, und oft außerdem die Vorteile, die ein Aufwachsen ohne große finanzielle Bedrängnis mit sich bringt.

Um als Frau in der konventionellen Ehe daher von tiefstem Herzen, voller Überzeugung und nicht nur oberflächlich glücklich zu sein, braucht man sowohl ein ausgeprägtes Selbstbewusstsein wie ein dickes Fell. Nur die allerwenigsten sind souverän genug, zuzugeben, dass sie es bei diesem Abkommen auch ganz bequem haben. Wenn die Frau jedoch weiß, welche Vorzüge ihr diese Partnerschaft bietet, und – nachdem sie beide Augen offen gehalten hat, um den richtigen Mann dazu zu finden – in der Ehe ein Auge zudrückt, können die Konventionalisten behaglich miteinander auskommen.

In der Regel jedoch sind konventionell geführte Ehen Bündnisse, die unter schweren Kämpfen, harten Opfern und leidvollen Erfahrungen das in sie gesetzte Maß erfüllen – so sie andauern. Es sind dies aber auch die Ehen, aus denen jene Paare hervorgehen, die im Alter Hand in Hand auf der Parkbank sitzen – Händchen haltend nicht ein Leben lang, sondern oft erst wieder, wenn die zurückliegende Zeit um ein Vielfaches länger ist als die, auf die man realistischerweise noch hoffen darf. Doch häufig wird die fehlende romantische Bindung dieser Ehe vorher zum Verhängnis. Denn den Weg in die reine Kameradschaft verstellt den Konventionalisten gerade jene Zuneigung, aus der heraus sie geheiratet haben.

Vor allem aber steht dieser Ehe heute eine Vielzahl von Möglichkeiten des Zusammenlebens gegenüber. Die Patchwork-Familie ist ihr größter Konkurrent; ein Feindbild auch, was die vermeintlich laxe moralische und pädagogische elterliche Gesinnung von solchen zerbrochenen und wieder neu zusammengesetzten Familien angeht. Die Rollenaufteilung, die der klassischen Ehe zugrunde liegt, mag vielen nicht mehr zeitgemäß erscheinen, doch das macht sie keineswegs schlecht. Es führt jedoch kein Weg vorbei an der Erkenntnis, dass ein großer Teil der Bevölkerung sie sich schlichtweg nicht mehr leisten kann. Mit dem Heraufdämmern der demographischen Katastrophe müssen unter jungen Eltern heute erst recht beide arbeiten, um im Alter nicht zu einer unzumutbaren Belastung für ihre Kinder zu werden. Die schleichende Vermögensentwertung und die Bevölkerungsentwicklung fordern ihren Tribut.

Die konventionelle Ehe ist daher in jeder Hinsicht ein Auslaufmodell. Oder nicht? Neue Konventionsverhandlungen sind gefragt. Vielleicht mit dem Ergebnis, das dem Eheverhalten derer gleichkommt, die die Kinder angeblich bringen: den Störchen. Zwar legt die Storchenmutter die Eier, Brüten und Fröschesuchen sind aber Aufgabe beider, mit gleichen Rechten und Pflichten.

Sollte die vorhandene alte aber nicht schleunigst und auf breiter Front durch eine solche storchenartige neue Konvention ersetzt werden, dürfte die klassische Ehe allerspätestens in der nächsten Generation gänzlich als das gelten, was sie in vielen Fällen bereits heute ist: die Lebensform der Reichen und Sorglosen, in der die Frauen für ihren Dienst am Überleben der Gesellschaft durch mehr Freizeit entschädigt werden, als die meisten glücklich ertragen können. Daher steht die konventionelle Ehe in der Evolution der Zweisamkeit nur an zweiter Stelle. Während die neue Aufgabenverteilung jedoch noch heftig an Wiegen und Wickelkommoden diskutiert wird, kann eine andere Eheform, in der die Partner von vornherein aus ihrem Egoismus keinen Hehl machen, ein Ausweg für die in ihrem altruistischen Streben enttäuschten Konventionalisten sein: die Vernunftehe.

Die Zweck- und Vernunftehe: Karriere am Traualtar

»Heirate nie um des Geldes willen! Du leihst es billiger.«
SCHOTTISCHES SPRICHWORT

»Ich glaube, es liegt nicht an uns. Ich glaube, es liegt an den Männern von heute. Sie sind Frauen gegenüber vorsichtiger geworden, besonders die sechsstelligen.« MARILYN MONROE IN »WIE ANGELT MAN SICH EINEN MILLIONÄR?«

Kalkül mit Gefühl

Die Liebe zwischen Mann und Frau wurde in Gedichten, Liedern und Erzählungen seit je besungen. Doch nur ein Ideal, das in weiter Ferne liegt, kann mit solcher Sehnsucht beschworen werden: So betrachteten denn auch weder der alte Orient noch die klassische Antike, weder das christliche Mittelalter noch die frühe Neuzeit die Liebesheirat als normal oder gar als wünschenswert. Im Gegenteil: Liebe und Ehe galten als unvereinbar; wer seine Frau zu sehr liebte, konnte dafür von der Kirche regelrecht gerügt werden, wie im dreizehnten Jahrhundert Philipp der Schöne, König von Kastilien, als er eine Wiederheirat nach dem Tod seiner Johanna kategorisch ablehnte. Ein deutsches Sprichwort warnt: »Wer aus Liebe heiratet, hat gute Nächte und böse Tage«, und eine arabische Weisheit besagt: »Die Liebe währt sieben Sekunden, die Phantasie sieben Minuten und das Unglück das ganze Leben.«

Wer der Haltbarkeit seiner eigenen Gefühle und erst recht

derer anderer also nicht recht traut, den Bund der Ehe aber nicht missen will, heiratet nicht aus flüchtiger Liebe zum Liebsten, sondern aus solider Liebe zur Macht, zum Geld oder zum Status. Mit anderen Worten: aus purer Vernunft. Andere schreiten im genetischen Dienst der Dynastie zum Traualtar, wieder andere, um sich ein Alibi für ihre homosexuellen Neigungen zu verschaffen. Auch die Kombination aus Kinderwunsch und Torschlusspanik hat schon manche Vernunfthochzeit begünstigt. Zweckbündnisse, wie sie über Jahrhunderte für Herrscher und Thronerbinnen, Aristokratie und die gehobene Kaufmannszunft obligatorisch waren und in vielen Kulturen der Welt in Gestalt von Zwangsehen nach wie vor stattfinden, sind auch in unseren liebestollen Zeiten keineswegs so selten, wie man vermuten könnte. Allerdings werden die Pläne dazu kaum mehr von Eltern und Verwandtschaft geschmiedet, sondern in aller Regel sind es die Beteiligten selbst, die sich dazu entschließen.

Wie beim Sex herrscht auch bei der Vernunftehe eindeutig Damenwahl, wenngleich Männer in beiden Fällen vom Gegenteil überzeugt sind. Evolutionsbiologisch betrachtet, sind die Herren der Schöpfung nämlich aufgrund ihrer Hirnstruktur mehr als Frauen zum Ausmachen und zähen Verfolgen konkreter Einzelziele prädestiniert: Über dem Anblick eines Paares wohlgeformter Beine verlieren sie bisweilen ihre Position und Aufgabe vorübergehend vollständig aus dem Blick, wie schon so mancher Minister beim öffentlichen Planschbad mit seiner Gespielin eindrucksvoll bewiesen hat. Frauen dagegen sind in ihrer Hirnausnutzung und damit auch in ihrem Wesen ganzheitlicher, ausgewogener und friedfertiger: Sie erfassen das Gegenüber in all seinen Facetten, schätzen seine Schwächen und Stärken ein. Fällt das Resümee bezüglich des Kandidaten günstig aus, erfolgt die Eroberung mit sanfter Hand. Wenn der Mann denkt, wie die Frau ihn lenkt, ist die Annäherung erfolgreich abgeschlossen.

Auch und gerade im zwischenmenschlichen Bereich zeigt sich der Triumph der weiblichen Vernunft über die männliche Logik – und das im einundzwanzigsten Jahrhundert, in dem wir eigentlich nur noch eingeschränkt vernunftfähig sind, spricht die Hirnforschung uns neuerdings doch den freien Willen ab. Dass zumal Frauen wissen, wie beruhigend eine stabile Bindung bei eigener begrenzter Vermögenslage sein kann, beweisen sie trotz Einführung der allgemeinen Liebesehenpflicht immer wieder auf subtile Weise.

Grundsätzlich ist es nämlich angenehm, den in jeder Ehe irgendwann einmal leise oder laut ausgestoßenen Seufzer »Warum habe ich dich bloß geheiratet?« leicht beantworten zu können. »Ach ja, weil du so reich bist«, klingt noch nach jahrelangem Zusammenleben einleuchtend, im Gegensatz zu: »Tja, damals warst du der Schönste weit und breit.« Falls das Lamento damit nicht abgehakt ist und sich gleich die Frage anschließt: »Und was hat es mir gebracht?«, kann es helfen, wenn die Antwort nicht nur lautet: schlaflose Nächte, drei Kinder, zehn Pfund und viele Sorgenfalten, sondern sich auch konkret in Zahlen und Fakten ausdrücken lässt.

Das kluge Geschlecht

Bei der Vernunftehe ist Ebenbürtigkeit eine Grundvoraussetzung. Da Berechnung in diesem dritten, also bereits recht vielversprechenden Stadium der ehelichen Evolution nicht etwa einen Charaktermakel darstellt, sondern von Klugheit zeugt, ist es angenehm, wenn beide darüber verfügen: Das macht die Beziehung ehrlicher. Damit die Rechnung aufgeht, sollten sich Kosten und Nutzen der Verbindung die Waage halten; wo beide Partner mit vergleichbarem Einsatz einsteigen, verteilt sich auch das Risiko im Falle des Scheiterns. Wenn also eine unscheinbare Kellnerin einen Millionär heiratet, wie Alice Kim, Sushi-Bedienung und derzeit amtierende dritte Ehefrau des Schauspielers Nicolas Cage, und damit fast dessen Film *Zwei Millionen Dollar Trinkgeld* nachstellt, mag ihr die Vernunft zwar zu dieser Verbindung geraten haben, doch handelt es sich deswegen noch lange nicht um eine Vernunftehe. Was Cage zu dieser Verbindung getrieben hat, entzieht sich unserer Kenntnis; sicher scheint, dass der Herr über mehr Geld als Verstand verfügt, eine von Frauen allseits geschätzte Kombination.

Überhaupt werden Vernunftehen heute mehr denn je von Frauen angestrebt, was wohl auch damit zu tun hat, dass dank emanzipierter Verhaltensweisen viele von ihnen schon vor der Ehe zu dem Schluss gekommen sind, dass man Männer zwar so nehmen muss, wie sie sind, aber sie auf keinen Fall so lassen darf. Bei dieser harten erzieherischen Aufgabe, bei der mit Rückschlägen immer wieder gerechnet werden muss, ist die Aussicht auf solide Belohung stets willkommen. Zwar sind, Friedrich Nietzsche zufolge, herzlose Männer immer auf der Suche nach kopflosen Frauen, doch sind manche Zweifel angebracht, was Mr. Knightleys apodiktischen Satz aus Jane Austens *Emma* angeht: »Wie gefühlvoll ein Mann auch immer daherreden mag, muss er handeln, so wird er vernünftig.« Es scheint vielmehr, als sei diese Maxime mehr und mehr ein Privileg der modernen Frau, jedenfalls wenn man sich die Damenwahl von Liz Mohn, Friede Springer oder Sylvia von Schweden ansieht, die ihre begüterten Ehemänner als Telefonistin, Kindermädchen beziehungsweise als Hostess kennen und schätzen lernten. Allerdings nehmen die meisten Frauen es übel, wenn man gratulierend darauf zu sprechen kommt, dass sie sich einen Millionär geangelt haben. Es ist schon verwunderlich: Wenn jemand Karriere macht, hat er nichts dagegen, zu seinem Erfolg beglückwünscht zu werden. Nur ostentative Karrieren am Traualtar sollen tunlichst behandelt werden wie jede andere Verbindung auch. Zu einem sicheren Indiz für eine monetär beflügelte Vernunftehe gehört heute daher unbedingt, dass man später nicht gern daran erinnert wird. Nur die Liebe und der gute Charakter zählen!

Völlig urteilsfrei sei hier nur erwähnt, was ein Blick auf die Liste der reichsten Deutschen offenbart: Von den wenigen Frauen, die dort unter den ersten zwanzig aufgeführt sind, hat sich keine einzige ihr Vermögen aus eigener Kraft erwirtschaftet. Aber wenn sie es nicht geerbt haben, wie Susanne Klatten, Tochter des Unternehmers Herbert Quandt, haben sie es sich als Ehefrauen ganz gewiss redlich verdient.

Die Vernunft der Gene

Wie wir im Zusammenhang mit der Liebesehe bereits gesehen haben, spielen schon von Natur aus bei der Partnerwahl Faktoren eine Rolle, die mit Liebe nichts zu tun haben. Obwohl wir oft glauben, aus dem Gefühl heraus zu handeln, haben Wissenschaftler herausgefunden, dass unsere Gene und Hormone durchaus imstande sind, für das durch Verliebtheit in Mitleidenschaft gezogene Gehirn mitzudenken. Und siehe da: Unsere Urinstinkte sind geradezu rührend um unser Wohlbefinden besorgt! So zwingen sie Männer beispielsweise regelrecht dazu, sich nach attraktiven Partnerinnen umzusehen, denn Schönheitsattribute wie glänzende Augen, volle Lippen und makellose Haut gelten als Indiz für gesunde Gene. Ihr besonderes Faible für junge Weibchen verdankt sich dem unbewussten Streben nach einer möglichst fruchtbaren Partnerin. Selbst für die allgemeine Wertschätzung von beachtlicher Oberweite haben Evolutionsbiologen eine logische Erklärung: Große Brüste signalisieren einen hohen Östrogenspiegel, der ebenfalls auf Fruchtbarkeit schließen lässt.

Die Vermutung, dass der weibliche Brustumfang mitunter im umgekehrten Verhältnis zur Intelligenzoberweite steht, haben Forscher zwar noch nicht endgültig belegen können, aber der Urmann wird auch das schon instinktiv gewusst und mitunter begrüßt haben.

Dass Frauen bei der Wahl ihrer Partner anspruchsvoller sind, liegt daran, dass sie während der Schwangerschaft und Kindesaufzucht die Hauptarbeit leisten, also gut beraten sind, sich den Genspender sorgfältig auszusuchen, dessen Nachwuchs sie dann betreuen müssen. In allen Zivilisationen achten Frauen deshalb mehr als Männer darauf, dass ihr Partner gut verdient, aus annehmbaren Verhältnissen kommt und ehrgeizig ist, dass der potentielle Versorger also kein Versager ist. Von Äußerlichkeiten allein sind Frauen nicht zu beeindrucken: Zwar verheißt eine durchtrainierte, breitschultrige Sportlerfigur Beschützerqualitäten, doch Erfahrung und Intelligenz können im täglichen Überlebenskampf weitaus wichtiger sein. Daher wünschen sich die allermeisten Frauen einen Mann, der etwas älter ist als sie selbst. Er soll seine Familie nicht nur behüten, sondern auch bei der Erziehung des Nachwuchses behilflich sein: Da sind geistige Fähigkeiten allemal wertvoller als bloße Muskelmasse. So gesehen, ist es eigentlich erstaunlich, wie vielen selbstherrlichen Intellektuellen es gelingt, sich Frauen und Kinder vom Leibe zu halten. Aber es erklärt, warum die Damenwelt Goethe, Brecht und Benn zu Füßen lag: Die betörende Wirkung des Dichterworts ergibt nicht nur in literarischer, sondern auch in evolutionsbiologischer Hinsicht Sinn. Bei Arthur Miller und Marilyn Monroe etwa muss das Gengeflüster geradezu exemplarisch gewesen sein.

In der Vernunftehe kommt es daher oft zu Paarungen, die auf den ersten Blick merkwürdig anmuten. Doch bei genauerer Betrachtung stellt sich heraus, dass manche Partner sich in ihrer äußerlichen Attraktivität zwar stark unterscheiden, in ihren Fähigkeiten und Möglichkeiten jedoch sinnfällig ergänzen. Wer kennt nicht mindestens eine hübsche junge Frau, die in die Ehe mit einem zwar übergewichtigen, doch dafür auch finanziell abgerundeten Mann eingewilligt hat? Das funktionierende Muster von der Schönen und dem Biest findet sich auf internationalem Gazettenparkett ebenso bestätigt wie in den schönen Künsten: Winston Churchill, Charlie Chaplin, Alfred Hitchcock oder Gérard Depardieu konnten sich über mangelnden Anklang beim anderen Geschlecht ebenso wenig beklagen wie der schielende Jean-Paul Sartre oder der genialische Gnom Elias Canetti.

Ehen ohne Exzess

Nun kann niemand Vernunft annehmen, der nicht schon welche hat. Der Blick in den historischen Rückspiegel zeigt, dass es die illusionsarme, klassische Form der Vernunftehe auch in Zeiten der Romantik um 1800 noch gab, als die Herzen eigentlich höher und im Gleichtakt schlagen sollten. Ökonomische Abhängigkeit war eben stets ein stärkerer Beweggrund, aneinander festzuhalten, als vorübergehender Liebeszauber. Eine alte Bauernregel besagt: »Wenn der alte Bauer stirbt, rasch ein junger Freier wirbt.« Trauer konnte man sich früher im Todesfall nicht leisten, denn zurückgebliebene Kinder mussten versorgt, die Felder bestellt, die Kühe gemolken werden. So heirateten verwitwete Bäuerinnen oft erheblich jüngere Männer, die noch kräftig anpacken konnten, und diese wiederum waren froh, durch die Verbindung zu einem eigenen Hof zu kommen.

Die gute alte Zeit, in der Ehen aufgrund eindeutiger Aufgabenbereiche, kürzerer Lebenserwartung und fest betonierter Konventionen so sagenhaft viel stabiler waren, liegt allerdings inzwischen mehr als ein Jahrhundert zurück. Zwar heißt es gern, die damalige Heiratspraxis sei seelisch grausam gewesen. Dabei war seinerzeit lediglich das Bild von der Ehe ein anderes als heute: Sie wurde nicht idealisiert, sondern galt als Mittel zum Zweck. Statt der modernen Vorstellung von Liebe und Glück in Endlosschleife überwog eine resignativ-pragmatische Grundeinstellung: »Gleiches Blut, gleiches Gut und gleiche Jahre geben die besten Ehepaare«, riet der Volksmund; eine Ansicht übrigens, der sich die heutigen Soziologen nach langem Forschen und Diskutieren nur anschließen können.

Während Heirat heute Ausdruck von Individualität ist, war sie früher das genaue Gegenteil. Die Pflicht und nicht die Selbstverwirklichung standen im Vordergrund. Man ging davon aus, dass Eheleute innerhalb der allgemein gültigen Normen und Rollenbilder durchaus glücklich miteinander werden konnten, wenngleich gegenseitiges Wohlgefallen nicht als Ziel, sondern höchstens als angenehme Nebenwirkung galt. Zweck der Ehe war das wirtschaftliche Überleben von Hof, Betrieb oder Geschlecht, die Wahrung von Wohlstand und Nachkommenschaft, der damals einzig bekannten Form von Krankenversicherung und Altersversorgung. Die Ehe war eine Arbeitsgemeinschaft, in die jeder seine geschlechtsspezifischen Fähigkeiten einbringen sollte und in der die Frau sich dem Mann unterzuordnen hatte. Und gerade weil die Institution Familien und Vermögen existentiell miteinander verknüpfte, konnte man etwas so Wichtiges wie die Partnerwahl auch nicht allein den Betroffenen überlassen. Heute, wo Kleinst-Familien von Generation zu Generation neu gegründet werden, hängt von der Entscheidung für einen bestimmten Ehepartner nicht mehr Wohl und Wehe eines viel größeren Personenkreises ab.

Theodor Fontane, der große Ehe-Romancier, schrieb anlässlich der deutschen Erstaufführung von Ibsens *Gespenster* 1887 als Theaterkritiker der *Vossischen Zeitung:* »Solange die Welt steht oder solange wir Aufzeichnungen haben über das Gebaren der

Menschen in ihr, ist immer nach den Verhältnissen und nur sehr ausnahmsweise nach Liebe geheiratet worden. Die vorchristliche Zeit kannte den Luxus des nach Liebe Heiratens kaum, jedenfalls war es Ausnahme, nicht Regel. (…) Ist anzunehmen, dass die Spartaner nach Liebe geheiratet haben? Vermählen sich die Fürsten in der großen Mehrzahl der Fälle nach Liebe? Heiratet man in den reichen Bauerndörfern nach purer Passion? Umgekehrt: Alles ist Pakt und Übereinkommen. Die Liebe findet sich, und wenn sie sich nicht findet, so schadet es nichts. (…) Die größte aller Revolutionen wäre es, wenn die Welt übereinkäme, anstelle der alten nur scheinbar prosaischen Ordnungsmächte die freie Herzensbestimmung zu setzen. Das wäre der Anfang vom Ende. Denn so groß und stark das menschliche Herz ist, eins ist noch größer: seine Gebrechlichkeit und seine wetterwendische Schwäche.«

Es ist dies ein vehementes Plädoyer für die Ehe nicht aus Neigung, sondern aus Vorteilserwägung und Bequemlichkeit, formuliert von einem, der selbst, als junger Apothekengehilfe, noch entschieden anders gefühlt und gehandelt hatte, indem er sich mit Emilie Rouanet-Kummer verlobte, die er 1850 heiratete, obwohl sich die für die Eheschließung ersehnte Liquidität noch immer nicht eingestellt hatte. Die Ehe war geprägt von Geldsorgen, die sich erst nach 1877, während Fontanes später Blütezeit als freier und anerkannter Schriftsteller, milderten. Emilie schrieb seine Manuskripte ab, kümmerte sich um Haushalt und Kinder, und wenn ihr Mann reisenderweise abwesend war, was nicht selten vorkam, so schrieb sie ihm. Zwar hat Fontane selbst manchmal den Eindruck entstehen lassen, seine Frau sei ihm lästig und aufgrund ihrer geringeren Bildung auch lächerlich erschienen, doch der später veröffentlichte Briefwechsel des Paars zeigte eine große Übereinstimmung nicht nur in Alltagsfragen, sondern auch bei der Einschätzung seiner Arbeit.

Da die abendländische Dichtung aus der Poesie der Troubadoure entstanden ist, die die hemmungslose Leidenschaft glorifizierten, von Ekstase noch im Liebestod sangen und dabei weltliche Erwägungen wie Fortpflanzung geradezu verachteten, hat die Literatur die europäische Zweckehe auf Jahrhunderte hinaus diffamiert: So erklärt es jedenfalls Denis de Rougemont in seinem Werk *Die Liebe und das Abendland* (1939). Die Vernunftehe wurde als Gegengewicht zur romantischen, meist ehebrecherisch gesinnten Liebe mit literarischen Mitteln geradezu erzwungen. Was Minnesang, *Tristan und Isolde* und *Rosenroman* in alle Welt hinaustrugen, war gewissermaßen die frühste Form der Sciencefiction: eine derart ferne, unrealistisch anmutende Welt, dass sich das Publikum zwar gern davon betören ließ, aber deshalb noch lange nicht auf die Idee kam, sie selbst nachzustellen. Man wusste, dass Literatur und Leben zweierlei waren, und hielt sich an die Ratio. Eine auf reinem Gefühl basierende Vorstellung, die derart herzzerreißend gepriesen wurde, empfahl sich nie und nimmer zum allgemeinen Gebrauch, sondern höchstens als phantasievoller Gegensatz zur Realität. So erschien die Ehe in der Literatur tatsächlich über Jahrhunderte hinweg als Institution ohne Glanz und Größe – und förderte so die Einsicht der Lesenden in ihre pragmatische Notwendigkeit. Wo die Liebenden in Büchern bis zur Romantik Schuld und Sühne litten, fühlte sich der gesunde Leserverstand in seiner rationalen Lebensführung aufs Äußerste bestätigt: Man musste schließlich von etwas leben. Dass es sich rächte, die eigenen Gefühle ernster zu nehmen als die bestehende Ordnung, bewiesen noch die Romane von Theodor Fontane und Eduard von Keyserling.

Bis weit ins zwanzigste Jahrhundert standen den Frauen nur wenige Türen offen, und die typischen weiblichen Berufe wie Lehrerin oder Krankenschwester hätten für manche gesellschaftlich gehobene junge Dame einen sozialen Abstieg bedeutet. So hofften viele, durch die moderne Ausprägung der feudalen Ehepraxis Karriere zu machen. Dies galt in hohem Maße auch für Mädchen aus einfacheren Kreisen. Die Kunst nahm das Stichwort vom geldwerten Vorteil der Ehe begierig auf – wobei dort das große Gefühl selbstverständlich rein zufällig mit dem großen Geld zusammenfällt. Filmmärchen von *Sabrina* (1954) bis *Pretty Woman* (1990) ebenso wie Romane der Weltliteratur, von Samuel Richardsons *Pamela* (1772) über Janes Austens *Stolz und Vorurteil* (1813) hin zu Alessandro Manzonis *Die Verlobten* (1827) nähren die Hoffnung auf die phantastischen finanziellen wie romantischen Möglichkeiten solcher Verbindungen bis heute.

Realpolitiker der Liebe

In der Politik sind Zweckbündnisse seit je an der Tagesordnung; Ehen von Herrschern, Thronprinzen oder Lokalfürsten wurden bis vor gar nicht allzu langer Zeit selbstverständlich auch unter den Erwägungen geschlossen, was für ein Land gut und richtig schien. Dynastische Fragen, politische Konstellationen und Machtansprüche standen bei der Heiratsdiplomatie stets im Vordergrund. Bis zum Ende des neunzehnten Jahrhunderts ist die europäische Geschichte von solchen Allianzen geprägt. Wenn sich Liebe einstellte, so war dies eine erfreuliche Nebenwirkung, jedoch spielten derlei Erwägungen bei der Gattenwahl keine Rolle. Manche Eheleute waren sich bis zum Tag ihrer Trauung nicht einmal begegnet; viele sahen sich auch danach möglichst wenig. Friedrich der Große würdigte seine Gemahlin Elisabeth Christine, die er »ma vieille vache«, meine alte Kuh, nannte, auch nach der Hochzeit keines Blickes, aber das Wohltuende für Bewohner von Schlössern wie Sanssouci ist ja, dass man sich tagelang mühelos aus dem Weg gehen kann. So konnte auch

Friedrich seine Frau am ehesten dann respektieren, wenn er ihre Gesellschaft nicht ertragen musste.

Klassische Vernunft- und Zweckehen wurden stets zum gegenseitigen Vorteil der Partner geschlossen, ganz wie die Allianzen und Fusionen im heutigen Wirtschaftsleben, bei denen ja auch gern von »Hochzeiten« die Rede ist.

Voraussetzung für solche richtigen, nicht nur einseitigen Vernunftbindungen ist, dass beide dem anderen etwas zu bieten haben müssen – Abstammung, Vermögen, Glamour oder Intellekt. Da kann dann ihre Klugheit, Schönheit oder Diplomatie mit seinem Geld oder Ehrgeiz gepaart werden, oder sein Pedigree mit ihrer Erbschaft. Das Ziel ist nicht etwa ein so flüchtiges Gut wie das Glück, sondern eine knallharte, geradezu machiavellistisch anmutende Statusbildung und Statusbewahrung.

Berühmte Vernunftehen des zwanzigsten Jahrhunderts waren die von Evita Duarte und Juan Perón oder Jacqueline Bouvier und John F. Kennedy, aber auch Bill Clinton und Hillary Rodham schlossen 1975 mit der Ehe einen Pakt zur gegenseitigen Förderung, ganz wie es Eleanor und Franklin D. Roosevelt vorgemacht hatten, deren Ehe ein ganz und gar politisches Bündnis gewesen war. Cousine und Cousin hatten 1905 geheiratet, und sie ergänzten sich phantastisch: Er ein brillanter Redner und Draufgänger, sie eher still, doch von großer Beharrlichkeit bei allem, was sie sich vornahm. Von 1933 bis zu seinem Tod 1945 war er amerikanischer Präsident; die breite Zustimmung, die er im Volk genoss, beruhte wesentlich auf Eleanor Roosevelts rastlosem Einsatz für die unterdrückten Minderheiten.

Die Macht der Familie

Wer verheiratet ist und Familie hat, trachtet seit je danach, seinen Rang an die nächste Generation weiterzugeben. Die Schwierigkeit dieses Unterfangens machte indes schon Otto von Bismarck zu schaffen: »Die erste Generation schafft Vermögen, die zweite verwaltet Vermögen, die dritte studiert Kunstgeschichte, und die vierte verkommt.« Die Wiederauferstehung und demokratische Ausweitung uraristokratischer Kriterien wie Vorrang, Status und Prestige beschert der Vernunftehe seit einiger Zeit eine Renaissance, deren Wahrnehmung und Entschlüsselung gerade erst begonnen haben. Auch wenn die Liebesehe das Ideal bleibt, wird von den Eltern der heiratsfähigen Generation seit je und noch immer auf die standesgemäße Verheiratung des Nachwuchses geachtet. Diese drückt sich aus in einem ähnlichen Bildungshorizont, vergleichbarem familiärerem Hintergrund und einem gemeinsamen Wertesystem, also einer Beachtung genau der Aspekte, deren Übereinstimmung auch Forscher für dauerhaft stabile Ehen empfehlen.

Jedoch nicht nur die Eltern, auch die Heiratswilligen selbst verordnen sich zunehmend Bindungen, die statt Wärme stocknüchterne Vernunft ausstrahlen. Das liegt nicht nur an der weit verbreiteten materialistischen Haltung, dass Geld immer ein Argument ist und oft nicht einmal das schlechteste. Zur Wiederbelebung alter Kriterien führt vielmehr das Bewusstsein, dass die meisten Ehen inzwischen zum Scheitern verurteilt sind – weil sie auf labilem Liebesfundament aufgebaut werden. Diesem hehren, doch fragilen Anspruch stellen die Machiavellisten der romantischen Evolution die Erkenntnis entgegen, dass der Erfolg die Mittel heiligt, nicht die gute Absicht. Dank ihres Einsatzes könnte es sein, dass es wie in früheren Jahrhunderten wieder vermehrt zu einer pragmatisch-preußischen Teilung von Herz und Verstand kommt: Wenn Kinder einmal da sind, steht die Familie im Mittelpunkt – mindestens, bis der Nachwuchs auf die höhere Schule kommt und auf eigenen Beinen stehen kann. Die Ehepartner kommen überein, dass die Familie ein mindestens so wichtiges

Ziel ist wie die individuelle Selbstentfaltung, ja dieser sogar gewisse Grenzen setzt. Wo es vor allem der prunkvolle Rahmen ist, der dem Privatkunstwerk Ehe Glanz verleihen soll, und nicht der Pinselstrich des Bildes, werden unausgesprochene Abkommen zwischen Gatten wieder darauf hinauslaufen, dass man sich zur Zeugung und Erziehung des Nachwuchses ebenso zusammentut wie zur Demonstration des familiären Rangs. Allerdings ist die Atmosphäre hier deutlich nüchterner als im konventionellen, im vorigen Kapitel beschriebenen Ehestadium.

Leonard und Sophie zum Beispiel leben seit einiger Zeit nur noch nebeneinander her, aber es macht ihnen nichts aus. Dafür geht es ihnen viel zu gut. Beim Umzug in das neue, größere Haus haben sie sich für getrennte Schlafzimmer entschieden; es ist einfach praktischer, da er meist todmüde heimkommt und es hasst, wenn Sophie im Bett noch liest, wenn er längst schlafen will. In der letzten Zeit wälzte Sophie vor allem Auktionskataloge und Einrichtungsbücher, aber dafür ist das neue Heim nun auch wirklich ein Traum. Leonard hat zwar wenig Gelegenheit, die Villa mit Garten zu genießen, aber wann immer sie ein Abendessen geben, ist er stolz auf das, was sich den Gästen präsentiert – inklusive seiner hübschen Frau und den wohlgeratenen Kindern. Was Jakob und Emma angeht, so scheinen diese zwar gleichzeitig die Trotzphase und das Quengelalter durchzumachen, aber seitdem sie sich nicht nur eine Putzhilfe, sondern auch ein Kindermädchen leisten können, ficht Sophie das nicht an. Wenn sich je in ihr der Gedanke regt, was ihre Ehe eigentlich noch ausmacht, beschwichtigt Sophie solche kleinen Zweifel mit dem Gedanken, dass jede Beziehung nun mal Phasen hat, wo man vor allem aus rationalen, pragmatischen Erwägungen zusammenhält. Einen besseren Grund als zwei so entzückende Kinder, ein schönes Heim und einen großen Freundeskreis kann es dafür doch gar nicht geben!

Erst die Ehe, dann die Liebe

Der modernen These, dass Männer und Frauen einfach nicht zusammenpassen, außer an einer bestimmten Stelle, steht Platons Kugelmenschen-Theorie gegenüber, die besagt, dass jeder Mensch auf der Suche ist nach seiner anderen Hälfte, die ihn perfekt ergänzt. Den Wunsch, »aus zweien eins zu machen« und so die rastlose menschliche Natur zu heilen, haben Romantiker stets als Suche nach der ganzheitlichen, umfassenden Liebe verstanden. Er lässt sich aber auch ganz pragmatisch interpretieren. Wenn man in der Ehe gemeinsam etwas erreicht, was man alleine weder bekommen noch bewahren könnte, hat die Verbindung exzellente Chancen. Viele Männer, die gut verdienen, erhalten erst durch die sozialen Fähigkeiten ihrer Frau einen Rahmen, in dem sie ihren Wohlstand stilvoll ausstellen können. Umgekehrt ist für manche elegante, ehrgeizige und kluge Frau der weltmännische Partner das Tüpfelchen auf dem i. Die Begeisterung über das erreichte Ziel schlägt dann fast immer in Zuneigung um. Schon Molière bekräftigte, Liebe sei oftmals die Folge von Heirat. Dass leidenschaftslos arrangierte Verbindungen liebevollen Bestand haben können, beweist die Ehe von Thomas Mann und Katia Pringsheim, über deren Schwierigkeit, doch auch Glück sich die Biographen einig sind, ebenso wie jene des Marquis de Sade und seiner Frau Renée Pélagie de Montreuil. Sie brachte in die kühl arrangierte Ehe das dringend benötigte Kapital ein, mit dem das heruntergekommene Schloss in der Nähe von Avignon saniert werden konnte, und er gab der Beamtentochter seinen guten Namen. Doch dann gewöhnte man sich aneinander, und trotz der Sex- und Gewaltorgien ihres Gatten, die diesen immer wieder hinter Gitter brachten, blieb die Marquise ihrem Gatten gewogen – und treu. Im Gefängnis schrieb dieser denn auch nicht nur seine berühmten Romane, sondern rührende Liebesbriefe an seine Frau, von der er als

»Seele meiner Seele, Spiegel der Schönheit, Stachel meiner Nerven, siebzehnter Planet des Weltalls« schwärmte.

»Hinter jedem großen Mann steht eine noch größere Frau«, behauptet eine feministische Weisheit, die nicht nur hinsichtlich der oft weiblich geschaffenen Bedingungen für den Erfolg Recht hat, sondern auch, weil Partner sich im Idealfall gegenseitig zum Erfolg beflügeln können. Aus dem gemeinsamen Kampf für eine Sache, ob dieser nun politisch ist wie bei Winnie und Nelson Mandela, ob es sich um eine künstlerische Mission wie bei den Verpackungsartisten Christo und Jeanne-Claude handelt oder eine intellektuelle Partnerschaft wie bei Pierre und Marie Curie, entsteht eine starke Verbundenheit, die das eigene Glück dem gemeinsamen Ziel unterordnet – und gerade dadurch findet.

Die alte Weisheit, dass es für eine Ehe immer besser ist, wenn der Mann mehr liebt als die Frau, gilt auch für die Vernunftehe. Frauen sind in der Geschichte stets diejenigen gewesen, die in die Familie des Mannes einheirateten und sich somit aus ihrer eigenen Blutsverwandtschaft lösten, um selbst Nachkommen zu gebären. Immer waren es auch und vor allem die Mütter, die ihre Kinder zu vernunftbestimmten Bindungen drängten, im Bewusstsein, dass die emotionalen Bedürfnisse sich leichter stillen lassen, wenn die materiellen Bedingungen stimmen. Der Versuch, mit Liebe zu kompensieren, was an Annehmlichkeiten fehlt, funktioniert eben doch nur im Roman.

Es sind daher nicht die schlechtesten Ehen, in denen die Frau der Stimme der Vernunft und der Mann jener der Liebe folgt: So war es bei Denis Thatcher und Margaret Roberts. Für die junge Studentin aus bescheidenen Verhältnissen war ihre Herkunft als Tochter eines Lebensmittelhändlers ein Makel, der ihrer politischen Karriere im Wege stehen konnte. Denis Thatcher imponierte ihr nicht nur mit seinem Sportwagen, sondern auch mit seinem politischen Wissen, seinem Stil und seiner schüchternen Zurückhaltung. Und was sein ererbtes Vermögen anging, so machte ihn das zumindest nicht unsympathischer; die britischen Parlamentssitze wurden so kläglich honoriert, dass nur wohlhabende Mitglieder des Establishments es sich leisten konnten, überhaupt in die Politik zu gehen. Ohne die kluge Heirat 1951 wäre Margaret Thatcher wohl niemals zur britischen Premierministerin aufgestiegen. »Nichts in der Politik wäre möglich gewesen ohne Denis«, gab sie später selbst zu. Der jedoch musste zuweilen auch Spott über sich ergehen lassen für seine Rolle als *First Husband:* Am Schluss des James-Bond-Films *Moonraker – Streng geheim* dankt die Eiserne Lady Geheimagent 007 per Telefon für seine letzte Rettungsmission, während Denis im Hintergrund den Abwasch macht. Denis Thatcher scheint es weniger ausgemacht zu haben als seiner Gattin, vor der Welt als Witzfigur dazustehen. Er war der Meinung, sein Leben mit »einer der großartigsten Frauen« geteilt zu haben, »die die Welt je hervorgebracht hat«. Und sie sagte nach seinem Tod im Juni 2003: »Ich hatte den besten Mann, den ich mir hätte wünschen können.«

Ein ähnlich anrührendes Beispiel einer funktionierenden Vernunftehe gaben Virginia Stephen und Leonard Woolf ab. Sie heirateten 1912, obwohl sie ihm gestanden hatte, sich körperlich nicht von ihm angezogen zu fühlen. Aber als sie versprach, ihn nach »besten Kräften« zu lieben, genügte ihm das. Das Paar teilte die Passion für die Literatur. Sie schuf einige der größten Romane des zwanzigsten Jahrhunderts, er verfasste glänzende Kritiken und politische Bücher. Aus gesundheitlichen Bedenken und sicher verstärkt durch mangelnde eheliche Erotik, verzichteten sie auf Kinder. Ihr gemeinsames Projekt war die Hogarth Press, wo Autoren wie Katherine Mansfield, E.M. Forster und T.S. Eliot erschienen. Als die depressive Schriftstellerin sich nach mehreren Selbstmordversuchen schließlich 1941 in der Ouse ertränkte, hatte sie ihrem Mann zum Abschied geschrieben: »Ich verdanke dir alles Glück meines Lebens … Ich glaube nicht, dass zwei Menschen glücklicher hätten sein können, als wir es waren.«

Der Ehe-Imperativ: Man sollte sich immer verbessern

Die rational begründete Ehe ist eine prophylaktische Entgegnung auf die Erkenntnis, dass nichts die Menschen schneller um den Verstand bringt als die Liebe. Doch fast nie kommt der Mensch aus Vernunft zur Vernunft. Er braucht einen guten, also handfesten Grund.

Während man den wirtschaftlich als wenig begabt geltenden Frauen hinsichtlich der Wahl ihres Ehemanns gern enorme ökonomische Raffinesse nachsagt, wird von Männern im Allgemeinen nicht angenommen, dass sie des Geldes wegen heiraten. Zahlreiche Ausnahmen bestätigen diese Regel, wie sich am Stammbaum so mancher alten Adelsfamilie ablesen lässt, wo sich just in dem Moment, als dem Besitz der Verkauf drohte, eine Tochter aus begütertem bürgerlichem Haus einstellte. Consuelo Vanderbilt war als einzige Tochter von William Kissam Vanderbilt, dem New Yorker Eisenbahn-Millionär, ein internationales Emblem für gesellschaftlich und wirtschaftlich günstige Verbindungen des neunzehnten Jahrhunderts. Namhafte Herren standen Schlange um den Tausch von sozialem Status gegen bare Münze. Consuelo galt überdies als eine der schönsten Frauen ihrer Zeit; J.M. Barrie, der Schöpfer von *Peter Pan,* bekannte, manchmal den ganzen Tag auf der Straße herumgelungert zu haben, nur um einen Blick auf sie zu erhaschen, wenn sie in ihre Kutsche stieg. Das Rennen um die Braut machte Charles Spencer-Churchill, der neunte Herzog von Marlborough, Herr über Blenheim Palace in Oxfordshire, der zwar ausgedehnte Ländereien besaß, doch wenig Geld, um diese zu unterhalten. Zwar soll Consuelo, die sich zuvor heimlich aus Liebe mit einem Amerikaner verlobt hatte, während der Trauung 1895 still in ihren Schleier geweint haben, aber Besuchern des Schlosses, die heute die prachtvollen Porträts der Herzogin von John Singer Sargent betrachten, wird wohlweislich nicht mitgeteilt, dass die Ehe 1921 geschieden wurde. Die Vanderbilt-Mitgift hatte den Ruin verhindert; zum Dank wird die edle Spenderin von der Familie bis heute in Ehren gehalten.

Trennungen sind übrigens bei den Vernunftehen im Verhältnis zu den anderen Evolutionsstadien relativ selten – es sei denn, die Partner meinen, genug voneinander profitiert zu haben, wie das Duo Vanderbilt-Marlborough. Oft jedoch ist dieser Beschluss lediglich einseitig und fällt mit der Entdeckung eines anderen Kandidaten zusammen, von dem man sich eine Fortsetzung des Höhenflugs verspricht. So trennte sich etwa der australische Medienmogul Rupert Murdoch nach mehr als dreißigjähriger Ehe von seiner Frau Anna Maria Torv, um die sechsunddreißig Jahre jüngere Fernsehmanagerin Wendy Deng zu heiraten. Die Scheidung, bei der die Richter die Unterstützung seiner Frau an Murdochs steilem unternehmerischem Aufstieg als unentbehrlich einstuften, kostete ihn einen Großteil seines innerhalb der Ehe erwirtschafteten Vermögens. Denn als 1998 bekannt wurde, dass Anna Murdoch die Scheidung eingereicht hatte, fiel der Aktienkurs der News Corporation vor Schreck erst einmal in den Keller.

Doch auch in bescheideneren, alltäglicheren Dimensionen lässt sich der gezielte Partnerwechsel beobachten. Botho Strauß schildert einen solchen Fall in der Erzählung *Niemand anderes* (1990), in der ein Heizungsmonteur erstmals seine längst geschiedene Frau besucht – und dem es wie Schuppen von den Augen fällt. »Sie hatte sich binnen kurzem wiederverheiratet und lebte nun an der Seite eines Professors für Wirtschaftsgeschichte in gänzlich veränderten Verhältnissen. Zwei Kinder im Alter von fünf und sieben Jahren umgaben sie, eine Villa mit Garten und ein Landhaus am Bodensee – insgesamt ein Lebensstil, der mit den biederen und schwierigen Gewohnheiten in ihrer ersten Ehe nicht zu vergleichen war.« Ein Schelm, wer Schlechtes dabei denkt.

Ehen ohne Doppelbett

Inzwischen können nicht mehr nur Männer und Frauen, sondern auch Mann und Mann oder Frau und Frau aus Liebe heiraten. Eine der wenigen Formen der Vernunftehe, die heute daher tatsächlich obsolet geworden ist, sind Alibi-Bündnisse zur Vertuschung der Homosexualität, die noch bis weit ins zwanzigste Jahrhundert hinein als unnatürlich galt und strafbar war. So war Oscar Wilde verheiratet und Vater von zwei Söhnen, bevor er sich leidenschaftlich in seinen »Bosie«, Lord Alfred Douglas, verliebte. Auch Paul Verlaine hatte pflichtschuldig die sechzehnjährige Mathilde Mauté geheiratet, als diese ein Kind von ihm erwartete, brach jedoch bald nach der Geburt aus der Ehe aus, um mit seinem jungen Dichterkollegen Arthur Rimbaud zusammenzuleben.

Sowohl Vita Sackville-West wie auch Harold Nicolson waren sich ihrer jeweiligen homosexuellen Neigungen bewusst, als sie 1913 heirateten. Statt Erotik verband sie eine tiefe Freundschaft, eine gemeinsame Weltanschauung, gleiche Werte und die leidenschaftliche Liebe zu den Künsten und zur Natur. Während sie ihrer literarischen Karriere nachging, ließ sich die Stimme des ehemaligen Diplomaten in Zeitungen, Rundfunk sowie im Kabinett vernehmen. Nach der Geburt des zweiten Sohnes gingen die Eheleute im gegenseitigen Einverständnis erotisch getrennte Wege, blieben sich jedoch geistig nah.

Der geniale Schauspieler und Lebensdarsteller Gustaf Gründgens fühlte sich ebenfalls zum eigenen Geschlecht hingezogen. Doch bei all seiner nervösen Energie wollte er doch auch ein Zuhause finden und so etwas wie bürgerliche Normalität genießen, gar nicht zu reden von seinem Ehrgeiz, gesellschaftlich aufzusteigen. All dies kam zusammen, als er 1926 Thomas Manns Tochter Erika heiratete. Unzertrennlich waren sie, ihr Bruder Klaus und Gründgens zuvor gewesen; die Ehe aber bekam der Innigkeit nicht. Beide Künstler hatten sich unter der ehelichen Gemeinschaft wohl etwas anderes, heimeligeres vorgestellt; desillusioniert ließen sie sich 1929 wieder scheiden. Als er 1936, kurz nach dem Tod seiner geliebten Mutter, die Schauspielerin Marianne Hoppe heiratete, war dies vor allem eine taktische Maßnahme: Die Repressalien der Nationalsozialisten auch gegen Homosexuelle nahmen immer mehr zu. Marianne Hoppe erwies Gründgens mit dieser Alibi-Ehe einen Freundschaftsdienst. Zwar sahen sie sich oft, lebten jedoch nie zusammen. Zehn Jahre später, nach dem Ende der NS-Diktatur, ließen sie sich wieder scheiden.

Adel verpflichtet

Die gute Partie hilft dem, der in Saus und Braus leben will, der gute Name dem, der um gesellschaftliche Anerkennung ringt. Wer um den Familienstammbaum besorgt ist, sieht auf Herkunft und Abstammung. Nach wie vor heiratet der Adel aus einem gewissen jahrhundertealten Urvertrauen heraus am liebsten seinesgleichen, auch wenn es selten ist, dass der noble Nachwuchs dies im Interview so ironiefrei deutlich auf den Punkt bringt wie Albert von Thurn und Taxis, der achtzehnjährig öffentlich verkündete, er würde sich freuen, wenn ihm zwecks Eheanbahnung ein »schönes, katholisches, adliges Mädchen begegnen würde«. Mehr noch als Vernunft ist es die normative Gewohnheit, die zu suggerieren scheint, dass Gleich und Gleich in diesem besonderen Fall dauerhafte Stabilität garantiert. Älteste Söhne, die der allseits geschätzten Standesgenossenschaft die morganatische, also unstandesgemäße Eheschließung mit einer im Range tiefer stehenden Dame vorziehen, gehen dafür bis heute oft ihres Erbes verlustig, wie ein aktueller Blick auf die Häuser Preußen, Castell-Castell oder Leiningen zeigt.

Aber auch die Vernunftehe zwischen Geld und Adel ist bis heute nicht vergangen, wobei es zwei gängige Modelle gibt: Reiche bürgerliche Herren ehelichen gern adelige mittellose Töchter, wie »der letzte Krupp«, Arndt von Bohlen und Halbach, der Prinzessin Henriette von Auersperg heiratete, oder Kaffeekönig Albert Darboven, der sich mit Edda Prinzessin von Anhalt vermählte. Und weniger betuchte Herren mit vornehmem Pedigree haben eine Vorliebe für Erbinnen in spe, wie man mit einem Blick in den Gotha, das genealogische Handbuch des Adels, leicht feststellen kann. Dort mischen sich unter historisch klangvolle Familien gern aus Industrie und Warenwelt bekannte Markennamen. So ist zwischen Sekt und Selters für alles gesorgt, Klasse wie Kasse.

Als Modernisierungsmerkmal gilt, dass auch Königskinder heute Bürgerliche ehelichen dürfen, die sich zum Beispiel durch ihre Karrieren als heiratswürdig erwiesen haben. Die moderne Meritokratie trägt Trauring statt Titel – Beweis für die weit verbreitete Ansicht, dass die Ehe der größten Beförderung gleichkommt. Doch wo Liebe das Salz in der demokratischen Suppe ist, sind rationale Zutaten bei der Brautschau des Hochadels vom Volk nicht gern gesehen. So hat sich manches Königshaus dem allgemeinen Trend zur Gefühligkeit schließlich aus rational kalkulierten Imagegründen angeschlossen: Zur Not muss die Liebe eben geheuchelt werden.

Insbesondere das Haus Windsor hat im zwanzigsten Jahrhundert mit Ehen sowohl der inbrünstigen wie der kühleren Art keine besonders erfreulichen Erfahrungen gemacht, von der Abdankung Edwards VIII. aus Liebe zur zweimal geschiedenen Wallis Simpson bis hin zur Hochzeit der einstigen Ehebrecher Charles und Camilla Parker-Bowles. Selbst die Versuche, mit Vernunftehen dagegenzuhalten, schlugen fehl: So musste Prinzessin Margaret in den fünfziger Jahren auf die Liebesheirat mit dem Luftwaffenoffizier Peter Townsend verzichten und willigte stattdessen 1960 in eine Vernunftehe mit Anthony Armstrong-Jones ein – mit dem zweifelhaften Erfolg, 1978 zur ersten Geschiedenen in ihrer Familie zu werden. Bei der vermeintlichen Liebesehe zwischen der blutjungen Diana Spencer und dem schneidigen Charles Windsor 1981 flossen vor Fernsehern in aller Welt Tränen der Rührung; die spätere Entdeckung, dass die Braut aus strategischen Gründen ausgewählt worden war, kostete die britische Monarchie viele Sympathien. Doch so oder so scheint das Durchhaltevermögen der Windsors begrenzt: Auch Andrew ließ sich scheiden, als die Liebe zwischen ihm und Sarah Ferguson erlosch. Einzig die Queen selbst und ihr jüngster Sohn Edward sind noch in erster Ehe verheiratet.

Sosehr der ein oder andere über die als atavistisch empfundenen Bindungsregeln den Kopf schüttelt, muss man zugeben, dass zumindest der hiesige Adel sich dem bundesdeutschen Trend zur baldigen Scheidung lange Zeit recht erfolgreich widersetzt hat. Das mag ebenso mit einem Verantwortungsbewusstsein als tatsächlicher oder vermeintlicher Elite zu tun haben wie mit der Tatsache, dass Kinder aus stabilen Familien zu bindungsfähigeren Menschen heranwachsen als ihre durch Scheidung und Trennung in Mitleidenschaft gezogenen Altersgenossen. Inzwischen jedoch sind die Sitten auch hier auf den Hund gekommen: Selbst der Adel heiratet heute vornehmlich aus Liebe, und wie leichtsinnig das ist, hat sich bereits gezeigt.

Zähnefletschen für die Kameras

Gerade Verbindungen, die von außen als Bilderbuchehen wahrgenommen werden, gründen oft auf Zweck. Langlebiger als diese Traumpaarungen selbst ist oft deren Legende, wie die Ehen von Grace Kelly und Rainier von Monaco oder von Jacqueline Bouvier und J.F. Kennedy beweisen.

Denn wenn zwei Menschen sehr schön sind, tun wir uns schwer zu glauben, dass sie sehr hässlich zueinander sein können, sobald sie unseren Blicken entzogen sind – und doch berichten Zeugen, dass sowohl Jackie Kennedy wie auch Grace Kelly das Bild der mustergültigen Mutter und Ehefrau vor allem in Gegenwart von Kameras zu vermitteln verstanden. In beiden Fällen ist unsere Sehnsucht danach, in augenscheinlich perfekten Partnerschaften Vorbilder auszumachen, stärker als die Kraft der Tatsachen. Die Ehe von John F. Kennedy und Jacqueline Bouvier beispielsweise war von Distanz geprägt, und das nicht nur, weil er es hasste, Menschen anzufassen oder von ihnen berührt zu werden, sechsmal am Tag das Hemd wechselte, mehrmals täglich duschte und badete. Für jeden Präsidenten der Vereinigten Staaten ist der Schein eines intakten Ehe- und Familienlebens wichtig, doch schon bevor Jack und Jackie ins Weiße Haus einzogen, gab es Probleme, in erster Linie wegen seiner zahlreichen Affären. Nach einem besonders heftigen Vorfall – JFK vergnügte sich bei einer Schiffsfahrt im Mittelmeer, während Jackie nach einer Fehlgeburt im Krankenhaus lag – soll Johns Vater Joe Kennedy seiner Schwiegertochter eine Million Dollar geboten haben, damit sie bei ihrem Mann bliebe. Das war insofern keine Beleidigung, als dass die Ehe von Anfang an von finanziellen, politischen und dynastischen Erwägungen bestimmt gewesen war.

Man kann daher auch nicht gerade sagen, Jacqueline Bouvier sei nicht gewarnt gewesen, als sie JFK im September 1953 heiratete. Seine Frauengeschichten waren bekannt, auch ihr. Angeblich fand Jackie die Kennedys »furchtbar bourgeois«, und auch ihre Mutter erklärte, die Tochter heirate unter ihrem Stand und Niveau. Allerdings hatten es die Kennedys zu einem ansehnlichen Vermögen gebracht. Es war weniger der katholische Glaube, in dem die Ehe geschlossen wurde, als das staatstragende Standesdenken der Gatten, das sie zum Zusammenbleiben bewog; anders hätte es auch eine europäische Fürstenverbindung im neunzehnten Jahrhundert nicht gehalten. Beide waren stets mehr um ihr Image besorgt als um ihre Seelen. Jackie hatte keine romantischen Erwartungen an die Ehe: Sie sollte ihr neben Geld und Luxus Abwechslung und Freiraum bieten, eben eine Bühne. Solange sie dies hatte, blieb sie gelassen. Als ihr wieder einmal Gerüchte über Affären ihres Mannes zugetragen wurden, sagte sie nur: »Ich glaube nicht, dass es irgendeinen Mann gibt, der seiner Frau treu ist.« Sie wusste ja, dass sie nicht viel verpasste. Als man die Schauspielerin Angie Dickinson später fragte, wie es gewesen sei, mit dem Präsidenten der Vereinigten Staaten zu schlafen, antwortete sie trocken: »Es waren die aufregendsten sieben Minuten meines Lebens.«

Trotz getrennter Schlafzimmer schien Jackie der Beweis dafür, dass es auch im Leben einer verheirateten Frau mehr geben müsse als Kinder, Küche, Kirche. Man bewunderte ihre vornehme Haltung, ihre Kleidung, ihre Anmut. Die Kennedys kultivierten das Image eines ungezwungenen, informellen Familienlebens, das in einem Land, das gerade einen »Baby-Boom« erlebte, hervorragend ankam. Selbst für Familienfotos wurden professionelle Fotografen bestellt, die den Zauber des strahlenden Paares und seiner Kinder für immer festhielten.

Im Oktober 1968, knapp fünf Jahre nach der Ermordung ihres Mannes, heiratete die Witwe Kennedy den griechischen Reeder Aristoteles Onassis – und hielt sich damit genau an den Rat, den dieser selbst mit seiner Empfehlung gab: »Dem Geld darf man nicht nachlaufen, man muss ihm entgegengehen.« Die Ehe währte sieben Jahre. Ist es kleinlich, darauf hinzuweisen, dass Jacqueline Kennedy Onassis oder »Jackie O.«, wie sie damals genannt wurde, bei seinem Tod 42 Millionen Dollar erbte? Einer weniger eleganten Frau hätte man unterstellt, hinter dem Geld des Mannes her zu sein. Jackies letzter Lebensgefährte war der Diamantenhändler Maurice Tempelsman, steinreich auch er.

Glanz und Gloria

Ein gemeinsames Ziel kann, wie sich bereits gezeigt hat, ein starker Beweggrund sein, sich zusammenzutun. Eva Duarte war 25, Juan Perón 49, als die Radiomoderatorin und der kinderlose Witwer sich 1944 in Buenos Aires begegneten. Die uneheliche Tochter eines Großgrundbesitzers und einer einfachen Frau sah in ihm den Vater, den sie nie hatte – und den Retter des argentinischen Volks. Perón, die Verkörperung des Faschismus mit lachendem Gesicht, benutzte seine Frau, um sich die Unterstützung der Armen zu sichern – eine Mission, der sie sich mit unerschütterlicher Energie widmete. Die Argentinier verehrten die blonde Dame, die Kleidung, Schuhe und Lebensmittel verteilte, als Heilige und störten sich nicht an dem dekadenten Luxus, dem die Präsidentengattin selbst frönte. Die »Beschützerin der Bedürftigen« selbst wiederum fand bei den Massen jene Begeisterung und Wärme, dic in ihrer Ehe fehlten. Evita starb 1952 mit Anfang dreißig an Krebs – kurz nachdem ihr Mann dank ihres Einsatzes wiedergewählt worden war.

Das vielleicht eindrucksvollste und zugleich tragischste Beispiel einer Vernunftehe ist die Verbindung von Grace Kelly und Fürst Rainier von Monaco. Der junge Regent musste nicht nur den Fortbestand der Familie sichern, sondern hatte große Pläne für sein kleines Reich. Seine Ehe mit der amerikanischen

Schauspielerin machte Monaco zu einem Ort, auf den die ganze Welt schaute. Die hollywoodreife Wirbelwind-Romanze, die mit einer Traumhochzeit in Monte Carlo am 19. April 1956 besiegelt wurde, trug jedoch alle Insignien eines Bündnisses zu gegenseitigem Nutzen. Einer benötigte den anderen als Erfüllungsgehilfen seiner ganz persönlichen Wunschvorstellung. Grace Kelly befand sich auf dem Höhepunkt ihres schauspielerischen Erfolgs, als sie den Fürsten bei den Filmfestspielen von Cannes kennen lernte. Nach stürmischen, doch unglücklichen Beziehungen zu Kollegen wie William Holden und Clark Gable oder dem Modeschöpfer Oleg Cassini glaubte sie, von der Liebe genug zu haben. Sie wollte Frieden – und sie wollte Bewunderung. Hier war ein lupenreiner Fürst, mit dem sich eine untadelige Liebesgeschichte führen ließ, der ihren Eltern und Bekannten mit seinem europäischen Raffinement imponierte und mit dem sie jene Märchenhochzeit feiern konnte, die sie schon 1955 im Film *Der Schwan* an der Seite von Alec Guinness geschauspielert hatte – nur, dass sie eben kein Aschenputtel, sondern eine Hollywood-Prinzessin war. An ihrem Entschluss, dem Werben des Fürsten nachzugeben, war nichts Romantisches, zumal die Verbindung zunächst mit Mitgiftsverhandlungen, Ehevertrag und ärztlichen Untersuchungen untermauert werden musste. Doch als die Braut sich mit der Trauung vom Filmstar Grace Kelly zur Fürstin Gracia Patricia mauserte, war ihr wohl nicht bewusst, dass dies ein endgültiger Abschied von der Leinwand war. Künftig durfte sie nur noch in Werbefilmen für das kleine Monaco die Hauptrolle übernehmen.

Die Ehe, in der zwei völlig unterschiedliche Kulturen aufeinander prallten, hielt – obwohl es lange Zeit nicht danach aussah, weil beiden wichtig war, was die Leute dachten. Der äußere Schein blieb trotz einiger Enthüllungsbücher so erfolgreich gewahrt, dass die Verbindung bis zum Tod Rainiers 2005 stets als vorbildlich und immens glücklich dargestellt wurde.

Und in der Tat hatten nicht nur die Sorgen um die drei Kinder, vor allem um Caroline, die mit der ertrotzten Hochzeit mit dem Playboy Philippe Junot der elterlichen Fuchtel zu entkommen hoffte, die beiden im Laufe der Jahre immer mehr zusammengeschweißt. Der Biograph Randy Taraborrelli schreibt: »Sie verstanden sich auch ohne viele Worte. Sie hatten so vieles gemeinsam durchgestanden, dass sie sich mit einem Blick oder einem Lächeln verständigen konnten, und besaßen die intuitive Vertrautheit, die Paaren in langen Beziehungen eigen ist.« Gracia Patricias Unfalltod 1982 erschien daher besonders tragisch, weil das Ehepaar Grimaldi vor noch gar nicht allzu langer Zeit gelernt hatte, miteinander glücklich zu sein.

Comeback der Vernunftehe?

Anders, als man glauben sollte, hat sich das eheliche Vernunft- und Zweckbündnis heute keineswegs überlebt, auch wenn jene, die es praktizieren, dies nur selten an die große Glocke hängen. Zu hemmungslos hedonistisch und berechnend wirkt ein solcher Schritt in unseren hemmungslos hedonistischen und berechnenden Zeiten, in denen die Liebe als letztes großes Wunder erscheint. Wer will da schon sagen, dass man heiratet, weil das angestrebte Ziel beruflich, gesellschaftlich oder privat besser zu erreichen ist, weil man scharf ist auf das Vermögen oder Erbe der Gattin und diese auf den Titel des Mannes, weil ein Erbe zum Erhalt des Familiennamens oder -unternehmens hermuss, oder schlicht, weil die Konvention es verlangt? Und doch: Es sieht ganz danach aus, als erlebte die Vernunftehe gerade ihr Comeback.

Denn oft sind es ganz einfache Erwägungen, die uns bei der Partnerwahl leiten. Entscheidet man sich eher für den Heißsporn, der zwar besonders anziehend, aber unzuverlässig ist, oder wählt man doch lieber den weniger temperamentvollen, doch liebevollen Kandidaten, der höchstwahrscheinlich einen angenehmeren Alltagsgefährten und besseren Vater abgibt? Ist die launische Schönheit, die ständige Aufmerksamkeit fordert, wirklich diejenige, mit der man sich auch in einigen Jahren noch beim Frühstück etwas zu sagen hat, oder kommt dafür eher die zwar weniger hübsche, doch klügere und kompromissfähigere Gefährtin in Frage?

Ähnliche Gedanken treiben auch Oberkondukteur Stytschkin in Anton Tschechows Geschichte *Ende gut* um, wenngleich er sich schwer tut, sich aufrichtig zu seinen Wünschen zu bekennen. Er schildert der Kupplerin Ljubow Grigorjewna die Eigenschaften der Frau, die sie ihm beschaffen soll: »›Ich bin ein vernünftig denkender Mensch und habe Charakter. Schönheit und überhaupt das Äußere spielen für mich eine zweitklassige Rolle, denn Sie wissen selbst, vom Gesicht kann man keinen Aufguß trinken, und mit einer hübschen Gattin hat man immer viel Scherereien. Was mich angeht, ich halte mich an die Ansicht, dass die Hauptsache bei der Frau nicht das ist, was außen liegt, sondern das, was sich innen befindet, das heißt, sie muss eine Seele haben und alle anderen Eigenschaften. Es wäre natürlich sehr angenehm, wenn meine Gattin über eine gewisse Fülligkeit verfügte, doch zum beiderseitigen Glück ist das nicht so wichtig; die Hauptsache ist der Verstand. Das heißt, im eigentlichen Sinne ist auch Verstand bei einer Frau nicht nötig, denn wenn sie Verstand hat, dann ist sie meist auch sehr eingebildet und stellt sich allerlei Ideale vor. Ohne Bildung geht es zwar heutzutage nicht, das ist klar, doch gibt es ja ganz verschiedene Bildung. Es ist nett, wenn die Frau französisch und deutsch parlieren kann, sozusagen in verschiedenen Stimmen; aber was nützt das viel, wenn sie dabei, beispielsweise, einem keinen Knopf anzunähen versteht? Ich bin von der gebildeten Klasse, mit dem Fürsten Kanitelin stehe ich, kann ich sagen, auf vertrautem Fuß, genau wie beispielsweise jetzt mit Ihnen, doch ich besitze einen einfachen Charakter. Und was ich brauche, ist ein einfaches Mädchen. Hauptsache, dass sie mich achtet und das Empfinden hat, dass ich ihr Glück mache.‹ – ›Das ist klar.‹ – ›Na ja, und jetzt zum wichtigsten Punkt ... Ein reiches Mädchen brauche ich nicht. Ich werde mir nie die Gemeinheit erlauben, etwa des Geldes wegen zu heiraten. Es ist mein Wunsch, dass ich nicht das Brot meiner Gemahlin esse, sondern dass sie meines isst und dass sie das auch weiß. Ein armes Mädchen brauche ich ebenfalls nicht. Denn wenn ich auch ein Mann von Vermögen bin und wenn ich auch nicht aus Geldgier, sondern aus Liebe heirate, so kann ich doch keine Arme nehmen, weil, Sie wissen es selbst, jetzt alles teurer geworden ist und schließlich und endlich auch Kinder kommen werden.‹«

Wenn es ans Nachdenken über die Ehe geht, haben die meisten Menschen ähnlich klare Erwartungen und undeutliche Hoffnungen wie Tschechows Oberkondukteur, ob sie nun eine Heiratsannonce aufgeben oder im Bekanntenkreis auf Brautschau gehen. Der hormonellen Qual der Wahl steht immer das grundsätzliche Kalkül der guten Ehe gegenüber, das zweckmäßige Ideal von Harmonie und Ausgleich: Wer passt zu mir? Neben diesen besonnenen Vernunftkandidaten gibt es jene, die ehrgeiziger lieben, fordernder und anspruchsvoller. Diese Menschen erfüllt es mit besonderer Genugtuung, einen Partner zu haben, der reicher, mächtiger, begabter oder angesehener ist als andere. Das hat auch mit ihrem eigenen Selbstwertgefühl zu tun, für das sie eine komplementäre Entsprechung suchen.

Ob bescheiden oder maßlos vernünftig: Für Otto Normalverliebt gilt Berechnung in Gefühlsdingen im Gegensatz zu öffentlichen und politischen Figuren als unschicklich. Wenn es sich bei dem Bund fürs Leben nicht in erster Linie um einen Bund fürs

Lieben, sondern fürs Verdienen handeln sollte, muss dies auf jeden Fall verheimlicht werden. Wenn also der Handwerkssohn sich der Tochter aus reichem Haus zuwendet, tut er dies selbstredend ebenso mit Gefühl wie er später mit beiden Händen das Geld seiner Schwiegermutter ausgibt.

Die Erkenntnis, dass glückliche Familien nicht einfach vom Himmel fallen, sondern dass man mit etwas Pragmatismus und kühler Überlegung dem eigenen Glück nachhelfen kann, setzt sich allerdings immer mehr durch. Vielleicht kommt es wieder zu einer gesellschaftlich nicht nur akzeptierten, sondern geradezu propagierten Teilung von Herz und Verstand: Schließlich bedeutet »Heirat« ursprünglich »Hausversorgung« und ist eine viel zu ernste Angelegenheit, als dass man diesen folgenschweren Schritt unter erwachsenen Leuten aus einer Grille wie der Verliebtheit heraus wagen sollte. Die Versachlichung wäre auch zum Wohle der Kinder, die von beiden Eltern erzogen werden sollten, statt wochenends zwischen den mittlerweile verfeindeten Ex-Liebeshochzeitern hin- und herzupendeln. Es ist durchaus möglich, dass die erfolgreichen Paare der Zukunft in erster Linie zusammenbleiben, um die Erziehung ihres Nachwuchses zu gewährleisten, gemeinsam zu repräsentieren oder ihren Status zu halten. Emotionale Bedürfnisse können auch außerhalb der Familie befriedigt werden. Schließlich ist die Ehe auch ein Vertrag, von dem beide Seiten profitieren sollten – und zwar nicht erst im Scheidungsfall. Es ist eine Ehrlichkeit, ja, fast möchte man sagen: eine Reinheit bei dieser Ehe, die in den zwei vorherigen Stadien fehlt – denn nichts wird häufiger geheuchelt als Gefühl.

Dass die Vernunftehe durchaus eine erfolgversprechende Option sein kann, bestätigt auch das private Umfeld. Nachdem sie immer wieder romantischen Schiffbruch erlitten hatte, hat eine Bekannte vor einigen Jahren einen ihrer ältesten Freunde geheiratet. Vorher hatte sie mir etwas verlegen auseinander gesetzt, sie sei nun Mitte dreißig und wolle einfach unbedingt noch Kinder haben, da würde es doch langsam Zeit, sich festzulegen. Und einen besseren Vater als Daniel werde sie wohl nicht mehr finden. Zugegebenermaßen sei ihre Beziehung zu ihm nicht leidenschaftlich, aber die Leidenschaft habe in den letzten Jahren bei ihr ohnehin immer damit geendet, dass sie nachts ins Kissen geheult habe. Mit Daniel jedoch verstehe sie sich glänzend, schließlich kennten sie sich seit Jahrzehnten und seien miteinander durch dick und dünn gegangen. Mich erinnerte die Geschichte an den Film *Harry und Sally,* wenn man den Hollywoodkleister einmal abzieht. Ich kann nicht behaupten, dass meine Bekannte zu Beginn der Ehe einen ekstatisch glücklichen Eindruck machte, wenn wir uns trafen. Sie wirkte gewissermaßen ganz normal, was für angehende Ehefrauen selten ist, war offensichtlich nicht verliebt und schwärmte auch nicht so überschwenglich von ihrem Mann, wie es andere taten. Einige dieser anderen sind allerdings inzwischen wieder getrennt. Meine Bekannte hingegen ist ausgesprochen fröhlich und ausgelassen, wenn man sie trifft – und gerade zum dritten Mal schwanger.

Wenn aus Vernunft Liebe wird

Während die Liebesehe oft und nicht im schlechtesten Fall als Vernunftehe endet, wird die Vernunftehe mit der Zeit nicht selten zu einer Liebesehe. In dieser Hinsicht macht sie ein noch ungenügend erforschtes Naturgesetz sichtbar: Offenbar strebt auseinander, was am Anfang mit aller Macht bereit war zusammenzugehören, während die Paare, die es mit dem Zusammenwachsen nicht eilig haben, sich schließlich und zu ihrem nicht geringen Erstaunen in enger Umschlingung wiederfinden. Allerdings lässt sich dieser Prozess nicht planen, nur erhoffen. Aber Vorbilder gibt es reichlich. Nicht wenige Ehen, die aus Ehrgeiz und Karriere-Kalkül geschlossen worden sind, verwandeln sich mit den Jahren zu ebenso zärtlichen wie rührenden Trutzbündnissen. Nancy und Ronald Reagan beispielsweise schienen umso unzertrennlicher, je mehr die Anforderungen seiner politischen Laufbahn die beiden überforderten. Und auch im Film Green Card entwickelt sich aus einer Nutzbeziehung zu egoistischen Zwecken Erstaunliches: Der französische Lebenskünstler und Komponist Georges (Gérard Depardieu) benötigt für seine permanente Aufenthaltsgenehmigung in den Vereinigten Staaten eine Green Card. Der einfachste Weg ist die Heirat mit einer amerikanischen Staatsbürgerin. Zufällig braucht die Gartenbauarchitektin Brontë, gespielt von Andie MacDowell, einen Gatten, weil die endlich gefundene Traumwohnung mit Dachgarten nur an Ehepaare vermietet wird. Aus der im gegenseitigen Einverständnis eingegangenen Scheinehe entwickelt sich mehr, als die Einwanderungsbehörde das ungleiche Paar auf Herz und Nieren zu prüfen beginnt.

Dass auch eine aus politisch-dynastischen Erwägungen geschlossene Verbindung sich zur Liebesehe wandeln kann, bewies kaum ein Paar so eindringlich wie Königin Luise und Friedrich Wilhelm III. von Preußen. Luise, geborene Prinzessin von Mecklenburg-Strelitz, heiratete den Kronprinzen, der sie zuvor inspiziert und sich dabei gleich in sie verliebt hatte, 1793 in Berlin, wo zwei Tage später auch die Trauung ihrer Schwester Friederike mit Prinz Ludwig von Preußen stattfand. Der junge König, bei seiner Krönung 1797 gerade siebenundzwanzig Jahre alt, war bürgernah und reformbereit. Sein Vater hatte ihm vor allem eine enorme Staatsverschuldung hinterlassen. Dass er aber in der Familie zu leben wünschte und auch die Königin nicht auf einem eigenen Wohnsitz beharrte, verwunderte nicht nur europäische Beobachter. Der Dichter Novalis erklärte, das Paar sei vorbildhaft imstande, sowohl den von ihm verachteten aufgeklärten Absolutismus zu überwinden als auch die Gefahr einer revolutionären Demokratie zu bannen. Besucher berichteten, dass Luise ihrem Mann gegenüber von äußerster Liebenswürdigkeit und Nachsicht gewesen sei. Der Bruder meinte, dass sie Friedrich Wilhelms Eigenheiten stets »mit einem Lächeln« ertrage und dafür »mit Liebe überhäuft« werde. Ihre Selbstbeherrschung war enorm; er dankte es ihr mit Liebe – und Treue. Es sei ihm unmöglich gewesen, seine Frau zu betrügen, äußerte Friedrich Wilhelm nach Luises Tod, obgleich diese es ihm verziehen hätte, wie er glaubte, »indessen sie hatte es nicht nötig«. Als sie 1810 starb, verfiel der König in Schwermut: »Überall, unter allen, allen Verhältnissen des Lebens fehlt sie mir. Mein ganzes irdisches Glück, das so manchen Stoß schon erlitten hatte, ist vollends dahin. Mein Herz ist betrübt bis in den Tod.« Erst vierzehn Jahre später heiratete er die deutlich jüngere Gräfin Harrach, von der er wünschte, dass sie ihn »wie eine Tochter« lieben und pflegen sollte. Um Luise jedoch trieb er weiterhin einen fast sentimentalen Kult; trug ihr Taschentuch bei sich, verweilte an Orten, die er einst mit ihr besucht hatte, und stiftete an ihrem Geburtstag den Luisenorden und das Eiserne Kreuz.

Der Liebesvertrag

Eine in romantischer Hinsicht erfolgreiche Vernunftbindung lässt sich indessen ebenso wenig planen wie eine reine Liebesehe. Das zeigt das »Love Project«, das der amerikanische Psychologe Robert Epstein entwarf, um zu beweisen, dass eine Heirat aus rationalen Gründen bessere Chancen hat, auf lange Sicht glücklich zu sein. Als Chefredakteur der Zeitschrift *Psychology Today* stellte er sich selbst als Versuchsperson zur Verfügung. Der Liebesvertrag, den er seinen Leserinnen anbot, verpflichtete diese, innerhalb eines bestimmten Zeitraums eine Beziehung zu ihm aufzubauen.

Doch unter keiner der Zuschriften schien sich die geeignete Kandidatin zu befinden. Da machte der zweimal geschiedene Psychologe und vierfache Vater die Bekanntschaft der Venezolanerin Gabriela Castillo, ebenfalls getrennt und Mutter von drei Kindern. Sie verliebten sich nicht, glaubten aber, mit Zuneigung und Interesse am anderen eine gute Beziehung führen zu können. Per Liebesvertrag verpflichteten sie sich, einander treu zu sein und an einer die Verbindung begleitenden Paarberatung teilzunehmen. Nach mehreren Sitzungen betrugen Epsteins Gefühle fünf auf einer Skala von zehn, und auch Gabrielas Zahlen kletterten allmählich nach oben. Am Schluss glaubten beide, einander zu lieben. Epstein fühlte sich bestätigt: »Einer unserer größten Fehler ist es, Lust und Liebe miteinander zu verwechseln. Auch wenn eine gewisse körperliche Anziehung am Anfang vorhanden sein muss, beruht eine dauerhafte Beziehung vor allem auf seelischer und körperlicher Nähe.«

Die Beziehung zwischen Gabriela Castillo und Robert Epstein hielt indes nicht lange. Denn Epstein erwartete, glücklich zu werden. Gerade diese Erwartung jedoch hegen wahre Vernunftheiratende erst gar nicht – und werden dann möglicherweise irgendwann von ihren Gefühlen umso positiver überrascht. Wer aus künstlichen rationalen Erwägungen heiratet, also letztlich doch, um emotionale Erfüllung zu finden und nicht vor allem Wohlstand, Ruhm oder Status, dem ist ebenso wenig zu helfen wie den Liebeshochzeitern.

Torschlusspanik und Nestflucht

Bei aller Achtung und Sympathie für diejenigen, die auf dem Weg zum Traualtar ihren Verstand nicht vergessen haben, sei jedoch auch ein warnendes Wort erlaubt: Wer auf diesem Weg Karriere machen will und dabei nicht besonderen Dusel hat, braucht

Nerven wie Drahtseile und eiserne Ausdauer, Qualitäten also, die einem in der Ehe ohnehin gut anstehen. Ohne Kondition geht es in keiner Branche lange gut, und genau die Ausdauer ist bei unserer romantischen Aussteuer meistens vergessen worden. Wenn man sich schon verkauft, sollen die Bedingungen allerdings angenehm und annehmbar sein: ein Faktor, den panische Nestflüchtige und solche, die ihre biologische Uhr laut ticken hören, oft vernachlässigen. Denn so manche vermeintliche Vernunftehe wird überstürzt als Pakt zur Erlangung der Freiheit von den Familien geschlossen: Caroline von Monaco heiratete Philippe Junot, um endlich der Wachsamkeit ihrer Mutter zu entgehen, und Karen Dinesen griff nach der Hand von Bror Frederik Baron von Blixen-Finecke aus einem ähnlich motivierten Fluchtinstinkt heraus – wobei auch eine gewisse Torschlusspanik im Spiel gewesen sein dürfte. Sie war siebenundzwanzig und suchte nach einem Notausgang: »Die Luft ist verbraucht.« Er war der dritte Sohn seiner Familie und hatte keinerlei Aussicht auf eine Erbschaft, auch die Offizierslaufbahn war ihm versperrt. Die Verbindung bot beiden Familien eine gute Gelegenheit, die schwierigen Kinder loszuwerden. Das unstete Paar zog nach Afrika: Im Protektorat Britisch-Ostafrika erschien die Möglichkeit, mit einer Rinderfarm oder Kaffeeplantage schnell Geld zu verdienen, am aussichtsreichsten. Die »Prosper's Farm« lag am Fuße der N'gong-Hügel und gehörte nicht dem Paar, sondern in erster Linie Mutter und Bruder der Braut, die das notwendige Kapital für »Karen Coffee Co., Ltd.« bereitgestellt hatten. Die Geschichte ist durch das Buch *Afrika, dunkel lockende Welt* (1938) und Sydney Pollacks Film *Jenseits von Afrika* (1995) hinlänglich bekannt: Die Farm lief schlecht, Blixen war dauernd abwesend, seine Frau kränklich. 1921 ließ sich das Paar scheiden; da war der Großwildjäger Denys Finch-Hatton bereits in ihr Leben getreten. Er sollte die Liebe ihres Lebens werden.

Can't buy me love

Der Übergang von der exaltierten Verliebtheit zum pragmatischen Liebesalltag wird oft als ernüchternd und enttäuschend empfunden. Doch Vernunftheiratende wissen, dass der Stolz und die Dankbarkeit darüber, seinen Partner ergattert zu haben, für fehlende Schmetterlinge im Bauch mehr als entschädigen können. Welcher Mann genießt nicht die bewundernden Blicke, die der Frau an seiner Seite zugeworfen werden; welche Frau hat noch nie mit dem beruflichen Erfolg ihres Mannes geprahlt? Welches Paar ist nicht stolz auf das gemeinsam Erreichte?

Letztlich weiß allein der Einzelne um den wahren, tieferen Grund seiner Eheschließung – und wenn wenigstens ein kleines bisschen kühle Überlegung dabei war, darf er sich gratulieren: Damit steigen die Chancen, verheiratet zu bleiben. Denn es sind nicht die schlechtesten Ehen, die zwar vermeintlich aus Liebe geschlossen werden, sich aber mit der Zeit vor allem aus Vernunftgründen bewähren – und glücklicherweise nicht die wenigsten.

Einer wissenschaftlichen Studie zufolge sind sechzig Prozent aller Partnerschaften weltweit keine Liebesheiraten. Und es sind diese Verbindungen, die dafür sorgen, dass es um den Ruf der Institution Ehe noch nicht gänzlich geschehen ist. Vernunftehen erzielen wesentlich bessere Ergebnisse als romantische Bindungen. Nicht nur ist die Scheidungsrate solcher Verbindungen extrem niedrig, sondern mehr als die Hälfte aller Paare verliebt sich sogar im Laufe der Zeit ineinander. Nach fünf Jahren zeigen sich Paare, die aus rationalen Erwägungen heraus den Bund fürs Leben geschlossen haben, glücklicher als ihre romantischen Gegenstücke. Bei jenen nämlich steigt nach einiger Zeit auch die Unzufriedenheit mit dem ehelichen Sex immer mehr, reibt man sich an Kleinigkeiten auf und gibt jeder dem anderen die Schuld daran, dass aus Liebessegen Stress geworden ist.

Doch das große Glück einer erfüllten Partnerschaft vermag auch die Vernunftehe nicht immer zu geben. Denn auch hier droht die Gefahr der übergroßen und dann enttäuschten Erwartung. Mütter, die ihren Töchtern versichern, die Liebe werde sich im Laufe der Ehe schon noch einstellen, verschweigen meist, dass auch das größte Haus, die schönsten Kleider und die entzückendsten Kinder nicht über die Trübsal der Einsamkeit hinwegzuhelfen vermögen.

Henrik Ibsen schildert in seinem Stück *Gespenster* das Elend der Helene Alving, die einst Verwandten zuliebe den wohlhabenden Leutnant Alving dem geliebten mittellosen Pfarrer Manders vorgezogen hatte. Und Henry James entwarf in seinem Roman *Porträt einer jungen Dame* (1881) mit Isabel Archer eines der eindringlichsten Bildnisse einer Ehefrau, die im Martyrium einer Ehe erstarrt ist: »Worauf er es abgesehen hatte, war die Ganzheit gewesen: ihr Charakter, die Art, wie sie fühlte, die Art, wie sie urteilte. Diese Dinge waren es, die sie ihm vorenthalten hatte; diese Dinge waren es, die er nicht gekannt hatte, bis sie ihm vor die Nase gesetzt wurden, nachdem sozusagen die Tür schon hinter ihm ins Schloss gefallen war. (…) Sie befanden sich im Haus der Finsternis, im Haus der Sprachlosigkeit, im Haus der Atemnot.« Schon Adolph Freiherr von Knigge hatte mit Blick auf die Vernunftehe zu bedenken gegeben: »Nicht weniger unglücklich ist dieses Band, wenn nicht freie Wahl, sondern politische, ökonomische Rücksichten, Zwang, Verzweiflung, Not, Dankbarkeit, *dépit amoureux,* ein Ungefähr, eine Grille oder nur ein körperliches Bedürfnis es geknüpft hat.«

Die Möglichkeit dieses Leidens ist mit der Zeit nicht weniger geworden, weshalb auch die Beatles überzeugend waren mit »Can't buy me love«, einem Hit, dessen Refrain nur wiederholte, was alle schon wussten. Liebe lässt sich nicht kaufen, um keinen Preis.

Ehen, die aus rationalen Erwägungen heraus geschlossen werden, sind keine Orte der Wärme, sondern der realistischen Einschätzung dessen, worauf es im Leben ankommt. »Geld macht nicht glücklich, aber es gestattet uns, auf verhältnismäßig angenehme Weise unglücklich zu sein«, bemerkte Woody Allen. Wer sich zu dieser Vorstellung bekennt, verzichtet dafür im Gegenzug bewusst auf die Erfüllung von Sehnsüchten, wie sie der Liebesheirat zugrunde liegen. Gewiss: Wenn jeder an sich denkt, ist an alle gedacht. Aber auch Egomanie nutzt sich irgendwann ab. Wer immer nur an sich selbst denkt, wird einsam und unzufrieden, ganz zu schweigen davon, dass er sich irgendwann entsetzlich langweilen dürfte. Die allermeisten Menschen sind glücklicher und erfüllter, wenn sie nicht nur sich selbst, sondern auch jemand anderem gut tun können. Allein am Kontostand oder am gesellschaftlichen Ansehen lässt sich die Qualität einer Beziehung oder gar Lebensglück eben nicht messen. »Der Verstand irrt, das Gefühl nie«, sagte schon Robert Schumann. Und so beschließt mancher, Vernunft Vernunft sein zu lassen und sich Herz über Kopf in eine zweite Ehe zu stürzen.

Die Mehrfachehe: Zum Zweiten, zum Dritten, zum Vierten

»Heiraten ist eine wunderbare Sache, solange es nicht zur Gewohnheit wird.« William Somerset Maugham

»Die Unterschiede zwischen Ehemännern sind so gering, dass man genauso gut den ersten behalten kann.« Adela Rogers St. John

Die Fraktion der doppelten und dreifachen Jasager

Eine Freundin von mir sagt, wenn man es einmal getan habe, könne man es ruhig wieder tun – es sei nun mal das Privileg erwachsener Menschen, denselben Fehler immer wieder zu begehen. Samuel Johnson sagte, die zweite Ehe sei der Triumph von Hoffnung über Erfahrung. Ich sage, dass mir an einer zweiten Ehe nichts liegt, ungefähr im selben Ton, wie ich lässig verkünde, dass ich mir aus Kaviar und Austern nichts mache. Sollen doch andere meinen Anteil bekommen, wenn sie so versessen darauf sind.

Manchmal sage ich aber auch: Sag niemals nie. Lassen wir uns nicht alle solche Hintertürchen offen, für den Fall des Falles?

Die Statistiken scheinen diese Vermutung zu bestätigen. Während die Heiratsraten langsam, aber stetig sinken und die Scheidungsraten sich in den letzten dreißig Jahren fast verdoppelt haben, können Menschen, die bereits einmal verheiratet waren, offenbar nicht genug von diesem Zustand bekommen: Die meisten

Geschiedenen heiraten wieder. Das wundert nicht nur die Statistiker, sondern auch die Soziologen. Denn zweite Ehen stellen viele ihrer Thesen und Prognosen in Frage. Bei Erstheiratenden beispielsweise gilt: je länger die Suche, desto höher die Erfolgsquote. Mit anderen Worten: je älter die Partner beim Zeitpunkt der Hochzeit, desto glücklicher und haltbarer ihre Ehe. Auf Wiederholungstäter, die in den allermeisten Fällen nicht nur einige Alters-, sondern auch schon einige vorherige Ehejahre auf dem Buckel haben, trifft diese Faustregel allerdings nicht mehr zu, im Gegenteil: Zweite Ehen sind deutlich wackeliger als erste.

Das wiederum wundert den gesunden Menschenverstand. Denn in Zeiten, da mancher Noch- oder Wieder-Single beherzt auf die so genannte Zweite Runde hofft, jenes Bäumchenwechsle-dich unter Geschiedenen, kennt jeder Paare, die nach dem Zusammenbruch früherer Liebeskombinationen zueinander gefunden haben und sehr glücklich miteinander scheinen.

Da die zweite oder dritte Heirat heute noch nicht unbedingt die Regel, aber ganz sicher keine Ausnahme mehr darstellt, gebührt der Mehrfachehe ein eigenes Stadium innerhalb der Evolution der Zweisamkeit. In diese Liebeskategorie fallen ausschließlich Beziehungen, bei denen einer oder beide Partner zuvor bereits verheiratet waren, eine gewisse Erfahrung in Eheangelegenheiten also vorhanden sein sollte.

Der Teufelskreis Liebe – Ehe – Scheidung – Liebe – Ehe – Scheidung hat dafür gesorgt, dass lebenslange Einehen à la Philemon und Baucis zwar als geradezu heldenhafte Leistung, aber dementsprechend auch als selten und hoffnungslos altmodisch gelten, wie Edmund Stoiber indirekt zugab. »Ich denke gar nicht daran, mich dafür zu entschuldigen, dass ich seit 34 Jahren verheiratet bin und drei Kinder mit einer Frau habe«, verkündete er im Wahlkampf 2002 gleich in mehreren Reden. Die Gegenposition, von seinem Konkurrenten Gerhard Schröder verkörpert, brachte die amerikanische Schriftstellerin und Journalistin Claire Booth Luce schon fünfzig Jahre früher auf den Punkt: »Es ist lächerlich anzunehmen, man könne sein ganzes Leben mit einem einzigen Menschen verbringen. Drei sind ungefähr die richtige Anzahl. Ja, ich stelle mir vor, drei Ehemänner wären angemessen.« Das entspricht offenbar auch den Erfahrungen ihrer Kollegin Helen Rowland: »Alle Männer sind auf der Suche nach der idealen Frau – vor allem nach der Hochzeit.«

Es liegt wohl an der Macht der Verdrängung, dass zweite, dritte und vierte Ehen zumindest nach außen hin mit demselben Enthusiasmus geschlossen werden wie erste. Gewiss: Die allermeisten finden nurmehr vor dem Standesbeamten statt, und die Feste sind in der Regel deutlich kleiner, die Reden weniger rührselig und ergreifend als beim ersten Mal. Dennoch: Wenn man nicht daran glauben könnte, dass es dieses Mal gut geht, könnte man es ja gleich lassen.

Woher kommt diese, auch durch entmutigende Erfahrungen nicht zu erschütternde Naivität?

Wir werden immer älter und bleiben dabei immer länger jung. Das hat auch für die Liebe Folgen. Solange wir jung sind, erscheint uns die Welt voller Möglichkeiten: Man kann Berufe testen, Städte und Länder erkunden. Aus dem unendlichen Angebot an Lebensweisheiten und Maximen sucht sich jeder sein individuelles Meinungsportfolio zusammen. Falls es nicht funktioniert, probiert man einfach etwas anderes, tauscht um und wechselt aus. Kaum eine Entscheidung ist heute noch endgültig, außer jene für ein Kind, und selbst die betrifft in ihrer ganzen Tragweite vor allem die Mütter. Solange man jung ist – oder sich so fühlt –, erscheint es selbstverständlich, dass einem im Leben immer wieder besondere Menschen begegnen, zu denen man eine einzigartige Verbindung aufbauen kann. Aber auch später mag das Schicksal noch so manche Überraschung bereithalten, wie Coco Chanels berühmte Formel bestätigt: »Alter schützt vor Liebe nicht, aber Liebe vor dem Altern.«

Die jugendliche Zuversicht, dass es nicht nur einen idealen Partner, sondern derer mehrere gibt, ist für die moderne Lebensform der monogamen Liebe in Serie unerlässlich. Sie federt auch die Enttäuschung ab, wenn sich eine Liebe erneut als vorübergehend statt dauerhaft herausstellt: Mit der optimistischen Einstellung, dass man schon einen anderen finden werde, der besser zu einem passt, stürzt man sich erneut ins Getümmel der Gefühle.

Kein Zweifel also: Die zweiten, dritten und vierten Ehen liegen voll im Trend, und das nicht erst seit gestern. Das zeigt sich auch in den Künsten, vor allem in Film und Theater; in der Literatur sind die Helden traditionell ja lieber allein unterwegs. Für alle künstlerischen Darstellungen aber gilt, dass sie uns auf die Seite der Liebenden ziehen, auch wenn diese ungerecht handeln, ihre Partner verlassen und betrügen. Wenn der erotische Ausnahmezustand und die geistige Selbstverwirklichung auf Kosten anderer ausgelebt werden, geraten die sittlichen Positionen zwangsläufig ins Schlingern. Wo die Hochzeit eine Versöhnung von Trieb und Gesetz, ein Moment von Harmonie zwischen Mensch und Ordnung verheißt, muss die Scheidung notwendigerweise Unruhe stiften. Eine glückliche Scheidung taugt nicht als Schluss in der liebesgläubigen Literatur. Verliebt, verlobt, geschieden? Das klingt nicht nach einer Geschichte, bei der sich am Ende alles in Wohlgefallen auflöst. Das klingt nach einem Problem. Zum Glück sind sich Frauen und Männer bis heute in ihrer grundsätzlichen Bewertung von Liebe und Trieb, Treue und Verrat uneinig, und so kann sich die Literatur mit dem Beleuchten der unterschiedlichen Auffassungen weitestgehend über die Runden retten. Denn in der Literatur sind Liebe und Ehe unvereinbar. Ihr Thema sind die aus diesem Konflikt sich ergebenden dramatischen, tragischen und komödiantischen Entwicklungen der Charaktere. Die Fälle, in denen die Frau am Ende die Kinder und der Mann das Kindermädchen behält oder, wahlweise, in denen die Frau Haus, Hof und Kinder und der Mann die Schuld bekommt, gehören daher auf die Leinwand, wo sie abschreckend wirken können, lächerlich oder bestürzend, auf jeden Fall aber unterhaltsam.

Wenn Ehepartner zu Feinden werden

Die Ehe mag heilig sein; die Menschen sind es nicht. Und weil es manchmal nicht nur anstrengend, sondern unmöglich ist, Tag um Tag, Jahr um Jahr ein Wunder zu leben, hat Vater Staat vor den zweiten, dritten oder vierten Versuch jeweils die Scheidung gesetzt. Diese dient in der Theorie dem gesitteten Auseinanderdividieren von gemeinsamem Hab und Gut; in Wirklichkeit aber ist manche Scheidung so traumatisierend, dass zumindest einer der Betroffenen anschließend ein für alle Mal von der Ehe kuriert ist. Denn jetzt enthüllt die vormals bessere Hälfte oft ihre schlechtesten Seiten, wie auch der Jahrhundertboxer Muhammed Ali es am eigenen Leib erfuhr: »Mein schlimmster Gegner war meine erste Frau.« Jahrelange Gerichtsverfahren, wüste Anschuldigungen, Zank um das Sorgerecht und den letzten Cent: Jeder kennt Scheidungskriege aus seinem Umfeld, aus den Gazetten oder aus dem Kino, die zu belegen scheinen, dass heutzutage zwar vielleicht aus Liebe geheiratet, aber um des Geldes willen geschieden wird. Diese finanziellen Rachezüge sind eine Errungenschaft des zwanzigsten Jahrhunderts, in dem Frauen unter anderem begriffen haben, dass der wundeste Punkt so manchen Mannes sein Portemonnaie ist. So konnte etwa Zsa Zsa Gabor stolz von sich behaupten: »Ich bin eine wunderbare Haushälterin! Jedes Mal, wenn ich einen Mann verlasse, behalte ich sein Haus.« Von der Schauspielerin stammt denn auch die Weisheit, dass man einen Mann erst kennt, wenn man sich einmal von ihm hat scheiden lassen.

Während jede Krankenkasse heutzutage Profile ihrer Mitglieder erstellt, und der gläserne Mensch dank Konteneinsicht, Videoüberwachung, Telefonmitschnitten und Internet vorm Staat entblößter dasteht als in der eigenen Dusche, überprüft kein Standesbeamter, ob zwei Menschen auch nur annähernd zueinander passen, ob ihre Ehe überhaupt gesundheitlich zumutbar, psychologisch annehmbar und gesellschaftlich vertretbar ist. Erst wenn es darangeht, den zum gordischen Knoten gewordenen Bund fürs Leben zu zerschlagen, setzt sich die behäbige Gesetzesmaschinerie in Gang, werden Paartherapeuten bemüht und Ärzte konsultiert, die noch an Migräneattacken und Herzrhythmusstörungen die Zerrüttung ausmachen können. Eine Ehe gilt vor dem Gesetz als gescheitert, wenn die Lebensgemeinschaft der Ehegatten nicht mehr besteht und nicht erwartet werden kann, dass sie wiederhergestellt wird. Wenn beide der Scheidung zustimmen, wird das Misslingen nach einjähriger, wenn einer sich sträubt, erst nach dreijähriger Trennung vermutet, wobei die Annahme, dass die Ehe nach diesen Trennungszeiten tatsächlich Schiffbruch erlitten hat, nicht widerlegt werden kann, also dann auf jeden Fall geschieden wird. Und damit wird der Satz »Ich erkläre Sie hiermit zu Mann und Frau« mit der Floskel »Sie sind nun rechtskräftig geschieden« zurückgenommen. Für die Betroffenen kentert damit oft ein ganzer Lebensentwurf, der beschauliche Traum von Haus, Kindern und Hund, die Aussicht auf viele gute und wenige schlechte Tage und die Hoffnung, dass die Liebe weiter wächst. Stattdessen lautet das Fazit: mangelhaft. Sitzen geblieben. So werden einstige Paare zu geschiedenen Leuten.

Doch ohne die Scheidung geht es in diesem, dem vierten Stadium der Ehe-Evolution nun mal nicht. Egal, ob nach ihrer

Überwindung das schon vorbereitete neue Liebesglück mit einem anderen winkt oder die Einsamkeit: Eine Scheidung bringt immer Vorwürfe, Auseinandersetzungen und gegenseitige Verletzungen mit sich. Forscher, die die Zahl der Männer, Frauen und Kinder hochrechneten, die sie durchlitten haben, sind zu dem brutal anmutenden Befund gekommen, dass Scheidungen inzwischen sogar mehr Menschen in Mitleidenschaft gezogen haben als die schlimmsten Seuchen, mehr als Cholera, Pest und Malaria. In der Tat haben Scheidungen oft die Wirkung eines Virus: Wer einmal infiziert wurde, steckt seine Nächsten leicht damit an, vor allem seine Kinder, die im Falle einer Scheidung der Eltern selbst mehrheitlich damit rechnen müssen, eines Tages den Gang zum Anwalt anzutreten. Denn wer aus einer zerbrochenen Familie stammt, für den ist die Scheidung später schneller eine Option.

Von allen Gründen, die gegen die Ehe sprechen, ist die Scheidung deshalb einer der wichtigsten. Denn an Trennungsgründen mangelt es schließlich nie, wenn der böse Wille da ist. Aber aufgrund der vielen Hoffnungen und Ziele, die mit der Einrichtung verbunden sind, traumatisiert eine Ehescheidung die Partner fast immer stärker als das Zerbrechen einer Beziehung ohne Trauschein. Zwar verhält es sich auch hier wie so oft im Leben: Beim ersten Mal ist es am schlimmsten. Danach verliert sich der Schrecken der Trennung und man bekommt Routine darin. Narben bleiben trotzdem. Der Zusatz »Ex« vor dem Wörtchen Mann oder Frau etwa hält, anders als die gemeinsame Ehe, ein Leben lang.

Glücklich geschieden?

Aber fangen wir mit den erfreulichen Auswirkungen an. Wer sich scheiden lässt, stellt sich wieder auf eigene Füße, genießt es, in eine streitfreie Wohnung zu kommen, keine Rechenschaft darüber ablegen zu müssen, warum man spät nach Hause kommt, endlich die Musik hören zu können, die einem gefällt – und lernt diese kleinen Symbole der Freiheit, die man einst freiwillig aufgegeben hatte, ganz neu schätzen. Stärker als bei Männern, die mit dem Göttergattendasein meistens auf viele Bequemlichkeiten verzichten müssen, ist dieser euphorisierende Befreiungseffekt bei frisch getrennten Frauen zu beobachten. Egal, wie alt sie sind und wie schwer ihnen die Trennung gefallen sein mag: Ist sie erst einmal halbwegs überwunden, blühen sie förmlich auf. Die Ex-Männer, die sich in dieser Phase überflüssiger vorkommen denn je, beobachten diese Entwicklung mit gemischten Gefühlen. Sie leiden unter der ungewohnten Einsamkeit oft mehr als Frauen, weshalb vor allem sie es sind, die nach einer Ehe möglichst rasch eine neue Bindung eingehen wollen, wie die meisten offen zugeben. Ob getrennt oder geschieden: Die meisten Single-Männer, die ich kenne, tun alles, um möglichst wenige Abende allein vor dem Fernseher in ihren Übergangsbehausungen verbringen zu müssen – falls sie nicht ohnehin noch eine Geliebte haben, die sie aus der ehelichen Endphase in die Freiheit hinüberretten konnten. Dass die Anwesenheit eines weiblichen Körpers dabei im Leben vieler Männer weitaus wichtiger ist als die eines weiblichen Hirns, sieht man manchen dieser Überbrückungs- und Ablenkungsfräuleins dann auch schon von weitem an.

Bei den Damen hingegen ist das Szenario ein anderes. Den meisten frisch geschiedenen Frauen scheint es ähnlich zu gehen wie mir: Sie sind nicht erpicht auf ein nächstes Mal. Die romantische Sehnsucht danach, geheiratet zu werden, »unter die Haube zu kommen«, wie es so schön heißt, spielt für sie keine Rolle mehr. Zu vieles von dem, was man sich einst darunter vorstellte, hat sich als Illusion entpuppt. Und da es sich mit der ehelichen Zweisamkeit glücklicherweise nicht wie mit dem Reiten verhält, wo man nach einem Sturz gleich wieder aufsteigen sollte, liegt der Gedanke an eine weitere Ehe erst einmal sehr fern. Zunächst gilt es, das Scheitern zu verwinden, und damit auch jenes Gefühl des Versagthabens, das zerrüttete Ehen in viel stärkerem Maße als beendete Liebesbeziehungen ohne Trauschein mit sich zu bringen scheinen. Darum, Kinder, Beruf und Finanzen im Griff zu behalten, oder wenigstens zwei dieser drei Bereiche. Das Misstrauen zu überwinden, und nicht vom eigenen Ex-Gatten auf alle anderen zu schließen. Erst viel, viel später geht es darum, dass man erneut lieben möchte – und da fangen die Probleme bekanntlich von vorne an.

Aber auch ohne nach dem nächsten möglichen Ehemann Ausschau zu halten, gehen geschiedene Frauen neue Beziehungen anders an als ledige. Nicht unbedingt nüchterner oder vernünftiger – wer will in Liebesdingen schon vernünftig sein? –, aber ganz sicher eigenständiger und selbstbewusster. Da jede Scheidung auch ein Spießrutenlauf vor den prüfenden, feixenden, kritischen Augen der Umgebung, vor Familie, Freunden und Kollegen ist, kann einem anschließend endgültig egal sein, was andere von einem denken. Man weiß ja aus eigener Erfahrung, wie Nachrichten von Ehekatastrophen gemeinhin aufgenommen werden: »Hast du schon gehört? Marianne und Michael lassen sich scheiden!« – »Ach, das wundert mich gar nicht, ich fand ja schon immer, dass die Frau eine totale Nervensäge ist. Der arme Kerl stand dermaßen unterm Pantoffel, da musste er sich ja trösten!« Oder: »Tja, ich glaube, bei denen lief im Bett einfach gar nichts mehr.« Dass Meinungen über Paare nicht notwendigerweise Hand und Fuß haben müssen, um begeistert ausgetauscht zu werden, weiß man. Für die Betroffenen indessen gilt: Ist der Ruf erst angeschlagen, lebt es sich bekanntlich freier. Daher lässt sich unter getrennten und geschiedenen Frauen eine wohltuende Radikalisierung beobachten, eine gesunde Wurschtigkeit, was die Ansichten anderer angeht. Nicht nur äußerlich gehen die meisten Frauen hocherhobenen Hauptes aus einer gescheiterten Ehe hervor. Sie sind vor allem freier im Kopf, und die unbewusste Hoffnung, es womöglich den eigenen glücklich verheirateten Eltern gleichzutun, hat sich mit der Scheidung ebenfalls erledigt. Statt ihre Erwartungen zu senken, schrauben sie ihre Ansprüche höher und sind kompromissloser als zuvor. Sprach einem während der Ehe der Stoßseufzer Ödön von Horváths aus dem Herzen: »Eigentlich bin ich ganz anders, aber ich komme so selten dazu!«, darf man sich anschließend endlich wieder so benehmen, wie man ist. In Abwandlung eines Wortes von Adorno ließe sich überdies feststellen: Es gibt keine richtige Ehe in der falschen. Auch diese Einsicht hält mehr Frauen als Männer von einem zweiten Versuch ab.

Für den, der sie einmal mitgemacht hat, ist der Zauber der Ehe mit der Scheidung oft verflogen. Eine gründlichere Demontage des Traums in Weiß als der Schlagabtausch zwischen Anwälten und das Procedere vor Familiengerichten lässt sich kaum denken. Da hilft es nicht zu wissen, dass die romantischen Batterien meist rasch wieder aufgeladen sind: Fast zwei Drittel aller Menschen, die sich scheiden lassen, heiraten wieder – wenn auch nicht unbedingt ein anderes Scheidungsopfer. Da sich die Partnerinnen der Männer in der Regel mit jeder neuen Runde verjüngen, haben Herren gute Chancen, auch in der zweiten Ehe an eine zu geraten, die ihrerseits noch keine Erfahrungen darin hat. Bei den Frauen heiraten vor allem die jung Geschiedenen erneut – ab Mitte vierzig, also ziemlich genau zu dem Zeitpunkt, da in der Regel keine weiteren Kinder zu erwarten sind, nimmt die weibliche Wiederheiratsrate deutlich ab. Das liegt nicht so sehr daran, dass diese Frauen keinen mehr »abbekommen«, wie manch boshafter Geist nun vielleicht vermuten möchte, sondern eher daran, dass sie geistig und finanziell unabhängig sind und daher kein Bedürfnis mehr nach jenen Sicherheiten haben, die eine

Ehe in Aussicht stellt, zumal sie mit dem künftigen Partner aller Voraussicht nach kein Kind mehr haben werden.

Die Statistiken besagen, dass die meisten Ehen entweder recht schnell, nämlich bereits im vierten Jahr, oder eher spät, nach zehn bis zwölf Jahren, geschieden werden. Doch gibt es keinen Zeitpunkt, an dem man sich wirklich in Sicherheit wiegen kann, so verführerisch diese Vorstellung auch sein mag. Auch nach fünfundzwanzig Jahren kann eine Ehe, die bis dahin nicht nur stabil, sondern gut schien, noch unvermutet zerbröseln. Ehemänner und Väter erleben die *mid-life crisis* immer häufiger als *mid-wife crisis* und nennen das dann ihren zweiten (oder dritten oder vierten) Frühling; Frauen haben, sind die Kinder einmal aus dem Haus, von Heim und Herd genug und gehen auf die Barrikaden. Wobei frühe Trennungen den Soziologen zufolge häufiger von den Frauen, die im Beruf ihr Glück zu finden glauben, spätere eher von den Männern betrieben werden, die in der Enthüllung einer anderen Frau die eigene Erfüllung wittern.

Wann jedoch tatsächlich der richtige Zeitpunkt für eine Scheidung gekommen ist, erkennt man dem amerikanischen Showmaster David Letterman zufolge an ein paar untrüglichen Zeichen: »Wenn das Einzige, was man noch gemein hat, gegenseitiger Hass ist; wenn man dauernd die Belege des Auftragskillers findet, den sie angeheuert hat, um dich umzubringen; wenn sie ihren neuen Flirt zur Eheberatung mitbringt und wenn man in getrennten Betten in getrennten Häusern in unterschiedlichen Staaten schläft.« Eine seiner Ex-Frauen entgegnete darauf: »Ich weine nicht, weil ich geschieden bin. Ich weine nur, weil ich nicht Witwe bin.«

Im Kino und im Fernsehen sind Scheidungen inzwischen zwar richtiggehend sexy geworden – so wird Charlotte in der Serie *Sex and the City* ausgerechnet mit ihrem Scheidungsanwalt Harry in zweiter Ehe glücklich, und in Filmen wie *Ein unmöglicher Här-*

tefall machten George Clooney und Catherine Zeta-Jones vor, dass auch Scheidungen ein amouröses Katz-und-Maus-Spiel sein können – aber im wahren Leben steht fest: Bei der Sache kann keiner gewinnen; es geht nur darum, wie viel man verliert. Die klassische Wirkung brachte die Schriftstellerin Margaret Atwood zum Ausdruck, als sie sagte: »Eine Scheidung ist wie eine Amputation. Man überlebt sie, aber hinterher ist weniger von einem da.«

Von Ehebrechern und Schuldigen: Eine kurze Geschichte der Scheidung

Früher, als noch »schuldig« geschieden wurde, also einer der Gatten sich in flagranti ertappen lassen musste und Zeugen die außerehelichen Aktivitäten vor Gericht bestätigen sollten, war eine Scheidung fast immer ein Skandal und vor allem für die Frau eine soziale Katastrophe. Die Literatur der Jahrhundertwende ist voll von geschiedenen Damen, die als nicht mehr salonfähig galten – man denke nur an Gräfin Doralice in Eduard Graf Keyserlings Roman *Wellen,* die sich aus Liebe zu dem bürgerlichen Maler Hans Grill von ihrem standesgemäßen, doch nichts sagenden ersten Mann hat scheiden lassen und damit den in Konventionen erstarrten baltischen Adel erschüttert. Wer damals heiratete, musste oder durfte davon ausgehen, dass die Ehe ein Leben lang halten würde: 1890 wurden von zehntausend geschlossenen Ehen gerade einmal 7,4 geschieden. Abweichungen gab es vor allem in den ungenierten Kreisen der Bohème, die als Spielfeld der Möglichkeiten inzwischen von der internationalen Schickeria ersetzt worden ist.

Tatsächlich hatte schon Ende des achtzehnten Jahrhunderts eine Vielzahl von zerrütteten Ehen, deren Konflikte öffentlich bekannt wurden, das Dogma von der Unauflösbarkeit der Ehe zur Disposition gestellt. Dazu trug eine Reihe von Schriftstellerinnen bei, deren Lebensgrundlage nach der Trennung ohne ihre publizistische Tätigkeit nicht gesichert gewesen wäre. Sophie Mereau war als Dreiundzwanzigjährige an einen Professor verheiratet worden, von dem sie sich 1801 scheiden ließ. Wenige Jahre später heiratete sie den Dichter Clemens Brentano. Die impulsive, unkonventionelle Karoline von Lengefeld war von der verwitweten Mutter aus Versorgungsgründen achtzehnjährig an einen Herrn von Beulwitz verheiratet worden. 1793 geschieden, ging sie im Jahr darauf eine zweite Ehe mit dem Freund ihres Schwagers Friedrich Schiller, Wilhelm von Wolzogen, ein. Zuvor hatte sie heftig mit Schiller geflirtet, und auch der Dichter war unschlüssig zwischen Karoline und ihrer zurückhaltenderen, sanften Schwester Charlotte, der er später schrieb: »Karoline ist mir näher im Alter und darum auch gleicher in der Form unserer Gefühle und Gedanken … Was Karoline vor Dir voraus hat, musst Du von mir empfangen; Deine Seele muss sich in meiner Liebe entfalten, und mein Geschöpf musst Du sein.« Vielleicht hätte er anders entschieden, wenn Karoline nicht den Makel einer vorherigen Heirat getragen hätte? So jedoch machte er »Lolo« zu seiner Gemahlin. Andere Frauen dieser Zeit litten zwar unter den erotischen und finanziellen Eskapaden ihrer Männer, zogen jedoch eine Scheidung nicht in Betracht, wie Charlotte von Kalb oder Johanna Schopenhauer, die ihre Ehen nur verschlüsselt zum Gegenstand literarischer Darstellungen machten.

Um 1900 wurde den »Schuldigen« eines Ehebruchs in vielen europäischen Ländern endlich gestattet, erneut zu heiraten. Oft wurde allerdings zugleich verfügt, dass sie auf keinen Fall ihre Mittäter ehelichen durften: Der Ehebruch hatte Vergehen zu bleiben und durfte nicht den Scheidungsweg in eine neue Bindung ebnen. Einzig in England war es ab Mitte des neunzehnten Jahrhunderts nicht nur erlaubt, sondern regelrecht erwünscht, den ehebrecherischen Komplizen nach der Scheidung zu heiraten – um der Ehre willen. Wer eine Frau verführte, so die Auffassung, der sollte anschließend auch gefälligst mit ihr leben müssen, damit er dieselbe Dummheit nicht noch einmal beginge. Die Frau dagegen, die sich einen Liebhaber nahm, wurde vom Gesetz und von der Gesellschaft stets strenger bestraft als der Mann, der ja doch nur »seiner Natur« folgte.

Endlich aus der Rolle fallen

Zweitehen sind bei beiden Geschlechtern vor allem deshalb so beliebt, weil sie die Chance verheißen, alles anders, also alles besser, zu machen. Sie sind ein Weg, sich selbst neu zu erfinden. Das ist nach so mancher Ehe auch dringend nötig. In jeder Beziehung bekommen die Partner Rollen zugewiesen, ob sie wollen oder nicht: Sie ergeben sich im alltäglichen Miteinander. Der eine ist der Starke, der andere der Schwächere, der eine ist der Genaue, der andere der Chaot, der eine ist sparsam, der andere verschwenderisch, der eine liebt mehr, der andere weniger. Ausgesprochen werden diese Klassifizierungen fast nie, aber doch akut gefühlt.

Der unbeschwerte, lässige Leonard, der es mit der Pünktlichkeit so wenig genau nimmt wie mit dem Begleichen von Rechnungen oder dem regelmäßigen Anruf bei seinen Eltern, bringt die gewissenhafte, gründliche Sophie immer öfter zur Weißglut. Anstatt dass seine Sorglosigkeit auf sie abfärbte, wie sie zu Beginn sogar gehofft hatte, hat sich ihr Pflichtbewusstsein eher noch verstärkt. Sophie, die eigentlich nie übermäßig ordentlich war, findet sich inzwischen oft direkt pingelig – und hasst sich selbst dafür. Doch nach neun zusehends verleideten Ehejahren mit Leonard hat es sich eben eingebürgert, dass er derjenige ist, der Ideen hat, und sie diejenige, die sie organisatorisch umsetzt. Ob es um eine

Party geht, ein Geschenk oder die Ferien: Leonard schmiedet enthusiastische Pläne, und Sophie kümmert sich seufzend um die Baugenehmigung für seine Luftschlösser. Manchmal wundert sie sich, wie es dazu kommen konnte: In ihren früheren Beziehungen war doch immer sie es gewesen, die Unternehmungslust versprüht und Ideen gehabt hatte. Will diese Ehe ihr denn nicht nur den letzten Nerv, sondern auch noch ihr Temperament rauben?

Die meisten Paare empfinden sich irgendwann als eingespieltes Team – nicht umsonst heißt es schließlich »wie ein altes Ehepaar« – , doch nicht jedem gefällt sein Part. Aber da nichts sich schneller einbürgert als Gewohnheiten und alltägliche Rituale, gelingt der Ausbruch aus der einmal zugewiesenen und angenommenen Rolle oft nur durch Revolution – und bringt so die ganze Beziehung bedrohlich aus dem Gleichgewicht. Denn heutzutage, wo schon kleine Auseinandersetzungen dazu führen können, dass die Verbindung in Frage gestellt wird, kann eine dauernd wiederkehrende Meinungsverschiedenheit den Gang zum Scheidungsrichter nach sich ziehen. So haben Forscher herausgefunden, dass jeder dritte Ehekrach mit einer Diskussion über notorische Unpünktlichkeit beginnt, der sich dann nicht selten auf das gesamte Zusammenleben ausweitet.

Umso erleichterter sind viele, wenn sie mit einem neuen Partner endlich die Rolle wechseln können. Alles zurück auf null, lautet die Devise. Wer vorher der Mahner und Antreiber war, will jetzt den Nonchalanten, Entspannten geben; der Naive macht auf weltgewandt; der Fremdgeher schwört ewige Treue; der Workaholic will dem Privatleben künftig mehr Platz einräumen. Die Liste der guten Vorsätze beim zweiten Mal ist ellenlang. Manche leisten beim zweiten Anlauf dem ersten Partner sogar im Stillen Abbitte: Auch wenn es diesem nichts mehr hilft, wenn sie nun plötzlich treu, aufmerksam und hilfsbereit sind, ist es doch ein Weg, sich selbst zu beweisen, dass man sich ändern kann.

Immer jünger, immer reicher, immer besser

Die Motive bei der Wiederheirat sind ebenso zahlreich wie bei der ersten Ehe – nur, dass sie sich jetzt ins Gegenteil verkehren. Wer zuvor aus rasender Liebe und Leidenschaft zum Traualtar gestürmt ist, wird nun auf eine ausgewogene Mischung von Verstand und Gefühl achten. Wer eine reine Zweckverbindung eingegangen war, wird sich danach sehnen, den Partner zur Abwechslung auch zu mögen. Wer in der ersten Ehe sozial nach oben heiratete, wird in der zweiten vielleicht jemanden suchen, mit dem er sich auf Augenhöhe weiß. Wer sich zuvor mit dem Gatten nichts zu sagen hatte, wird sich nach einem Partner umschauen, mit dem er sich austauschen kann.

Die zweite Ehe wird aber nicht nur als Chance zum Ausgleich, sondern auch als Möglichkeit zur Steigerung, zur »Optimierung« des bislang Erreichten wahrgenommen. Die Ehefrauen verjüngen sich von Mal zu Mal, während das Konto der Ehemänner eher an- als abschwillt. Grundsätzlich gilt: Keiner von beiden möchte das Gefühl haben, im zweiten Anlauf Zweitklassiges abbekommen zu haben. Wehmütige Schwärmereien über längst vergangene Lieben kommen denn in diesem Stadium der ehelichen Evolution auch nicht so gut an.

Bedürfnisse, zuvor vielleicht lediglich als diffuser Wunsch wahrgenommen, werden dafür plötzlich umso klarer formuliert – auch in Abgrenzung zu vorigen Erfahrungen. Manch einer, dem wie dem Dichter Gottfried Benn die Ehe zuvor »als Institution zur Lähmung des Geschlechtstriebs« erschien, wird nun aktiv. Insgesamt wird bei der zweiten Ehe stärker auf die gegenseitige Anziehungskraft geachtet – vor allem von den Frauen, die sonst eher dazu neigen, das Körperliche getrost zu unterschätzen, weil Männer es ja bekanntlich überschätzen. Wer zuvor eine langweilige Konvenienz- oder Versorgungsehe geführt hatte, wie Sophie Schubert mit Friedrich Karl Mereau, möchte der »verdrüslichen« Stimmung naturgemäß gern auf die Sprünge helfen: In ihrer zweiten Ehe mit Clemens Brentano wurde sie in drei Jahren viermal schwanger. Und als die Schauspielerin Mae West sich von ihrem Mann Frank Wallace trennte, verkündete sie stellvertretend für viele Geschlechtsgenossinnen augenzwinkernd: »Es sind nicht die Männer, die in meinem Leben zählen, sondern das Leben in meinen Männern.« Erst, wenn er schon in der Ehe steckt, begreift mancher die Wahrheit des alten Grundsatzes: Solange der Sex gut funktioniert, ist er überhaupt nicht wichtig, aber wenn er nicht funktioniert, hängt plötzlich das Schicksal der gesamten Beziehung davon ab.

Manchmal besteht die Verbesserung der Ehelage aber auch nicht in einem gewissen Mehr, sondern in einem präzisen Weniger von etwas, wie folgende Meldung eindrucksvoll belegt: »Im Jemen hat ein Mann nach fünfzehn Jahren Ehe seine streitlustige Frau verlassen und eine Taubstumme geheiratet. Der vierzig Jahre alte Mann aus der Provinz Dhamar sagte, er habe das Geschrei seiner Frau nicht mehr ertragen. Deshalb habe er sie verlassen und eine sanftmütige Frau geheiratet, die zudem weder sprechen noch hören könne.«

Noch einmal contra immer wieder

Natürlich sind auch die Mehrfachhochzeiter nicht alle gleich. Man muss vor allem zwischen zwei Arten von Wiederholungstätern unterscheiden: solche, die sich einmal scheiden lassen, erneut heiraten und es beim zweiten Mal tatsächlich besser machen, und jene, die sich immer wieder trennen und von vorne beginnen. Naturgemäß dauert es eine Weile, bis sich herausstellt, wer zu welcher Fraktion gehört.

Zur ersten Gruppe zählen jene, die sich bei der ersten Ehe tatsächlich geirrt und ihre Fehler eingesehen haben und die zweite

Ehe dazu nutzen, es anders zu machen. Oft sind dies Menschen, die besonders früh und aufgrund bestimmter Umstände geheiratet haben, etwa, weil ein Kind unterwegs war oder die Eltern heftig für oder gegen die Verbindung argumentiert haben, weil sie ihr Erwachsensein unter Beweis stellen wollten oder einfach, weil sie nicht nein sagen konnten und geheiratet wurden. Dieses ist die kluge und potentiell erfolgsträchtige Variante der Mehrfachehe. Hier wird mit der bewussten Wiederholung Vertiefung angestrebt – und oft tatsächlich erreicht. Denn zumal, wenn starke gemeinsame Interessen und Leidenschaften zusammenkommen, erscheinen manche Zweitverbindungen geradezu ideal. Mehrfachhochzeitern dieses erfreulichen Typs habe ich zur Absetzung von den unverbesserlichen Wiederholungstätern den Titel »seriöse Zweitheirater« gegeben.

Wenn ein solcher Mensch erneut heiratet, hat er mit ziemlicher Sicherheit begriffen, dass er seinen Teil zum Gelingen der Ehe wird beitragen müssen und nicht alles dem anderen überlassen kann. Diese Einsicht und erst recht ihre praktische Umsetzung werden dann auch durchaus belohnt: Dass man in der zweiten Ehe erfolgreich frühere Fehler und Defizite wettmachen kann, beweisen so glückliche Verbindungen wie die von Gregory Peck und der französischen Journalistin Véronique Passani oder die von Paul Newman und Joanne Woodward. Beide Schauspieler ließen sich von ihrer ersten Frau scheiden, um mit der zweiten ein Leben lang skandalfrei zusammenzuleben. Gregory Peck definierte die gelungene Ehe später denn auch als »ein Interview, das nie geendet hat«. Auch der große Fotograf Alfred Stieglitz war nach der Scheidung von seiner ersten Frau im zweiten Anlauf über zwanzig Jahre lang mit der erheblich jüngeren Malerin Georgia O'Keeffe glücklich verheiratet. Erst sein Tod 1946 riss die beiden auseinander. Ein anderes Beispiel ist das Schauspielerpaar Simone Signoret und Yves Montand: Vierunddreißig Jahre währte und bewährte sich diese Ehe, nachdem sie sich aus Liebe zu ihm von ihrem ersten Mann, dem Regisseur Yves Allégret, getrennt hatte. Und wenn wir ein Auge zudrücken, darf auch Arthur Miller in dieser Kategorie genannt werden. Denn er schaffte es immerhin im dritten Anlauf: Mehr als drei Jahrzehnte war der Dramatiker mit der österreichischen Fotografin Inge Morath verheiratet.

Nicht unbedingt weiter verbreitet, aber auf jeden Fall präsenter ist jedoch die andere Form der Mehrfachehe: Menschen, die immer wieder heiraten. Dieses Phänomen lässt sich vor allem unter stark beanspruchten, darstellenden Künstlern wie Politikern und Schauspielern beobachten: Sie sollen im Folgenden als »serielle Monogamisten« bezeichnet werden. Zwar sind die meisten Frauen misstrauisch, wenn ihnen ein Mann Avancen macht, der schon drei- oder viermal verheiratet war. Exemplare wie Gerhard Schröder, Joschka Fischer oder Rudolf Augstein scheint ihr stattliches Eheregister jedoch bei ihren Eroberungen nie im Wege gestanden zu haben. Das Hauptmotiv für jene, die es geradezu reflexhaft immer wieder mit der Ehe probieren, scheint die Angst vor dem Alleinsein zu sein. Häufig sind in dieser Ausprägung der Mehrfachehe aber auch Charaktere anzutreffen, die neben ihrem Leiden an der Einsamkeit eine gewisse, vielleicht unbewusste, Unsicherheit in sich spüren und daher besonders auf die Bestätigung angewiesen sind, die eine Liebesbeziehung verheißt. Ohne Partner fehlt ihnen ein wichtiger Teil ihres Selbstbilds, ein Sicherheitsnetz, das sie zur Not auffangen kann, eben der lebende Beweis, dass sie begehrenswert und liebenswürdig sind. Es sind Männer und Frauen mit einer übergroßen demonstrativen, doch eher schwach ausgebildeten inneren Persönlichkeit, die nie gelernt haben, allein zurechtzukommen, sondern die für ihre Ausgeglichenheit im Alltag von der emotionalen Bestärkung durch einen Partner abhängig sind. Die Frage, warum unter allen

Berufsgruppen insbesondere Schauspieler und Politiker zur seriellen Monogamie neigen, mag an dieser Stelle jeder für sich beantworten.

Der Unterschied zwischen den seriellen Monogamisten und den seriösen Zweitheiratern lässt sich an einem der berühmtesten Paare der Filmgeschichte aufzeigen: Dick und Doof. Während Oliver Hardy zweimal verheiratet, und vor allem im zweiten Anlauf mit Virginia Lucille Jones glücklich war, hielt Stan Laurel sich privat eher an die Devise seines fülligen Freundes: »Das ist mal wieder ein schönes Schlamassel, in das du uns da gebracht hast.« Sechs Ehefrauen zog er mit sich in die Patsche, und so dürfte sich sein legendär verzweifelter Gesichtsausdruck reichlicher Übung im Privaten verdankt haben.

Der serielle Monogamist, das durchschaubare Wesen

Ein Blick nach Hollywood oder in die Bundesregierung genügt, um festzustellen, dass serielle Monogamisten es bis heute nicht leicht haben. Viele von ihnen erleben statt des ersehnten Dauerglücks den Jo-Jo-Effekt der romantischen Evolution: verliebt, verheiratet, geschieden. Unterbrochen von kurzen Intervallen als Single, binden sie sich immer wieder fürs Leben – oder jedenfalls bis zum nächsten Mal. Erstaunlicherweise führt auch mehrmaliger Schiffbruch bei vielen nicht zu grundsätzlichen Zweifeln an der Ehe. Dieser Idealismus hätte etwas geradezu Rührendes, wäre er nicht so oft Folge von Bequemlichkeit, Egoismus und Einfallslosigkeit.

Aber nur, weil Ernest Hemingway ebenso wie Gerhard Schröder mit vier Frauen vor den Standesbeamten trat, weil Romy Schneider mit ihren diversen Ehemännern ähnlich unglücklich schien wie heutzutage eine Jennifer Lopez oder weil Alma Schindler das Liebesglück als Frau Mahler ebenso wenig fand wie als Frau Gropius oder Frau Werfel, müssen ja nicht alle Doppel- und Dreifach-Hochzeiter unweigerlich auf die Nase fallen. Dennoch stellt sich die Frage: Kann man denen trauen, die mehrmals Ja sagen?

Sie trauen sich auf jeden Fall selbst – und der Erfolg scheint ihnen zunächst Recht zu geben. Viele Zweitehen scheinen erst einmal besser zu funktionieren, weil die Partner schlicht reifer sind als beim ersten Mal und realistischere Erwartungen hegen. Dieser gute Wille lässt sich auch statistisch belegen: Trotz allgemein sinkender Hochzeitsraten ist die Anzahl von Eheschließungen mit mindestens einem geschiedenen Partner seit Jahren konstant. Das verdankt sich vor allem den Männern, die mit ihrem beherzten Einsatz immer wieder den alten Spruch bestätigen: »Männer heiraten aus Mangel an Erfahrung, lassen sich scheiden aus Mangel an Geduld – und heiraten wieder aus Mangel an Gedächtnis.«

Es gibt einige Gründe, weswegen Männer nach einer gescheiterten Ehe rasch den zweiten Anlauf wagen. Zum einen: Wie in jedem Stadium der Ehe-Evolution muss man auch hier im Hinterkopf behalten, dass es Menschen gibt, die heiraten, und solche, die geheiratet werden. Erstere sind nicht immer die Männer und letztere nicht immer die Frauen. In fast allen Fällen geht die Initiative zum Ehewunsch jedoch vor allem von einem der beiden Partner aus; der andere willigt freudig ein, lässt es mit sich geschehen oder bringt es schlicht nicht übers Herz, Nein zu sagen. Grob gefasst kann man sagen: Männer sind eher diejenigen, die heiraten (oder dies jedenfalls felsenfest glauben), sich aber danach leichter von außerehelichen Zerstreuungen beeindrucken lassen, während es sich bei den Frauen meist um diejenigen handelt, die der Ehe zustimmen, dafür aber später bei der Scheidung den aktiven Part übernehmen. Das bestätigen auch die Forscher: Die überwiegende Mehrheit der Scheidungsklagen wird von den Ehefrauen eingereicht. Insofern mag der verstärkte männliche Drang zu einer neuen Ehe auch damit zu tun haben, dass die Herren wieder die Kontrolle übernehmen wollen, nachdem sie die Scheidung über sich ergehen lassen mussten.

Außerdem scheinen Männer oft stärker angewiesen auf das Wunschbild, das sich in den verliebten Augen einer Frau spiegelt. Das liegt nicht nur daran, dass es vielen von ihnen nach einer emotionalen Niederlage wichtiger ist, die Jugendlichkeit ihrer Libido als ihres Geistes unter Beweis zu stellen. Wo die Umwelt auf einem herumhackt, der Job anstrengend ist und die Eltern kritisch, verheißt eine Frau Pause und Ablenkung von der bösen, bösen Welt. Sie sagt dem zuletzt so bitter verkannten Mann, wie großartig er wirklich ist, was er alles kann und was er braucht – vor allem natürlich sie. Dieses Szenario von Balsam auf wunden Seelen spielt sich nicht ausschließlich in der männlichen Phantasie ab, sondern wird oft auch in jenen Beziehungen nachgestellt, in denen sich Männer wesentlich jüngeren Frauen zuwenden, die aufgrund ihres geringeren Maßes an Lebenserfahrung, Wissen und beruflichen Erfolgs zu ihnen aufsehen.

Von männlicher Seite her werden viele Folgeehen aber nicht zuletzt auch aus einem diffusen Gefühl der Verpflichtung heraus angestrebt oder, brutaler gesagt: aus Gewohnheit und Opportunismus. Männer lieben gewissermaßen auf die Ehe zu, deren Beurkundung ja auch ein Ende des anstrengenden Werbungs-Stresses verheißt. Dass Männer sich in der Ehe wohl fühlen, erkennt man häufig schon an ihrer Figur: Während Junggesellen und Geschiedene meist schlank sind oder abnehmen, setzen Verheiratete gern Speck an. Ein Paradebeispiel hierfür ist Joschka Fischer, für dessen Beziehungszufriedenheit der Bauchumfang ein in den Abendnachrichten weithin sichtbares Zeichen ist.

Unter den zwanghaft sich wiederholenden Serientätern lassen

sich aber auch zwei grundverschiedene Persönlichkeiten ausmachen. Die einen, die immer wieder heiraten, sind über die Maßen anpassungsfähig. Man könnte auch sagen: Sie verleugnen sich selbst. In ihrer Sucht danach, geliebt zu werden und anderen zu gefallen, passen sie sich jedem neuen Partner chamäleonhaft an, versuchen, seinen Wünschen genau zu entsprechen. Meistens sind es Frauen, die zumal im Anfangsstadium alle eigenen Meinungen, Eigenschaften, kurz: ihre Persönlichkeit unterdrücken. Bei dem Bemühen um Verschmelzung geben sie alles Eigene auf. Indem sie versuchen, ihrem neuen Partner jeden Wunsch von den Augen abzulesen, lassen sie aber vor allem zu, dass dieser all seine Sehnsüchte ungebremst auf sie projiziert. Das rächt sich, wenn sich mit der Verliebtheit auch die Bereitschaft legt, ihm allabendlich die Schultern zu massieren und eigene Bedürfnisse zurückzustellen. Der Partner steht dem unvermittelten Protest und der als radikal empfundenen Veränderung dann so hilflos wie erstaunt gegenüber. Die schlechte Laune lässt nicht lange auf sich warten. Nach der übertriebenen Harmonie häufen sich nun oft die Streitpunkte, und es dauert nicht lange, da muss der nächste Kandidat her.

Diesen Chamäleons der Liebe stehen jene gegenüber, die überhaupt nicht bereit sind, sich anzupassen oder zugunsten des Partners zu verändern. Vor allem Männer wünschen in ihrer Einmaligkeit geschätzt und bewundert zu werden – eine Aufgabe, der sich mit Schmetterlingen im Bauch besser nachkommen lässt als nach jahrelangem zähem Alltag. Wo die einen von ungesunder Unsicherheit getrieben werden, strahlen diese Exemplare unerschütterliches Selbstbewusstsein aus. Wenn der Partner es wagt, Kritik zu üben, sind sie unfähig, positiv und konstruktiv damit umzugehen. Lieber suchen sie sich eine neue Bewunderin, von der sie dann triumphierend behaupten können: »Die liebt mich so, wie ich bin!«

Von herben Enttäuschungen und wilden Phantasien
Die Wiederheirat, die vor hundert Jahren noch aufrührerisch, wildromantisch und revolutionär anmutete, ist inzwischen derart gewöhnlich geworden, dass man eigentlich schon aus diesem Grund von ihr absehen könnte. Jede Zeitschriftenschau beweist: Es ist deutlich zeitsparender, jene Prominenten aufzuzählen, die immer noch zum ersten Mal verheiratet sind, als die Gatten zum Zweiten, Dritten oder Vierten. Betrachtet man berühmte serielle Monogamisten von Frank Sinatra, Henry Miller und Marlon Brando bis hin zu Gunter Sachs, Karlheinz Böhm oder Franz Beckenbauer, ist aus weiblicher Sicht vor allem erstaunlich, dass sich immer wieder Frauen finden, die es trotz der dürftigen Erfolgsgeschichte mit diesen Kurzstreckenläufern in Sachen Treue versuchen wollen. Wahrscheinlich hat es damit zu tun, dass Frauen Männer allzu oft mit einer Aufgabe verwechseln: ein Stein, den man bloß erweichen muss, eine Skulptur, die man umformen, oder ein weißes Blatt, das man beschriften kann. Sobald sich dieser missionarische Ehrgeiz gelegt hat, mag manche dankbar sein für die Aussicht, dass der Spuk nach spätestens zehn bis zwölf Jahren ohnehin ein Ende haben dürfte und man mit etwas Glück und einem zähen Anwalt bei der Scheidung für die vergebliche Liebesmüh wenigstens gut abgefunden wird.

Zwar trennen sich Menschen, die rasch zur Trauung schritten, eher als solche, die zuvor bereits viele Jahre lang ein Paar waren. Aber vor der Erwartung, dass sich mit der Ehe in der Beziehung etwas ändert, sind weder die einen noch die anderen gefeit – und daher auch nicht vor der Enttäuschung. Nachdem sie bereits mehr als zehn Jahre zusammen gelebt hatten, heiratete Alma Mahler 1929 in dritter Ehe den Schriftsteller Franz Werfel. Bald darauf notierte sie: »Es ist schrecklich, aber ich empfinde meine neuerliche Ehe als Zwang. Viel ärger, als ich mir vorgestellt hatte. Ich möchte fortwährend aus dem Netz heraus, in dem ich mich doch freiwillig so lange wohl gefühlt hatte.« Im Jahr darauf fragte sie sich gar: »Warum habe ich geheiratet? Wahnsinn!«

Bequemlichkeit und Gewohnheit spielen bei allen Wiederheiratenden durchaus mit hinein. Vor allem Männer tun sich schwer damit, nach einer langjährigen Beziehung, in der sie sich um die Dinge des Alltags nicht zu kümmern brauchten, die nötige Infrastruktur selbst aufzubauen. Kleinigkeiten wie die Fragen, wen man anruft, wenn die Spülmaschine streikt, bei wie viel Grad Socken zu waschen sind, woher die gemangelte Bettwäsche kommt und wie eigentlich ein Anwohnerparkausweis zu beantragen ist, können die selbst ernannten Herren der Schöpfung ganz schön ins Schleudern bringen. So ist die nächste Heirat gar nicht so selten auch eine Verlegenheitslösung: Hauptsache, es ist jemand im Haus, der sich um sie kümmert. Hinzu kommt, dass Männer bekanntlich ungern Probleme zugeben. Oft ist die Frau der einzige Mensch in ihrem Leben, vor dem sie ihre Schwierigkeiten offenbaren. In der Trennungsphase gibt es dann niemanden mehr, der sich ihre Sorgen anhört: Umso wichtiger ist es, mit einer neuen Partnerin auch ein Ventil für Kummer und Stress zu finden.

Fragt man geschiedene Männer, wie sie sich eine gute Ehe vorstellen, wird man mit ganz altmodischen Idealen konfrontiert: »Ach«, sagt ein Bekannter mit geradezu schwärmerischer Stimme, »ich male mir aus, dass ich nach einem langen Arbeitstag nach Hause komme, den Kindern, die schon schlafen, einen Gutenachtkuss gebe, mich mit meiner Frau an den Tisch setze und beim gemeinsamen Abendessen und einem Glas Wein den Tag Revue passieren lasse. Dann gehen wir ins adrett gemachte Bett, haben vielleicht noch Sex, und wenn ich anderntags aufstehe, liegt schon das von meiner Frau liebevoll gebügelte Hemd bereit. Für diesen Komfort wäre ich dann selbstverständlich bereit, ihr Geld, Status und Schutz zu gewähren.«

Entsetzt suchte ich bei einem fortschrittlicheren Herrn mit reichlich Eheerfahrung Rat, dessen Analyse auf andere Weise beunruhigend war. »In den Köpfen der meisten Männer hat sich etwas verändert, nämlich ihre Vorstellung von der Funktion der Ehe«, behauptet der amerikanische Schriftsteller Norman Mailer. »Sie sind nicht unbedingt schwächer geworden gegenüber ihren Frauen, aber sie haben Frauen geheiratet, die ihnen zu Hause weniger, in der Welt draußen mehr von Nutzen sind. Die Frau, die keine Teller wäscht, ist in der Regel eine Schönheit, die zehn bis zwölf Stunden im Bett bleibt und zwei Stunden zum Schminken braucht; sie muss ein Kindermädchen anstellen; aber sie ist der Mittelpunkt jeder Party und nutzt seiner Karriere, weil ihn jeder Partygast beneidet, seine Frau begehrt und so weiter. Was er will, ist eine wunderschöne Kurtisane mit guten Umgangsformen. Eine Kurtisane, die mit ihm in die Welt gehen kann.« Männer, die in erster Ehe ihre Frau als Haushälterin betrachtet haben, wollen also anschließend lieber eine Partnerin, mit der sie angeben können, mit der sie sich jedoch außerhalb des Betts kaum etwas zu sagen haben?

Sexualwissenschaftler sehen in der Liebe in Serie ein zeitgemäßes Symptom für die Suche nach der optimalen Beziehung: Sie dient der Erweiterung des geistigen und körperlichen Erfahrungshorizonts. Mit der seriellen Monogamie begeben sich viele Liebende auf emotionale Bildungsreise: Von jedem ihrer aufeinander folgenden Partner lernen sie etwas Neues. Das hilft dann angeblich in der Ehe. Während verschiedene berufliche Erfahrungen zweifellos der Professionalität zugute kommen, mag jede neue Liebesbeziehung zwar durchaus die Persönlichkeit erweitern – fitter für die Langzeitliebe macht sie aber offensichtlich nicht. Zwar hegen die unverbesserlichen Mehrfachhochzeiter gewiss den Glauben, dass die jeweils neue Ehe ausbaufähig für die Ewigkeit ist. Als Zuschauer jedoch hat man daran in den allermeisten Fällen seine Zweifel. Die Vermutung, dass man mit jeder durchlebten und durchlittenen Partnerschaft auch beziehungsfähiger und ausdauernder wird, trügt denn auch in vielen Fällen. Den Statistiken zufolge erhöht sich das Scheidungsrisiko um 38 Prozent, wenn es für mindestens einen der Ehepartner die zweite Ehe ist. Werden dann noch Stiefkinder mit in die Ehe gebracht, beträgt die Wahrscheinlichkeit einer Scheidung bereits 88 Prozent. Und wenn dann noch die Eltern beider Eheleute geschieden sind, ist es ohnehin Zeit, alle Hoffnung fahren zu lassen: um 146 Prozent erhöht sich das Scheidungsrisiko. Das Tabu der Trennung ist endgültig dahin.

Liebe in Zeiten der Wegwerfgesellschaft

Wie sich gezeigt hat, sind die unverbesserlichen Wiederholungstäter, die es immer wieder ins Standesamt zieht, in ihren einzelnen Ehen keineswegs glücklicher als die idealistischen Anfänger – im Gegenteil: Ganz wie sich bei der zweiten Schwangerschaft eher der Bauch wölbt, treten die Unzulänglichkeiten von Folgeehen meist schneller zutage, weil man die Symptome bereits kennt. In manchen Fällen wäre es sicher klüger gewesen, sich gleich an Rod Stewarts Anregung zu halten: »Anstatt wieder zu heiraten, suche ich mir lieber eine Frau, die ich nicht mag, und schenke ihr ein Haus.« Aldous Huxley schlug in seinem Roman *Schöne neue Welt* (1948) bereits vor, dass man Ehe-Urkunden ähnlich wie Hundemarken aushändigen könnte, jeweils gültig für die nächsten zwölf Monate. Der große Spanier Miguel de Cervantes war schon im sechzehnten Jahrhundert so weit: »In wohl eingerichteten Reichen und Republiken sollten die Ehen auf Zeit geschlossen und alle drei Jahre aufgelöst oder neu bestätigt werden wie jeder andere Pachtvertrag, statt für den ganzen Rest in Kraft zu bleiben, zur ewigen Marter für beide Teile.«

Der viel beschworene neue Pragmatismus in Sachen Ehe hat zu einer Wegwerf-Mentalität geführt. Das Konsumverhalten, das uns in den letzten Jahrzehnten suggeriert hat, dass es sich meistens nicht lohnt, eine defekte Sache zu reparieren, weil man für weniger Aufwand einen neuen und meist besseren Ersatz bekommen kann, hat nicht nur die Lebensdauer von Toastern, sondern auch das Verfallsdatum der Durchschnittsehe dramatisch sinken lassen. Das Durchhaltevermögen »in guten wie in schlechten Tagen«, dessen Absicht jeder Ehe zugrunde liegen sollte, geht immer mehr verloren, und damit auch eine zwischenmenschliche Kultur. Wer sich jedes Mal trennt, wenn es schwierig wird, mag ein Meister der Verdrängung sein – glücklich aber wird er durch das dauernde Weglaufen sicher nicht. Der Abschluss eines Ehevertrags, der letztlich nichts anderes ist als eine Spielregel für den schlimmsten Fall, senkt die Wahrscheinlichkeit einer dauerhaften Ehe um 47 Prozent. Diejenigen, für die eine Scheidung von vornherein eine Option ist, gehen erwiesenermaßen kritischer mit dem Partner um und trennen sich dadurch eher. Die Hoffnung, dass das Scheitern bescheiden und kompromissfähiger macht, ist also in den meisten Fällen trügerisch.

Beispiele gefällig? Tony Curtis gab zwar eindeutig zusammen mit Roger Moore in *Die Zwei* das beste Paar ab, doch als Ehemann von Kollegin Janet Leigh (von 1951 bis 1962), von Christine Kaufmann (1963 bis 1968) und Leslie Allen (1968 bis 1981) leistete der Schauspieler romantische Kärrnerarbeit. 1984 heiratete er dann kurzfristig die fast vierzig Jahre jüngere Schauspielerin Andrea Savio, 1993 eine Rechtsanwältin und schließlich 1998, im Alter von dreiundsiebzig Jahren, eine achtundzwanzigjährige Reitlehrerin. Auf hochgezogene Augenbrauen entgegnete er freimütig mit dem Motto seiner Autobiographie: *Ich mag's heiß*. Nun denn.

Es gibt aber auch Frauen, für die der Ehering ein offenbar

unverzichtbares Accessoire darstellt. »Ich wollte einen Ehemann und sieben Kinder, aber es kam andersherum«, sagte Lana Turner, die, genau wie Kollegin Liz Taylor, mit sieben Männern achtmal verheiratet war – einmal auch mit dem Jazzmusiker Artie Shaw, der seinerseits ebenfalls achtmal ewige Treue schwor und später nicht nur mit seinen ehelichen Eroberungen kokettierte: »Die Leute reden über meine Ehen, dabei sind die Frauen, die ich geliebt und nicht geheiratet habe, viel zahlreicher als die, die ich geheiratet habe.« Der amerikanische Showmaster Larry King, bislang ebenfalls achtmal verheiratet, hat das moderne Phänomen des ewigen Hochzeiters einmal exemplarisch entschlüsselt: »Ich liebte verschiedene Frauen in verschiedenen Phasen meines Lebens. Keine meiner Ex-Frauen wird Ihnen sagen, ich hätte sie schlecht behandelt. Mein Problem war meine Arbeit. Die stand immer an erster Stelle.« Diesen Satz würden wohl auch der Schriftsteller Norman Mailer (sechs Ehen), der Regisseur Ingmar Bergman (sechs Ehen) oder der Schauspieler Rex Harrison (sechs Ehen) unterschreiben, ebenso wie dessen jeweils fünfmal verheirateten Kollegen Curd Jürgens, Lex Barker, Johnny Weissmüller, Gert Fröbe oder Richard Burton. In Hollywood dauerten Dreharbeiten eben schon immer länger als manche Schauspielerehe.

Nun sollte man meinen, dass Philosophen ihre Sache aufgrund reiflicher Überlegung deutlich besser machen als die dem oberflächlichen Lebenswandel zugetanen Hollywoodgrößen. Der englische Philosoph Bertrand Russell, dem 1950 der Nobelpreis hauptsächlich für sein Buch *Ehe und Moral* verliehen wurde, bemerkte denn auch großspurig: »Man soll nie eine Dummheit zweimal begehen – die Auswahl ist groß genug.« Auf die Frage indes, was er persönlich denn von der Institution Ehe halte, gab er zur Antwort: »Sehr viel, sonst hätte ich sie selbst wohl kaum viermal ausprobiert.«

Zweite Aufführung gefällig?

Rückblickend wissen wir, dass gewisse Frauen und Männer viele Male geheiratet haben, doch darf man nicht vergessen, dass die Betreffenden keine Ahnung hatten, was oder vielmehr wer noch alles auf sie zukommen würde. Die Schauspielerin Ava Gardner mag in den drei heißen Phasen ihres Lebens geglaubt haben, diesmal sei es die Liebe fürs Leben, ebenso wie Brigitte Mira in ihren fünfen. Vielleicht dachte dies auch Erich Honecker bei jeder seiner drei Ehefrauen. Manche heiraten den Richtigen sogar gleich doppelt, ob im Film oder in der Hollywood-Wirklichkeit: Nicht nur Liz Taylor und Richard Burton, sondern auch Lana Turner und der Restaurantbesitzer Steve Crane oder Melanie Griffith und Don Johnson heirateten einander nach der Scheidung wieder. Alle diese Ehen scheiterten bei der zweiten Aufführung allerdings noch schneller als bei der Premiere. Hollywood, der Realität diesmal keinen Schritt voraus, bildete den neuen Typ der Romanze denn auch getreulich ab: Nicht mehr das Ehedebüt, sondern die zweite Heirat konnte durchaus im Mittelpunkt stehen – jedenfalls, wenn derselbe Partner auserkoren wurde wie zuvor, also der Eindruck einer gewissen lebenslustigen Promiskuität noch knapp vermieden werden konnte. Kann denn Ehe Sünde sein, wenn die Partner nach kurzer Bedenkzeit in fremden Armen wieder zueinander finden? Wunderbar ließ sich zumal das Gerangel der diversen Nebenbuhler um die Braut darstellen und der durch die Erfahrung zusätzlich gepfefferte Schlagabtausch zwischen den alten und neuen Eheleuten – ob in *Die Nacht vor der Hochzeit* von George Cukor, in der Cary Grant seine Ex-Frau Katherine Hepburn davon überzeugt, wenn überhaupt, dann nur noch einmal ihn zu heiraten, oder in Howard Hawks' Komödie *Sein Mädchen für besondere Fälle,* wo Cary Grant seine Ex-Frau Katharine Hepburn in letzter Sekunde vor deren zweiter Ehe mit einem anderen ebenfalls erneut für sich gewinnen kann: »Wenn wir feststellen, dass wir nicht im Guten miteinander auskommen, heiraten wir eben wieder.«

Fortsetzungen sind allerdings immer heikel – in Literatur und Film ebenso wie im wirklichen Leben. Die Chance, frühere Fehler auszugleichen, wird denn auch selten genutzt. Elizabeth Taylor fing selbst für damalige Verhältnisse recht früh mit der Ehe an. Mit achtzehn heiratete sie den Hotel-Milliardär »Micky« Hilton. Die Ehe dauerte neun Monate. Elf Jahre lang hielt Liz es ledig aus. 1952 war es wieder so weit: An der Seite des britischen Filmstars Michael Wilding, zwanzig Jahre älter als sie, wurde der Kinderstar zur Frau – und zur zweifachen Mutter. Eine Weile kehrte Ruhe ein, doch dann ging es Schlag auf Schlag. 1957, nach der Scheidung von Wilding, heiratete Liz den Filmproduzenten Mike Todd, dem zuliebe sie zum jüdischen Glauben übertrat. 1958 kam er bei einem Flugzeugabsturz um. In ihrer Trauer warf sich Elizabeth ihrem Trauzeugen, dem Sänger Eddie Fisher, an den Hals, der seinerseits noch verheiratet war. Der Skandal flaute erst ab, als das Paar 1959 das Ja-Wort hauchte. Doch vier Jahre später übernahm sie mit der Hauptrolle in *Kleopatra* auch die im Leben ihres Filmpartners Richard Burton, den sie 1964 heiratete. Die Ehe war produktiv: Sie drehten sieben weitere Filme miteinander, darunter Franco Zeffirellis Shakespeare-Adaption *Der Widerspenstigen Zähmung* und Edward Albees Ehehöllenstück *Wer hat Angst vor Virginia Woolf?*, das der Taylor ihren zweiten Oscar einbrachte. Zehn Jahre lang hielt das Paar mit seinem Ehestreit die Gazetten auf Trab. 1974 ließen sie sich scheiden, nur um im Jahr darauf erneut zu heiraten. 1976 die zweite Scheidung. Noch im selben Jahr heiratete Elizabeth Taylor zum siebten Mal, den Anwalt und Lokalpolitiker John Warner. Sechs Jahre später wurde auch diese Ehe geschieden. Ihre Filmangebote nahmen drastisch ab, ganz im Gegensatz zu ihrem Lebenshunger. Ihr achter Ehemann von 1991 bis 1996 war der Bauarbeiter und Trucker Larry Fortensky.

Beim nächsten Mal wird alles anders: kluge Zweithochzeiter

Wenn von den seriellen Monogamisten aber nichts Gutes zu halten ist, warum steht die Mehrfachehe so weit oben in der Evolution der Ehe? Der Grund sind die seriösen, klugen Zweitheirater. Auf ihnen ruht die Hoffnung. Denn es gibt zwar allerlei abschreckende Beispiele für renitente Wiederholungstäter. Aber es gibt eben auch jene, die geläutert aus einer ersten Ehe hervorgehen und beim zweiten Mal dauerhaften Erfolg haben – und gerade weil diese vor allem im privaten Umfeld statt in den Gazetten anzutreffen sind, wirkt ihre Methode lebensnah und realistisch. Zum fortschrittlichen vierten Platz der Mehrfachehe trägt aber auch ein bei diesem Thema unentbehrlicher Optimismus bei: In Liebesdingen muss man stets das Beste hoffen – das Schlechte kommt von selbst.

Alle Beteiligten in diesem Stadium müssen sich früher oder später mit einem uralten Zwiespalt herumschlagen: dem Problem, sich selbst treu zu bleiben und gleichzeitig einem anderen. Aber gerade in der Bewältigung dieses Konflikts zeigt sich, weshalb die seriösen Zweithochzeiter den seriellen Monogamisten überlegen sind.

Treue ist eine besondere Begabung, ein Talent, über das nicht jeder verfügt. Während wir nicht erwarten, dass der Chaot aus Liebe einen Ordnungsfimmel entwickelt oder der mit den zwei linken Händen plötzlich einen Zeichenkurs belegt, halten wir Treue jedoch für erlernbar. Zumindest muss sie erarbeitet werden, auch wenn es demjenigen noch so schwer fällt. Wobei der Schüler sich natürlich nicht darüber beklagen darf, dass es nicht ganz leicht ist: Das Bedürfnis, treu zu sein, gilt uns als natürliche Folge der Liebe. Dabei kann gerade die Treue, die einer Herzensanstrengung entspringt und nicht bloß eine angenehme Eigenschaft ist, wertvoll sein. Ist ein Mann treu, obwohl die erotische Unbeständigkeit ihn in seinen uräffischen Genen allenthalben juckt, wird ihm dies allerdings im Allgemeinen wesentlich höher angerechnet als den Frauen, deren natürliche Anhänglichkeit noch immer oft fälschlicherweise mit sexueller Beständigkeit verwechselt wird.

Um einen anderen gut kennen zu lernen, braucht es Zeit. Treue erscheint mir daher oft nur als eine unpräzise Umschreibung dessen, worauf es uns eigentlich ankommt: auf Dauer. Nicht nur seine Liebe und Zuneigung, auch seine unentwegte Präsenz in unserem Leben macht uns manchen Menschen unentbehrlich. Es gibt nur wenige, ohne die wir uns ein Leben weder vorstellen können noch wollen: Dies sind die Beziehungen, auf die es ankommt. Dauer verheißt Tiefe, Ernsthaftigkeit – und die Fähigkeit, Konflikte zu meistern. Insofern sind Ehen, die nach relativ kurzer Zeit, etwa im statistisch vom siebten auf das verflixte vierte vorverlegte Krisenjahr, getrennt werden, anders zu bewerten als solche, die über einen langen Zeitraum geführt wurden. Eine wenige Jahre haltende Ehe wird im Laufe eines durchschnittlich fünfundsiebzig Jahre währenden Lebens notwendigerweise mit der Zeit eher die Rolle einer Episode einnehmen als eine Beziehung, die zwanzig Jahre lang hält. Es sind diese Genugtuung und dieser Stolz darüber, einen weiten Weg miteinander gegangen zu sein, die die seriell Liebenden anders als die glücklichen Zweithochzeiter nie recht kennen lernen – und dementsprechend fehlt ihnen in Krisen die Ausdauer und der Glaube daran, auch große Schwierigkeiten bewältigen zu können. Mit dem erbitterten Streit verlieren sie die Zuversicht, die Zweisamkeit noch durch die Ehe konservieren zu können.

Emotionale Kurzstreckenläufer sehnen sich einerseits nach Dauer, verdächtigen sie andererseits jedoch auch als kaschierte Langeweile. Oft misstrauen sie schlicht der eigenen Fähigkeit zur Konstanz. Wer dagegen einmal lange liiert war, wünscht sich erfahrungsgemäß erneut eine dauerhafte Bindung – und hält den Statistiken zufolge auch eher durch. Skepsis gegenüber den seriellen Monogamisten ist also durchaus angebracht, ohne sie dadurch diskriminieren zu wollen. Gerhard Schröder hat selbst mehrmals gesagt, er wechsle alle zwölf Jahre die Ehefrau: Demnach befände er sich mit seiner vierten Frau, Doris Schröder-Köpf, bereits in der zweiten Halbzeit. Wer in einer zweiten Ehe dauerhaftes Glück sucht, sollte im eigenen Interesse darauf achten, dass der Partner schon vorher einmal Durchhaltevermögen bewiesen hat.

Bei manchen Paaren gelingt es dem Treuen aber auch, den Serientäter zu zähmen und so den Lauf der Monogamie in Serie zu bannen. Für Lauren Bacall und Humphrey Bogart beispielsweise schien zu gelten, was sie sich in ihrem wohl bekanntesten gemeinsamen Film, *Haben und Nichthaben* (1944), an den Kopf warfen. Er fragt brummig: »Was ist los mit dir?« Und sie antwortet provozierend: »Nichts, was du nicht in Ordnung bringen könntest.« In der Tat rückte Lauren Bacall ihren Mann derart ins Zentrum ihres Lebens, dass der anhaltende Mythos von Bogie und seinem Baby andere Männer in ihrem Leben nach seinem Tod – sie war erst 32, als er mit 57 Jahren an Krebs starb – kaum wahrgenommen hat. Nach einer kurzen Romanze mit Frank Sinatra – »He was a shit«, kommentierte sie seine rüde Auflösung der Verlobung kurz und bündig – heiratete sie zwar ihren Kollegen Jason Robards, kehrte jedoch bald in die Witwenrolle zurück.

Die Leistung bestand weniger darin, Mrs. Humphrey Bogart zu werden, als es zu bleiben. Denn anders als jene Männer, die ihre Frauen zwar ohne große Gewissensbisse betrügen, sich aber für

Helden halten, weil sie bei ihnen bleiben, heiratete Humphrey Bogart prinzipiell jede Frau, mit der er ernstlich etwas anfing – jedenfalls wenn er gerade nicht anderweitig vergeben war. Lauren Bacall war seine vierte Frau, er ihr erster Mann. Sie stand noch ganz am Anfang ihrer Karriere, er bereits auf dem Gipfel der seinen. Doch ihr war die Rolle in seinem Leben wichtiger als die auf der Leinwand. Nach den drei ikonischen Filmen, die das Paar zusammen drehte – auf *Haben und Nichthaben* folgten 1946 *Tote schlafen fest* und 1948 *Gangster in Key Largo* – sank jedoch Bacalls Stern am Hollywoodhimmel. Die Flitterwochen hätten dreieinhalb Jahre gedauert, sagte sie selbst rückblickend – bis zur Geburt des Sohnes Steve. Ihre uneingeschränkte Aufmerksamkeit musste Bogart gelten. Als der 1950 *African Queen* mit Katharine Hepburn drehte, ließ seine Frau den gerade einjährigen Sohn über Monate in der Obhut eines Kindermädchens zurück, um bei den Dreharbeiten an der Seite ihres Mannes sein zu können. Er ging vor – überdies war es ihr Wunsch gewesen, Kinder zu haben, nicht seiner, wie sie zugab: »Ich wollte ihm etwas geben, das er von seinen vorherigen Frauen nicht bekommen hatte.« Unglücklicherweise bekam Steves Nanny einen Herzinfarkt, als das Flugzeug mit Bogart und Bacall gerade abgehoben hatte. Bacall, die erst nach der Landung in Afrika davon erfuhr und dennoch am Set der Dreharbeiten blieb, wurde von der Öffentlichkeit als Rabenmutter beschimpft. Ungerührt widmete sie sich in den elf Jahren der Ehe ganz ihrem Mann und behauptet bis heute, dies sei das Geheimnis ihres Glücks gewesen: »Ich habe meine Karriere meiner Ehe zuliebe hintangestellt und sie hat darunter gelitten. Ich bereue das nicht. Man muss seine Wahl treffen. Wenn man eine gute Ehe führen will, muss man sich darum kümmern.« Die Legende der großen Liebe umgibt sie bis heute, auch wenn ihr eigentliches Leben – fünf Jahrzehnte, in denen sie nicht mehr Mrs. Humphrey Bogart war – das einer allein erziehenden Mutter war. Die Arbeit, die sie in der Ehe mit Bogart geopfert hatte, wurde später zu ihrem Lebensinhalt, zu ihrem Mittel der Selbsterhaltung. Aber Bacall-Bogart beweisen, dass selbst ein ausgemachter serieller Monogamist sich in den Händen des richtigen Partners zu einem seriösen Zweitheirater mausern kann.

Private Helden

Die Vielfachhochzeiter sind ein Phänomen, dem man vor allem in Zeitschriften begegnet, während jene, die beim zweiten Mal ein glücklicheres Händchen beweisen, eher im privaten Bereich die Norm sind. Dass der zweite Kandidat besser zu einem Menschen passt als der erste, ist da häufig zu beobachten – ein erfreulicher Ausblick für die Geschiedenen unter den Singles, mit denen wir es noch zu tun bekommen werden. In den allermeisten Fällen handelt es sich bei den seriösen Zweitehen um Beziehungen, in denen die Beteiligten die vorherige emotionale Niederlage reflektiert und verarbeitet haben. Für sie ist die nächste Ehe nicht eine Flucht und eine Ablenkung, sondern eine Chance. Leonard hat sie genutzt.

Knapp zwei Jahre nach seiner Scheidung von Sophie hat Leonard wieder geheiratet. Bella, seine neue Frau, ist in vieler Hinsicht das genaue Gegenteil von Sophie. Wo Sophie hektisch wurde, bleibt sie ruhig, wo Bella noch über ein Malheur lachen kann, flogen mit Sophie schon die Fetzen. Leonard vermisst seine frühere Frau nicht, aber er denkt noch ab und zu an sie, und vergleicht seine damalige Ehe mit seiner jetzigen. Natürlich hatte zwischen Sophie und ihm eine große Vertrautheit bestanden, aber sie waren sich eigentlich nie einig gewesen – außer in erotischer Hinsicht. Mit Bella hingegen war er vom ersten Moment an glänzend ausgekommen. Sie haben sich so vieles zu erzählen, und anders als Sophie, die ihn dauernd unterbrach, Fragen stellte oder Einwände machte, ist Bella eine gute Zuhörerin, was Leonard genießt. Wo Sophie und er längst vorm Fernseher eingedöst waren, sitzen Bella und er oft bis spätabends zusammen. Sie sind eigentlich immer einer Meinung, sei es in ihrer Beurteilung anderer, in Geschmacksfragen oder in ihren Wünschen und Vorstellungen. Nach den endlosen Streitereien mit Sophie empfindet Leonard das harmonische Zusammensein mit Bella täglich aufs Neue als Befreiung. Zugegeben: Seine Beziehung zu Bella mag weniger romantisch beflügelt sein als einst seine leidenschaftlichen Gefühle für Sophie, aber er ist froh, diesmal mit beiden Beinen auf der Erde geblieben zu sein. Vielleicht liegt es an seinen realistischeren Erwartungen, dass er sich in seiner zweiten Ehe viel ausgeglichener und zufriedener fühlt als zuvor. Mit Bella sucht er nicht verkrampft nach Gemeinsamkeiten, und es gibt auch kein gegenseitiges Misstrauen oder Beleidigtsein, wie es zwischen Sophie und ihm zuletzt so oft geherrscht hatte. Wenn sie sich streiten, suchen sie einen Kompromiss. Es ist weniger überschwengliche Verliebtheit, die ihn an Bella bindet, als tiefes Vertrauen und großer Respekt. Und zum ersten Mal versteht er, wovon jene reden, die behaupten, eine wirklich gute Beziehung würde von Jahr zu Jahr besser. Jeden Abend freut er sich schon auf dem Heimweg darauf, Bella zu sehen. Leonard hat seinen Frieden gemacht.

Schlussplädoyer: Doppelt gemoppelt hält nicht schlechter

Grundsätzlich gilt, im Leben wie in der Literatur: Eine unglückliche Ehe erzeugt immer mehr Sympathie als eine friedliche Scheidung. Wer sich also in Aufmerksamkeit und Mitleidsbekundungen suhlen will, bleibt besser verheiratet. Oft erweist sich aber auch eine vielversprechend erscheinende nächste Bindung als solcher Flop, dass man wünschte, sie nie eingegangen zu sein.

In diesen Fällen hätte man sich und anderen tatsächlich viel erspart, wenn man gleich beim ersten Partner geblieben wäre – das gilt vor allem für die aus der Verbindung hervorgegangenen Kinder, denen die Trennung der Eltern erwiesenermaßen oft so in den Knochen sitzt, dass sie später selbst lauter unglückliche Bindungen eingehen. Anna, die überlebende Tochter von Alma Schindler und Gustav Mahler, heiratete beispielsweise ihrerseits fünfmal, ohne in einer der Ehen je glücklich zu werden.

Folgeehen scheitern vor allem dann, wenn sie eingegangen werden, ohne dass das Misslingen der vorigen Ehe verarbeitet wurde. Da dieser Prozess jedoch langwierig und schwierig ist, wirkt die Möglichkeit, zu neuen Horizonten aufzubrechen und die hoffnungslos malade Vergangenheit zugunsten einer schönen Zukunft hinter sich zu lassen, auf viele allemal verführerischer. Wer sich jedoch in immer neue Ehen oder Beziehungen stürzt, ohne dazwischen zur Besinnung zu kommen, läuft Gefahr, das alte Beziehungsmodell mit all seinen Illusionen zu wiederholen. Aller Wahrscheinlichkeit nach erleidet man dann erneut Schiffbruch. Daher erleben gerade die seriellen Monogamisten zwar oft im Verlauf ihrer Bindungen das gesamte Spektrum der Ehe-Evolution am eigenen Leib, im tiefsten Herzen jedoch sind viele von ihnen Dauer-Singles, die nur so tun, als hätten sie immer wieder die ideale Beziehung gefunden und festgenagelt.

Alle Menschen sind klug – aber die meisten sind es wohl doch eher nachher als vorher. Natürlich schützt Erfahrung gerade in romantischer Hinsicht nicht vor weiteren Torheiten, aber immer mehr Wiederholungstäter mit heißem Herzen werden in ihren Beziehungen tatsächlich glücklicher als die idealistischen Anfänger. Zwar senken die Klassenletzten, die seriellen Monogamisten, auch hier ein wenig die Bewertung des Gesamtfeldes. Dennoch kann man der Mehrfachehe durchaus passable Erfolgschance zuschreiben, denn diejenigen, die aus ihren Fehlern gelernt haben, wenden das Gelernte dann in ihren zweiten, manchmal auch dritten Ehen tatsächlich an. Umso mehr möchte man denen, die beim nächsten Mal richtig machen, was im vorigen Anlauf schief ging, Mut zur Dauer wünschen: Denn dann steigen die Chancen, eines jener vielen merkwürdigen Grundgesetze der Liebe zu erleben, das besagt, dass häufig gerade das zusammenwächst, was es mit dem Zusammenwachsen nicht eilig hat.

Das Paradox, dass viele Menschen sich scheiden lassen, nur um gleich darauf den Menschen zu heiraten, um dessentwillen sie sich getrennt haben, lässt sich nicht auflösen. Manche sehen darin den zweifelhaften Versuch, neues Glück auf dem Unglück anderer aufzubauen – und stellen die Mehrfachehe damit von vornherein unter einen schlechten Stern. Mindestens so bedenklich scheint mir, dass diese Betrüger nur zu gut wissen, dass es um ihre wechselseitige Treue im Verführungsfall nicht allzu solide bestellt ist – wie soll man also jemandem, der zusammen mit uns seinen letzten Partner betrogen hat, künftig jemals trauen, ohne zu fürchten, dass man demnächst selbst der Hintergangene sein könnte? Dass die seriellen Monogamisten auf keinen Fall das beste, höchstens das teuerste Mittel gegen die erotische Langeweile in der Ehe gefunden haben, dürfte außer Frage stehen. Doch auch die seriösen Zweithochzeiter mögen zwar endlich zur Ruhe gekommen sein, sind deshalb jedoch keineswegs vor neuerlichen Überraschungen gefeit: In der Liebe gibt es keinen Stillstand. Um die weit verbreitete Sehnsucht nach Abwechslung und wie sie sich möglicherweise sinnvoll ins Eheleben integrieren lässt, geht es daher im fünften Stadium der ehelichen Evolution.

Die Ehe zu dritt: Bermuda-Dreieck der Liebe oder erfolgreiche Paartherapie?

»Das Joch der Ehe ist so schwer, dass man mindestens zwei Personen braucht, um es zu tragen – manchmal auch drei.«
ALEXANDRE DUMAS D. Ä.

»Ich kann die dauerhafte Liebe zu zwei Frauen nur empfehlen. Sie wirkt wie eine wunderbare Doppelverankerung in der Welt. Man wird mit Liebe gemästet, und das ist genau das, was ich brauche. Die Liebe zu zwei Frauen ist weder obszön noch gemein noch besonders triebhaft oder lüstern. Sie ist im Gegenteil völlig normal (und normalisierend), sie ist eine bedeutsame Vertiefung aller Lebensbelange.« WILHELM GENAZINO, »DIE LIEBESBLÖDIGKEIT«

Und ewig lockt die Leidenschaft

Auf die Frage, was das Leben ausmache, lautet die häufigste Antwort: lieben und geliebt werden. Vulgo: Es gibt nichts Gutes, außer man schmust es. Die allermeisten Menschen betrachten ihr Liebesleben als Privatkunstwerk. Da Langeweile der Tod aller Kunst ist, ist es immer gefährlich, wenn zwei Eheleute sich langweilen. Noch viel gefährlicher aber ist es, wenn sich nur einer von ihnen langweilt. Wer je innerhalb einer Liebesbeziehung an einen anderen Menschen gedacht hat, weiß, dass jenes noch so kleine Vakuum, das man eher zufällig mit Gedanken an eine bestimmte andere Person gefüllt hat, sich schnell zu einem klaffenden Loch ausbreiten kann. Der Wandel vom sympathischen Interesse zur Erwartung, vom gedanklichen Umkreisen zur bloß eingebildeten oder wahrhaftig empfundenen Verliebtheit kann sich binnen kürzester Zeit vollziehen. Bereitwillig lässt sich der gelangweilte, unterforderte oder rastlose Mensch in eine Verführungshysterie treiben, die er selbst angezettelt hat und in der er dann nur noch nach der Person trachtet, die er gerade zu entbehren meint. Das Verständnis für diese Sehnsucht, sich mit neuem, fremdem Liebesvirus zu infizieren, trotz fester Bindung ab und zu ins Frühstadium der Liebe zurückzufallen, ist die beste Voraussetzung für jede Dreiecksbeziehung und somit auch die Ehe zu dritt.

Das Verbotene zieht uns unwiderstehlich an – und dank unserer komfortabel ausgestatteten Leben können wir immer mehr Energien erübrigen, die dafür sorgen, dass es nicht nur beim Träumen vom Unerlaubten bleibt. In einer Zeit, die keine Tabus mehr kennt, erscheint die Aufforderung: Träume nicht dein Leben, lebe deinen Traum!, eher als Frage des Willens als der Möglichkeiten. Kein Wunder, dass viele die Sinnkrise immer früher und häufiger heimsucht. Bei manchen Männern taucht sie mit vierzig erstmals auf und kehrt dann circa alle fünf Jahre wieder bis an die Siebzig, mal in Gestalt eines Motorrads, mal als Jagdschein und mal als Sammlerleidenschaft für alte Schnupftabakdosen.

Wie schon erwähnt, stellt sich die weit verbreitete *midlife crisis* jedoch vor allem als *mid-wife crisis* dar, also als Kurschatten, Skihase oder Ärmelkusine. Helmut Dietls Serienheld Monaco Franze bezeichnet diese äußerst labile, zu jeder Waghalsigkeit zu bewegende Herzenshaltung verheirateter Herren in den »besten Jahren« angesichts der neunzehnjährigen Kosmetikerin Jacqueline als »erotisches Heimweh«.

Aber auch die Frauen überkommt durchaus Lust nach Abwechslung. Die »tolle Münchner Gräfin« Franziska zu Reventlow, deren Ehe mit einem Gerichtsassessor wegen »fortgesetzer Untreue« ihrerseits geschieden wurde, beschrieb ihr Lieblingsszenario der erotisch aufgeladenen Begegnung im Buch *Amouresken* (1912): »Der ganz große Reiz ist das Erlebnis mit einem Fremden. Ich sitze abends im Lesezimmer eines Hotels. – Er auch, aber an einem anderen Tisch. – Ich schreibe. – Er liest. – Er schaut hier und da herüber. – Ich auch. – Ich weiß gleich, dass er es ist. – Er weiß auch, dass ich es bin.« Und die französische Kurtisane und Salonière Ninon de Lenclos bezeichnete ihre ungezählten Liebschaften als »Caprices« und bedauerte, nicht noch mehr davon erlebt zu haben: »Viele Eroberungen scheitern an der Ungeschicklichkeit der Männer, und nicht an der Tugend der Frauen.«

Wie der Philosoph Sören Kierkegaard in seinem brillant verstörenden Gedankenspiel zwischen Ethik und Ästhetik, dem Buch *Entweder – Oder* (1843) zeigt, kennt Sinnlichkeit kein Davor oder Danach, sondern nur das Jetzt. Die Ehe jedoch hebt diese Unmittelbarkeit des Begehrens auf, macht sie gar unmöglich. Mit ihren Höhen, Tiefen und langen Phasen der Gleichförmigkeit, die sich erst mit Blick auf ihre Dauer verstehen und einordnen lassen, ist die Ehe das Gegenteil von Impulsivität. Da die Liebe aber ihrem Wesen nach sowohl seelisch wie sinnlich ist, aber eben nicht immer beides zugleich, bleibt ein wichtiges Bedürfnis im Ehestand oft ungestillt: die Verliebtheit ins Verliebtsein; die Sehnsucht danach, gegenwärtig, kunstvoll, ja poetisch zu lieben; die Freiheit, zu verführen und selbst verführt zu werden und das raffinierte Liebesspiel mit seinen Verhüllungen, Listen, Ironien immer wieder neu zu erleben. In der Ehe wird aus dem freiwilligen Spiel Zwang. Wie Kierkegaard es ausdrückte: »Mit der Ehe siegen die Götter. Da wandelt die einstmals

Verführte an des Ehemanns Seite durchs Leben, schaut ab und zu voll Sehnsucht zurück, findet sich in ihr Los, bis dass sie des Lebens Grenze erreicht hat.«

Diese triste Vision weiblicher Duldsamkeit ist glücklicherweise verschwunden. Sie wurde durch eine andere, geradezu verblüffend aktive ersetzt. So konnte man in der Diskussion um die Zulässigkeit von Vaterschaftstest den Eindruck bekommen, dass jede zweite Frau fremdgeht und durchaus imstande ist, ihrem Mann im Zweifelsfall ganz unverfroren Kuckuckskinder unterzuschieben, während sich die armen Möchtegernväter von früh bis spät für den Nachwuchs abrackern, den sie gar nicht gezeugt haben. Statistiken behaupten, dass nicht nur vier Fünftel aller Ehemänner, sondern auch die Hälfte aller Ehefrauen schon einmal fremdgegangen sind – und die Dunkelziffer soll hier noch weit höher sein.

Nun ist Ehebruch kein schönes Wort, doch der Tatbestand, den es bezeichnet, liegt der Ehe zu dritt gewissermaßen zugrunde. Der einzelne Ehebruch mag zwar die Ausnahme sein – dass er vorkommt, ist nichtsdestotrotz die Regel. Mit einer neuen Leidenschaft trösten wir uns über die Langeweile mit dem einst Begehrten hinweg. »Lust auf was Neues« ist Umfragen zufolge der häufigste Grund fürs Fremdgehen. Übersprungshandlungen und Ersatzbefriedigungen zur kulturellen Einbettung der biologischen Bedürfnisse – wie zum Beispiel der weibliche Schuh- und Lippenstiftkauf, das männliche Tüfteln an Modelleisenbahnen, Autos oder die schweißtreibenden Ermüdungsversuche beider Geschlechter im Sportstudio – helfen da nur bedingt. Damit der aufgeklärte Alltag also nicht direktemang in ein lustloses Einerlei übergeht, erscheint irgendwann ein Dritter auf der Bildfläche, mit dem die Liebe zur Abwechslung einmal nicht wie Schwerstarbeit anmutet.

Doch während Amouren früher, da die Ehe fürs Bankkonto,

die Geliebte aber fürs Herz gut war, eher in gesundheitlicher als psychologischer Hinsicht als riskant galten und aufgrund ihrer anerkannten, gleichwohl niemals laut postulierten Selbstverständlichkeit kaum je einen Trennungsgrund darstellten, hat die Liebe heute exklusiv zu sein. Früher wurde zu Hause gezeugt und anderswo geliebt; inzwischen gehören Erotik und Gefühl untrennbar und heillos zusammen. Wer diese Bereiche dennoch trennt, begeht ein Verbrechen, das Monogamisten seit Jahrhunderten fürchten wie der Teufel das Weihwasser: Betrug. Für 91 Prozent der Frauen und 86 Prozent der Männer, die sich in Umfragen dazu geäußert haben, ist Treue für eine erfüllte Partnerschaft extrem wichtig. Fast die Hälfte aller Frauen und mehr als 80 Prozent der Männer bekennen allerdings auch, ihrem Partner schon einmal untreu gewesen zu sein. Doch obwohl die Sehnsucht nach Abwechslung allenthalben praktisch bestätigt wird, wird sie auf persönliche Nachfrage hin stets vehement abgestritten: Ich doch nicht! Der Buhmann ist immer der andere.

Tierisch treu?

Der Biologe Konrad Lorenz hegte die schöne Hoffnung, dass sich die Freuden der Monogamie von den Graugänsen lernen ließen, die allerdings inzwischen als betrügerisches Gesindel enttarnt wurden, die gern den Partner wechseln. Schwäne hingegen gelten nach wie vor als treu, doch ist nicht geklärt, in welchem Zusammenhang dazu ihre notorisch schlechte Laune steht. Lässt sich der kluge, verträgliche Umgang mit dem Trieb im Tierreich lernen, wo sich nicht nur im Dienste der Fortpflanzung, sondern auch zum Vergnügen gepaart wird? Während die Bonobos das Kamasutra offenbar schon nachturnten, bevor Adam sich Eva auch nur genauer angeschaut hatte, herrscht bei den Gibbons gern Damenwahl. Dort sind es vor allem die Weibchen, die

Seitensprünge wagen, und auf diese Weise durchaus Partnerschaften zu dritt initiieren. Bei unseren nächsten Verwandten, den Schimpansen, herrscht sowohl Promiskuität wie Treue, ganz nach Belieben.

Die von John Steinbeck in seinem Roman *Von Mäusen und Menschen* (1937) mit düsterer Grandezza geäußerte These, die Menschen seien in ihren Trieben zwar animalisch, aber eben auch so unschuldig wie die Tiere, lässt sich heute längst wissenschaftlich belegen. Die Erkenntnis, dass lediglich fünf Prozent aller Säugetiere monogam veranlagt sind, ist für Betrogene dann auch so wenig überraschend wie tröstlich.

Wer gerade entdeckt hat, dass der eigene Gefährte eine Affäre hat, dem hilft auch die Gewissheit nicht, dass es den meisten Wesen des Planeten wissentlich oder unwissentlich ähnlich ergeht. Nun würde uns die Treue der Tiere nicht beeindrucken, wenn die Treue unter Menschen weiter verbreitet wäre: Mit Konrad Lorenz träumen wir den Graugans-Traum von der angeborenen Treue bis heute, wenngleich die Wissenschaft nicht nur diese gefiederten Freunde, sondern auch uns Menschen längst für ungeeignet zur Einehe erklärt hat.

Bevor wir uns mit der tierisch menschlichen Veranlagung zur Untreue einfach so abfinden, sei daher noch die Frage gestellt, was die polygamen von den treuen Spezies unterscheidet.

Zu den raren Letzteren zählt die beständige Präriewühlmaus, die uns schon früher in Erstaunen versetzt hat, während ihr Cousin, die ordinäre Feldwühlmaus, sich zwanghaft flirtiv verhält. Amerikanischen Forschern ist es gelungen, das monogame Liebesgen der Präriemaus zu isolieren und es per Virus auf die Feldverwandtschaft zu übertragen. Und siehe da: Sofort verlor diese das Interesse an saloppem Sex mit jeder scharfen Maus, die gerade des Weges getrippelt kam, und hatte Augen nur noch für den gegenwärtigen Partner. Hexerei? Natur!

Wer erfüllt liebt, fühlt sich zufrieden und bleibt bei dem, der ihn glücklich macht: Hinter diesem Glücksgefühl, so die Erklärung der Wissenschaftler, steckt das wunderbare, uns bereits bekannte Hormon Vasopressin, das die männliche Präriemaus beim Geschlechtsakt massenhaft ausschüttet. Die Feldbewohner dagegen werden durch ihr Sexualverhalten nicht hormonell belohnt und sehen sich daher immerfort nach einer neuen Maus fürs Leben um.

Nun hat die Vorstellung von lauter glücklichen, treuen Mäusen und Menschen durchaus etwas für sich. Doch was, so wäre zu fragen, würde dann aus der Welt? Was aus den Ersatzhandlungen, den geistigen und körperlichen Höchstleistungen, mit denen wir unsere Triebhaftigkeit zu unterdrücken, zu sublimieren oder zu erklären suchen? Die schöne Literatur könnte mehr oder weniger komplett einpacken, das Theater zumachen, und das Fernsehen wäre wahrscheinlich gar nicht erst erfunden worden, geschweige denn Serien wie *Dallas, Denver-Clan* oder *Sex and the City*. Fußball fände auf dem grünen Rasen und nicht in der *Bunten* statt, die es dann im Übrigen wohl auch nicht mehr gäbe. Praktikantinnen, Masseusen oder Journalistinnen würden in der Politik nicht mehr mitmischen; der Schokoladenabsatz ginge rasant zurück, während dem Stör endlich die Möglichkeit gegeben würde, sich zu regenerieren. Mitglieder des deutschen Hochadels könnten den Kostenpunkt »Kaviar«, ein Euphemismus für »Bordellausgaben«, getrost von ihren monatlichen Fixkostenabrechnungen streichen; Geschäftsmänner hätten dank dutzendfach ausfallender »Meetings«, »Seminare« und »Wochenend-Workshops« viel mehr Zeit für die treuliebende Gattin, die dadurch in ihrer Freizeitgestaltung empfindlich gestört würde. Ebenso wäre die ohnehin gebeutelte Wirtschaft harsch getroffen, denn Hotels, Freudenhäuser, Dessous-Hersteller und Champagnerfirmen würden einen Großteil ihrer Kundschaft verlieren.

Was für das Leben gut ist, schadet manchmal auch der Kunst. In seinem Film *Manhattan* bringt Woody Allen die männliche Einstellung resolut auf den Punkt: Gerade erst hat der Drehbuchschreiber Isaac Davis seinen Job an den Nagel gehängt, um endlich ein Buch zu schreiben, da will seine Freundin bei ihm einziehen und spricht von Kindern. »Wieder ein Roman im Eimer«, ist seine lakonische Reaktion auf die monogamen Absichten der Geliebten.

Entsetzt stellen wir fest: Was man als Ehepartner begrüßen würde, lässt sich weder kulturell noch ökonomisch verantworten. Und wer sich selbst treu bleiben will, kann nicht immer auch noch einem anderen die Treue halten.

Das sagenhafte Monogamie-Molekül der Präriemaus ist in deren Heimat im Mittleren Westen der Vereinigten Staaten deshalb gar nicht so schlecht aufgehoben. Wir hingegen müssen lernen, mit seiner Abwesenheit umzugehen.

Auf Spurensuche

Weil die genaue Unterscheidung zwischen der gewöhnlichen, vertuschten Bett- und der offiziellen nebenehelichen Liebesgeschichte für dieses Evolutionsstadium wesentlich ist, sollen gewisse praktische Erwägungen nicht ganz außer Acht gelassen werden. Woran also kann man merken, dass der Partner eine Affäre hat? Vergessen Sie herkömmliche Indizien wie erhöhte Handyrechnungen, angeblich verlegte Kreditkartenbelege, Büroarbeit bis in die späten Abendstunden oder auffallende Lustlosigkeit im heimischen Bett! Der gewiefte Fremdgeher wird hierfür stichhaltige Erklärungen parat haben. Man achte stattdessen auf unerklärlichen Gewichtsverlust und ein verstärktes Interesse am Aussehen – Männer in mittleren Jahren beginnen, sich die Haare zu tönen, schwarze Hosen und, in schlimmen Fällen, sogar schwarze Hemden zu tragen. Ganz naive Herren überführen sich selbst, indem sie erstmals in Eigenregie die Waschmaschine betätigen. Frauen geben derweil für einen Hauch von seidigem Nichts stattliche Summen aus und tragen mit einem Mal wieder Spitzenwäsche, wie ihr Gatte sie wahrscheinlich seit langem nicht mehr an ihnen gesehen hat. Männer wie Frauen gehen ins Solarium, bis die Dauerbräune zum Dauergrinsen passt. Und alle riechen stets auffallend frisch parfümiert.

Beide Geschlechter sind um die Mittagszeit oder am frühen Abend trotz Handys, BlackBerrys, GPS und anderer technischer Fußfesseln kaum zu erreichen. Sekretärinnen flöten, der Chef sei in einem Meeting oder beim verlängerten Lunch; Kindermädchen schwören, die Dame des Hauses sei beim Frisör/bei der Pediküre/müsse noch schnell etwas besorgen.

Zur großen Überraschung des Ehepartners zeigen Männer wie Frauen lebhaftes Interesse an neuen Hobbys – Frauen reden plötzlich von Wandertouren, lesen die Financial Times oder warten bei den Abendnachrichten erstmals die Bundesligatabelle ab. Männer besuchen auf einmal interessiert Galerien und Museen und blättern in den Modemagazinen ihrer Frauen, ohne sich über deren thematische Eintönigkeit zu beklagen. Außerdem nehmen sie unter der Woche für den Weg ins Büro nie mehr den Familienkombi, sondern stets den flotten Zweitwagen. Hotelführer weisen Gebrauchsspuren auf, obwohl kein Urlaub in Sicht ist. Fortbildungen, Seminare und Tagungen umfassen mit einem Mal mindestens eine Übernachtung. Kochkurse werden belegt, ohne dass daheim nennenswerte kulinarische Erfolge zu verzeichnen wären. Sind die Betrüger zusammen in einem Raum, erkennt man sie daran, dass sie einander kaum begrüßen und sich höchstens verstohlene Blicke zuwerfen. In Restaurants handelt es sich meist um die Pärchen in den dunkleren Ecken, die wenig essen und reichlich trinken, Händchen halten, viel lachen und sich beim angeregten Gespräch tief in die Augen blicken. Kein Zweifel: Anständig verheiratete Leute würden sich nie so benehmen!

Die heikle Kunst der Affäre

Aber warum ist der Ehebruch, der doch so alt ist wie die Institution der Ehe selbst, heute trotz aller Aufgeklärtheit so häufig Grund zur Trennung? Den Vertrauens- und Vertragsbruch, der ihn ausmacht, trägt er bereits im Namen. Manchmal ist er tatsächlich nicht mehr als eine kurze, belanglose Affäre, ein One-Night-Stand, eine Unterbrechung des Gewohnten. Aber in unserer romantisch aufgeladenen Gefühlskultur scheint es selbst den Männern immer schwerer zu fallen, ihre Gefühle mit den Schuhen vor dem Zubettgehen abzustreifen. Und darum ist der herkömmliche, triebhafte Ehebruch zu einem tendenziell tragischen, weil leidenschaftlich gefühlvollen Akt geworden, der sich für die, die ihn ausüben, jenseits von simplen Einteilungen wie Gut und Böse zu befinden scheint. Kann denn Liebe Sünde sein?

Schlimmer, da zerstörerischer noch, ist aber der Ehebruch, den man nicht mal bereuen kann: Wer mit jemandem fremdgeht, der ihm nichts bedeutet, dem fällt es logischerweise schwer, dies zu bereuen, da es wenig zu bereuen gibt. Man fühlt sich gewissermaßen unschuldig, da man nicht mit dem Herzen bei der Sache war. Zwar kann es einen durchaus reuen, eine bedeutsame Sache für eine bedeutungslose aufs Spiel gesetzt zu haben, doch besteht oft die Schwierigkeit, dies glaubwürdig zu vermitteln.

Und so stolpern heute viele Ehen nicht über die große Liebesgeschichte, sondern lediglich über vergleichsweise banale Affärchen. Wenn sich jemand Hals über Kopf verliebt hat und mit dem Objekt der Begierde ein neues Leben beginnen möchte, ist das eine Sache: Dagegen lässt sich mit Argumenten wenig ausrichten, und, wie demütigend und schmerzvoll diese Nachricht auch für Partner und Familie sein mag, so darf sie doch auf ein gewisses ratloses oder verzweifeltes Verständnis rechnen. Gegen Liebe ist nun mal kein Kraut gewachsen. Wenn aber jemand nur auf Abfuhr sexueller Spannung aus war und von sich aus nicht im Traum daran denken würde, den Ehegatten zu verlassen – warum lässt er dann die Gespielin oder den Lover nicht sausen, wenn es brenzlig wird? Wobei es aller Erfahrung und Beobachtung nach vor allem Männer sind, die sich in solchen Fußangeln verheddern – wohl auch, weil vor allem ihre Untreue meist eines Tages ans Licht kommt. Immer wieder frage ich mich: Warum fällt es Männern so schwer, einen Fehltritt zuzugeben, sich vor ihren Frauen auf die Knie zu werfen, sie um Verzeihung zu bitten, Besserung zu geloben und eine Affäre einfach zu beenden?

Vielleicht liegt es daran, dass die meisten schon als Kinder nie hören wollten, wenn es hieß, man müsse aufhören, wenn es am schönsten ist. Auf Nachfrage bekommt man jedenfalls nie eine überzeugende Antwort, sondern meist hilfloses Gestammel geboten. Natürlich erlischt Gefühl nicht auf Befehl, und auch die swingenden Hormone tragen zur Trotzhaltung bei. Und in Zeiten, wo »immer gleich auf Liebe gemacht wird«, wie Herbert Grönemeyer sang, fällt das Vergessen einer Romanze schwer – was, wenn sie gebeichtet wird, nicht mehr nur für den Betrüger, sondern auch für die betrogene Partnerin gilt, die den Zwischenfall später immer wieder aufs Tapet bringt. Da lügen die meisten lieber munter weiter und streiten alles ab.

Die Frauen sind allerdings auch nicht ganz unschuldig an den Männer-Lügen, die sie nur allzu gerne glauben möchten. »Der viel gerühmte weibliche Instinkt gleicht einem Seismographen, der den Sturz eines Blumentopfs anzeigt, aber beim Ausbruch des Ätna versagt«, seufzte die italienische Schauspielerin Anna Magnani, die es aus leidvoller Erfahrung mit Roberto Rossellini gewusst haben dürfte. Wer es geschafft hat, nicht den Erstbesten, sondern den Besten zuerst zu heiraten, und in diesem einen treuen, humorvollen und großzügigen Gatten gefunden zu haben meint, möchte eben oft nicht hinschauen, wenn er sich irgendwann als fremdgängerischer Lügenbold entpuppt.

Das Verhalten der Gemahlinnen mag zwar auch nicht immer tadellos sein, aber sie sind auf jeden Fall geschickter im Geheimhalten und Vertuschen einer Affäre, wie Psychologen bestätigen, die diesbezüglich den Rang der modernen Beichtväter eingenommen zu haben scheinen. Der weibliche Erfindungsreichtum in Sachen Alibi, der oft auf einer besonders lebhaften Phantasie beruht, hat allerdings auch Nachteile. Frauen riechen es nämlich förmlich, wenn sie hintergangen werden – und malen sich dann Szenarien aus, deren gruselige Details ihnen so sehr zusetzen, dass die Aussicht darauf, die Wahrheit zu erfahren, daneben vergleichsweise erträglich erscheint. Männer dagegen stecken lieber den Kopf in den Sand, als ihre Partnerin mit dem Verdacht der Untreue zu konfrontieren: Nicht auszudenken, sie würde es zugeben – denn dann wäre man womöglich gezwungen, darauf zu reagieren. Und in Zeiten, da das Duellieren nicht mehr gestattet ist, bedeutet das vor allem, dass eine aufgeflogene Liebschaft Konsequenzen für die eigene Beziehung hat: Sei es, dass deren Berechtigung ganz in Frage gestellt wird oder daran gearbeitet werden muss, das geschwundene Vertrauen wieder herzustellen. Anstrengend wird es allemal.

Frauen beichten einen Seitensprung daher öfter, als dass er ihnen nachgewiesen wird, während die meisten von ihnen bestätigen können, dass schuldige Ehemänner selbst bei erdrückender Beweislast eine schlechte Lüge der Wahrheit fast immer vorziehen, und damit ihre Partnerinnen nicht nur verletzen, sondern auch noch beleidigen. Das schlichte Vergehen wird oft mit ausgefeilten Ablenkungsmanövern vertuscht: So mancher Mann erleichtert sein Gewissen lieber mit dem Geständnis einer belanglosen Bekanntschaft, als dass er die jahrelange Affäre zugibt. Und fühlt sich dann auch noch als Held der Wahrheit!

Von »platonischen« Freundschaften und »hysterischen« Ehefrauen

Ich habe einmal so einen Fall erlebt, aus zweitnächster Nähe sozusagen. Eine Freundin erzählte mir, sie habe den Verdacht, von ihrem Mann betrogen zu werden. Ich beruhigte sie, wiegelte ab, hielt das Ganze für völlig unwahrscheinlich – schließlich waren die beiden seit knapp fünfundzwanzig Jahren verheiratet. Mir schien damals, es gebe so etwas wie eine Altersgrenze für Betrug, ähnlich wie für waghalsige Sportarten. Männer mit Mitte sechzig schienen mir auf der sicheren Seite angekommen, und Ehen, welche die Volljährigkeit ihrer Kinder erlebt hatten, ebenfalls. Doch die Freundin wurde immer unruhiger, wollte ihrem Mann aber auf keinen Fall hinterherspionieren.

Durch eine Verkettung unglücklicher Umstände war ich es dann, die ihn mit seiner Freundin erwischte. Händchen haltend und küssend sah ich sie in einem Museum – und machte auf der Stelle kehrt, um eine für alle Seiten peinliche Begegnung zu vermeiden. Anschließend überlegte ich, was zu tun sei. Ich beschloss, ihn mit meinem Wissen zu konfrontieren – und meine Freundin gleichzeitig von diesen Neuigkeiten zu verschonen. Also rief ich ihn an und schlug ihm einen Handel vor: Ich würde schweigen, wenn er den Kontakt zu der Frau abbräche. Er war empört. Zunächst stritt er ab, überhaupt je in Begleitung einer fremden Dame ein Museum aufgesucht zu haben, dann gab er zwar zu, mit einer »flüchtigen Bekannten« dort gewesen zu sein, aber geküsst habe er sie eindeutig, hundertprozentig nicht, auf gar keinen Fall, da hätte ich mich offensichtlich verguckt.

Am Abend rief mich meine Freundin an. Ihr Mann war nach Hause gekommen und hatte ihr von meinem Anruf berichtet. Er teilte ihr mit, er sei zwar tatsächlich mit besagter Frau im Museum gewesen, aber es handle sich um eine rein platonische Beziehung, und er sehe eigentlich nicht ein, warum er nicht auch weiterhin Ausflüge mit ihr machen solle, da die Sache ja völlig unschuldig sei. Nur aus Rücksicht auf ihre Gefühle habe er nichts davon erzählt. Wenig später fuhr er mit seiner »platonischen« Freundin zwecks weiterer ausführlicher Museumsbesuche in die Schweiz und nach Ungarn. Über seine Reisebegleitung hat er seine Frau allerdings nicht in Kenntnis gesetzt, sondern so getan, als fahre er allein: Mit einer »derart hysterischen« Ehefrau an seiner Seite könne er sich unmöglich erholen. Außerdem bezichtigte er sie der krankhaften Eifersucht; seine Beziehung zu der knapp dreißig Jahre jüngeren Frau sei schließlich »rein intellektueller Natur«. Ein jahrzehntelanger Freund der Familie, der es besser hätte wissen können, tröstete meine Freundin mit der Bemerkung, eine gute Ehe müsse so etwas aushalten. Auch ein zweiter Frühling gehe irgendwann vorüber. Sie hat dann eine Weile abgewartet, doch die Geschichten, die der Mann erzählte, wurden immer unglaubwürdiger, und er machte keinerlei Anstalten, die »platonische Freundschaft« weniger intensiv zu pflegen – im Gegenteil. Nach einigen Monaten setzte sie ihn vor die Tür. Er zog daraufhin zu seiner jungen Flamme in die Stadt und beklagte sich gleichzeitig bitterlich, seine Frau habe ihn der anderen geradezu »in die Arme getrieben«, er habe gar keine andere Wahl gehabt, als sie irgendwann auch zu seiner Geliebten zu machen. Inzwischen sind meine Freundin und ihr Mann seit fast zehn Jahren getrennt.

Wie bei all solchen Ehebruchsgeschichten sind die einzelnen Wendungen auch an dieser nur zu menschlich und verständlich, und man wünscht ihm und seiner – inzwischen wohl tatsächlich nur mehr platonischen – Freundin alles Gute. Die Liebesgeschichte haben seine Frau und seine Tochter ihm meines Wissens inzwischen längst verziehen. Aber die haarsträubenden, unwürdigen Lügen können sie nicht vergessen.

Das Othello-Syndrom

Dass eine Dreiecksbeziehung mehrheitlich aus der uralten Konstellation Mann, Frau und Geliebte besteht, hat neben psychologischen auch klare biologische und evolutionsgeschichtliche Gründe: Während die meisten Männer den Gedanken, ihre Frau könne mit einem anderen schlafen, viel schlimmer finden als die Vorstellung, sie könne sich in einen anderen verlieben, ist es bei Frauen genau umgekehrt. Für sie ist es wesentlich schmerzhafter, wenn ihr Mann zu einer anderen Frau eine starke emotionale Bindung aufbaut, als wenn er »nur« Sex mit ihr hat. Männer wie Frauen neigen gleichermaßen zur Eifersucht, doch die Auslöser sind unterschiedlich – aus gutem Grund: Während die Frau fürchten muss, dass ihr Gatte sie mit dem Nachwuchs sitzen lässt, wenn er sich in eine andere verliebt, will ihr Gefährte von jeher sicher sein, nicht das Kind eines Konkurrenten aufzuziehen. Diese Gefahr besteht aber erst dann, wenn seine Frau mit einem Rivalen nicht nur flirtet, sondern auch ins Bett geht.

Wie Psychologen festgestellt haben, fällt es Männern viel schwerer als Frauen, einen Seitensprung zu verzeihen; ihre erste Reaktion besteht meistens darin, die Beziehung zu beenden – wenn sie nicht gleich total ausrasten: Sexuelle Eifersucht ist das häufigste Motiv beim Mord des Ehemanns an seinem Nebenbuhler oder seiner Gattin – Shakespeares Othello und seine Gattin Desdemona lassen grüßen. Eine weltweite Untersuchung hat ergeben, dass die Untreue der Frau für Männer der wichtigste Scheidungsgrund ist; allein in Deutschland geben 35 Prozent aller Männer, wenn sie die Scheidung einreichen, dies als Grund an. Für die Frau ist die Geliebte ihres Mannes also offenbar leichter zu ertragen als der Lover seiner Frau für den Ehemann.

Liebe, Treue und Verrat ergeben jedoch immer eine explosive Mischung – und die kann teuer werden. In den allermeisten Fällen führt die Entdeckung einer ausführlichen ehelichen Untreue zur Trennung und letztlich zur Scheidung. Doch sie ist eher der letzte Auslöser als der eigentliche Grund, warum Paare auseinander gehen. Denn meistens wird erst zur Seite gesprungen, wenn die Leidenschaft in der Ehe selbst nachgelassen hat. Hat sich das Kribbeln erst verflüchtigt, wird der Blick auf den Partner zwangsläufig nüchterner. Und so kommen triste erotische Verhältnisse und geistige Verschleißerscheinungen zusammen und vermengen sich zur Fleisch gewordenen Versuchung in Gestalt des unbekannten Dritten.

Alles eine Frage des Adrenalins

Sicher: Variatio delectat. Aber wenn er uns so viel Ärger einbringt – warum neigen wir überhaupt zum Seitensprung? Der Grund ist erschreckend banal: Ehebruch verheißt Risiko und damit einen höheren Adrenalinausstoß. Es gibt Anthropologen, die überzeugt sind, dass die Menschheit schon aus der schieren Sehnsucht nach Abwechslung und Aufregung heraus den Krieg erfunden hat. Daneben ist der Ehebruch vergleichsweise harmlos. Doch selbst wenn Leidenschaft sich selbst heiligt, weil sie eine der stärksten Empfindungen ist, deren wir fähig sind, so ist sie doch kein Dauer-, sondern immer ein Ausnahmezustand. Darum fällt es so schwer, zwischen Normalität und Leidenschaft zu entscheiden. Wir möchten beides, den Kuchen essen und ihn behalten – auch wenn man längst weiß, dass Illusionen nicht satt machen. Aber verabschieden können wir uns auch nicht von ihnen. Das

Kribbeln im Bauch, mit dem man zu einem heimlichen Rendezvous geht, erscheint romantischer als die Heimkehr in die eheliche Wohnung, wo der Partner bereits vorm Fernseher eingeschlafen ist. Erst wer außer sich gerät, meint, ganz bei sich zu sein. Dieses beglückende Erlebnis der Unmittelbarkeit, das in Ehen so oft fehlt, ist der Erfüllungsgehilfe aller Affären. Und gerade die Tatsache, dass die Untreue in vielen Fällen, wo sie entdeckt wird, tragische Folgen zeitigt – die Auflösung einer bis dahin glücklichen Partnerschaft oder gar Familie –, macht sie perverserweise auch zu einem großen emotionalen Erlebnis, einer privaten Katharsis, die ein Leben ähnlich stark verändern kann, wie es einst die Eheschließung tat.

Die Motive, die zum Betrug führen, sind weniger prosaisch als der Akt, der ihn ausmacht: Für viele, gerade ältere Männer kommt er, bewusst oder unbewusst, einem Auflehnen gegen die eigene Vergänglichkeit und Sterblichkeit gleich, einer Rückkehr in die Zeit ihrer Jugend. Die sinnliche Erinnerung an Zeiten, in denen noch alle Wege offen standen und das Leben voller Möglichkeiten schien, nicht nur in erotischer Hinsicht, hat etwas Beflügelndes. Oft ist der für alle Beteiligten traurigste Fall gerade jene letzte Affäre, die sich jemand gönnt, bevor er sich anschickt, ein ernsthafter, gesetzter älterer Herr zu werden – und zwar hoffentlich an der Seite seiner noch vorhandenen Frau und nicht der Geliebten, und damit auch frei von der Sorge, das junge Wesen könnte ihn eines Tages mit einem knackigen Kellner oder Gärtner betrügen. Gebildete, elegante und würdevolle Männer haben ihre grandiosen Frauen verloren, weil sie es nicht fertig brachten, der jungen Geliebten rechtzeitig den Laufpass zu geben. Solche Fälle haben etwas Tragisches, weil die Männer ihre eigene Situation und damit deren nicht vorhandene Zukunftsaussichten durchaus reflektieren, aber offenbar dennoch unfähig sind, Konsequenzen aus ihren Erkenntnissen zu ziehen. Am Ende gehen alle getrennte Wege: Die Ehefrau, die angeekelt ist von der unendlich hinausgezögerten Affäre ihres Mannes; die Freundin, die spürt, dass sie nicht geliebt, sondern lediglich begehrt wird; und der Mann, der allein übrig bleibt und dem diese wenig erbauliche Erfahrung die Lust auf weitere Eskapaden gründlich vertrieben hat. Der oft frappierend große Altersunterschied bei späten männlichen Amouren hat auch mit einer alten Erkenntnis zu tun: Männer möchten die erste große Liebe einer Frau sein; Frauen die letzte große Romanze eines Mannes. Für beide besteht dazu in einem gewissen Alter die letzte Chance.

Der wahre Kavalier genießt und schweigt

Da die meisten Männer eher schwach sind, die Liebe oder ihre Illusion sie aber stark macht, und sei es nur das Glitzern in den Augen einer attraktiven Frau, betrachten sie Liebesaffären als Herausforderung. Doch gehen erfolgreiche Herren, die sich und anderen längst bewiesen haben, wozu sie in der Lage sind, souveräner damit um als schlichte Gemüter wie Monaco Franze und seinesgleichen, bei denen der Schwanz mit dem Mann wedelt.

Fortgeschrittene Männer sind nicht auf der Suche nach Betthasen, sondern nach etwas Besonderem. Da sie fast ausnahmslos bereits außergewöhnlich faszinierende, schöne und kluge Ehefrauen haben, sind es nur wenige Damen, die ihre Aufmerksamkeit tatsächlich neu fesseln können. Dann aber lassen sie sich bei ihrer Eroberung durch nichts einschüchtern oder aufhalten, weder durch Ehemänner, Liebhaber oder berufliche Verpflichtungen, am ehesten noch durch Kinder, wenn diese noch klein sind – nicht die eigenen, wohlgemerkt, sondern ausschließlich jene der Kandidatin. Liebesaffären im altmodischen Sinn, also solche, in denen es weniger um sexuelle Abwechslung als um auswärtige Liebe geht, ereignen sich interessanterweise erst, wenn der Mann tatsächlich etwas zu verlieren hat, aber sicher sein kann, dass dies nicht passieren wird. Denn von ihm hängt auch für andere zu viel ab: für seine Frau, seine Familie, sein Unternehmen. Er genießt so großes Ansehen, dass es ihm wegen einer Frauengeschichte niemals abhanden kommen könnte. Wer genau hinsieht, wird bemerken, dass diese Männer ihre Affären weder besonders vertuschen noch geheim halten. Sie sind diskret, aber nicht aus Furchtsamkeit, sondern weil Diskretion in Liebesdingen immer angebracht ist. Wenn sie an einen Ruf denken, dann an den der Geliebten, denn über sie, den männlichen Part, wird ohnehin niemand etwas Böses sagen. Der Kavalier genießt und schweigt. Er nimmt nicht den Hintereingang und ist nicht verlegen, wenn beim Tête-à-Tête jemand ins Restaurant kommt, den er kennt. Dem Ansehen von Männern wie J.F. Kennedy oder François Mitterrand, Willy Brandt oder Prinz Bernhard der Niederlande konnte eine solche Lappalie wie eine oder mehrere Nebenfrauen mit oder ohne unehelichem Kind selbst im Medienzeitalter ebenso wenig etwas anhaben wie der Popularität Bill Clintons schlussendlich die mehr öffentliches Aufsehen als private Lust erzeugende Angelegenheit mit seiner Praktikantin.

Es ist vielmehr Hillary Clinton, deren politische Karriere noch heute vom Mitleidsfaktor zehrt, den der Betrug ihr unter Tausenden von solidarisch fühlenden Frauen einbrachte, ebenso wie die Einschaltquoten von Sabine Christiansens Talkrunde zunächst durchaus von dem tragischen Ende ihrer Ehe mit Theo Baltz profitiert haben dürften, der zugunsten von Kollegin Ulla Kock am Brinck desertiert war. Auch Nicole Kidman wurde erst zum Megastar, als Tom Cruise sie schäbig verlassen hatte und männliche wie weibliche Kinofreunde mit der Australierin fühlten – und neben ihrer Schauspielkunst auch ihre Contenance bewunderten.

An den gequälten Redewendungen und Versteckspielen, die

solche Entwicklungen meist begleiten, lässt sich ganz nebenbei ein erstaunlicher Rückfall in prüde Zeiten beobachten. Die ständigen Beteuerungen, man habe nichts miteinander und sei lediglich »gut befreundet«, sind so sinnlos wie peinlich. Wenn Prominente sich trennen, heißt es immer, »keine dritte Partei« habe damit etwas zu tun, bevor eine Illustrierten-Ausgabe später der fotografische Gegenbeweis mit Schmuseszenen von Händchenhalten bis Zehennuckeln geliefert wird. Wie erfrischend wirkt neben den verbissenen Statements etwa einer Angelina Jolie (»Ich schlafe grundsätzlich nicht mit meinen Co-Stars«) doch eine Elizabeth Taylor, die auf Fragen nach ihren wechselnden Partnern nie um eine Antwort verlegen war: »Erwarten Sie etwa von mir, dass ich allein schlafe?«

Ehebruch, wie er im Buche steht

Die schöne Literatur, von jeher auf der Seite der rasenden Herzen, erklärte den Ehebruch früh zum bevorzugten Thema, wobei die strategischen Winkelzüge des betroffenen Partners durchaus mit zum Repertoire gehören konnten. Penelopes Gatte Odysseus wird von Circe und Calypso verführt, Lancelot betört Guinevere, die Frau seines Königs Artus, und Henry Fieldings Teufelskerl Tom Jones erlebt ein Schäferstündchen mit einer gewissen Mrs. Waters. Die Zeiten jedoch, da man sich an verbotene oder jedenfalls verpönte Werke halten musste, um genauer zu erfahren, wie es bei einer Affäre so zugeht, sind zum Glück auch literarisch vorbei. »Dann sah er sie an, mit diesem furchtbaren Verlangen in den großen, glühenden Augen. Sie war vollkommen unfähig, sich ihm zu widersetzen. Aus ihrer Brust flutete die Antwort ungeheurer Sehnsucht zu ihm. Sie musste ihm alles geben, alles.« So steht es nicht etwa bei Rosamunde Pilcher oder Hedwig Courths-Mahler, sondern in *Lady Chatterley* (1928) von David Herbert Lawrence. Im englischen Nottinghamshire gab es abgesehen von den feschen Förstern nicht viel Ablenkung für die Heldin, die Frau des kriegsversehrten Sir Clifford, und Frieda von Richthofen scheint als Gattin von D.H. Lawrence ähnlich empfunden zu haben. Der Roman, für dessen Protagonistin sie Modell stand, brachte Männern immerhin als erstes seriöses Werk der Weltliteratur bei, dass Sex länger als drei Minuten dauern sollte.

So fasziniert sie über ihn lesen, so ungern sprechen die Menschen über Ehebruch, schon gar nicht jene, deren Ehen ihn erlebt und überlebt haben. Es liegt in der Natur der Sache, dass man auch nicht gerne danach fragt. Dass jedoch die Überlegung, wie sich die Liebe zu zwei verschiedenen Personen mit der Institution der Ehe nur vertragen mag, die Menschheit schon seit langem umtreibt, beweist die siebte Novelle des sechsten Tages in Boccaccios *Decamerone*. Es ist im Gegensatz zu den meisten anderen Ehebruchsgeschichten eine ermutigend heiter endende Episode, obwohl die untreue Filippa dem Tod nur knapp entgeht. Ihr Ehemann Rinaldo, der seine Frau in den Armen Lazzarinos ertappt, möchte am liebsten beide auf der Stelle erschlagen: der älteste und bekannteste Reflex des Betrogenen. Filippa, von ihrer Verliebtheit auf Edelste beflügelt, erscheint wahrheitsbereit vor dem Gericht, obwohl man ihr zur Flucht geraten hat. Der Richter gibt ihr zu verstehen, sie solle alles abstreiten, sonst werde er nicht umhinkommen, sie zu verurteilen.

Stattdessen jedoch hält die Angeklagte eine flammende Rede, die noch nach sechshundert Jahren frappierend ist in der Eindringlichkeit der Argumentation. Sie sagt: »Es ist wahr, dass Rinaldo mein Gatte ist und dass er mich in der vergangenen Nacht in den Armen des Lazzarino antraf, in denen ich aus tiefer und inniger Liebe schon oft geruht habe, und ich werde es nie leugnen; aber wie Ihr gewiss wissen werdet, müssen Gesetze allgemein sein und mit Zustimmung derer abgefasst werden, auf die sie sich beziehen. Dies ist aber bei Eurem Gesetze nicht der Fall, es legt nur den armen Frauen eine Verpflichtung auf, die weit besser als die Männer viele befriedigen könnten … Nun frage ich, Herr Richter, wenn er stets von mir erhalten hat, was er bedürfte und verlangte, was soll ich mit dem beginnen, was mir noch übrig blieb? Sollte ich es den Hunden vorwerfen? Ist es nicht weit besser, einen edlen Mann, der mich über alles liebt, damit zu erfreuen, als es ungenützt verderben zu lassen?« Daraufhin kommen alle Zuhörer zu dem Schluss, die Dame habe Recht und könne für ihre Liebesmüh unmöglich bestraft werden. Auch wenn es nicht ausgesprochen wird, ist klar, dass Filippa fortan neben ihrem Ehefraudasein sich auch offiziell als Geliebte Lazzarinos wird betätigen dürfen. Eine Auflösung, wie sie im Buche steht – leider wohl nur dort. Und leider ist sie auch da eher eine Ausnahme.

Denn selbst die freiheitsliebende Literatur kann den Ehebruch der Frau bei aller Sympathie letzten Endes nicht wirklich gutheißen, so gern sie ihn auch beschreibt. Sie hat uns Ehebrecherinnen vorgeführt, die aus Langeweile untreu werden, solche, die es aus wahrer Leidenschaft, und solche, die es aus Berechnung tun. Daran, dass die meisten ihrer (hauptsächlich männlichen) Schöpfer fanden, dass sie nach ihrem amoralischen Benehmen wenigstens den Anstand haben sollten zu sterben, lässt sich unschwer erkennen, dass Frauen, die sich einen Liebhaber nehmen, nicht gut gelitten sind. Emma Bovary, Anna Karenina, Fräulein Else – sie alle, die mit ihren Ehemännern wenig anfangen konnten und sich in einen anderen verlieben, müssen mit dem Tod dafür bezahlen. Erst Anton Tschechow, Henry James und Theodor Fontane hatten etwas mehr Mitgefühl mit ihren unglücklich verheirateten Heldinnen – wenngleich die Männer, die sie ihnen zur Abwechslung vorsetzen, auch nicht wesentlich fesselnder oder geistreicher sind als die matten Ehemänner.

Noch in großen Werken der Gegenwart wird manche außereheliche Liebe mit dem Tod bezahlt: In Michael Ondaatjes Roman *Der englische Patient* (1993) kommt die untreue Gattin Katherine Clifton nach einem Flugzeugabsturz um; in Grahame Greenes *Das Herz aller Dinge* (1948) begeht der seiner Frau und seinen Prinzipien untreu gewordene Major Scobie Selbstmord, weil es ihm nicht gelungen ist, »das Glück der anderen zu schützen«. John Updikes Sittengemälde *Ehepaare* (1968) schildert die aberwitzigen Versuche von zehn befreundeten Ehepaaren, der Langeweile im Städtchen Tarbox durch wackeren Partnertausch zu entgehen. Der Roman mündet in die vielfach ironisch gebrochene Aussage, dass die Angst vor dem Tod zwar erotisch und künstlerisch überwunden werden kann, doch dass eben auch der Sex nicht immer hält, was er verspricht.

Die Versuchsanordnung, eine Dreierbeziehung um eine vierte Person zu erweitern, damit sich ein gemischtes Doppel daraus ergeben kann und alle auf ihre Kosten kommen, ist in der Regel ebenfalls zum Scheitern verurteilt, wie Goethes *Wahlverwandtschaften* exemplarisch und in ihrer Nachfolge zahlreiche andere Romane vorführen, etwa Dieter Wellershoffs *Liebeswunsch,* wo die sich überkreuzende Liebesgeschichte zweier Paare ebenfalls mit Tod und Trauer endet.

Die Ehe zu dritt: Kein Zeitvertreib für jedermann

Mit herkömmlichen Affären und Seitensprüngen darf die Ehe zu dritt aber keineswegs verwirklicht werden. Ohne Zweifel scheitern viele Ehen an den Verhältnissen. Aber man sollte nicht ungerecht sein: Es sind auch schon sehr schöne Verhältnisse an den Ehen gescheitert. Manchmal jedoch gehören zu einer glücklichen Ehe tatsächlich mehr als zwei Personen, wie schon Oscar Wilde vermutete. Mit der Ehe zu dritt ist nämlich kein

Arrangement gemeint, wie es früher in vielen Ehen üblich war und gelegentlich noch sein mag, keine Josefsehe und keine stillschweigende Vereinbarung, nicht ausschließlich miteinander zu schlafen, dem anderen aber alle Freiheiten zu lassen, ein Pakt, wie ihn etwa der Schriftsteller Elias Canetti und seine Frau Veza bei ihrer Vermählung 1934 schlossen. Bei der Ehe zu dritt muss die Beziehung der beiden Ehegatten unverrückbar im Zentrum stehen, als Sonne, um die in gehörigem Abstand dritte Personen höchstens als Planeten kreisen können. Denn die Ehe zu dritt meint nicht die offene Ehe: Diese ist oft genug lediglich das bittere letzte Stadium vor der endgültigen Trennung und Scheidung.

Historisch gesehen, war die Ehe zu dritt vor allem der herrschenden Aristokratie vorbehalten; bis heute gehört neben einem Quentchen Freizeit ein fortgeschrittenes Stadium der moralisch gefestigten, philosophisch bewanderten und psychologisch verständigen Aufklärung dazu, für die Menschen in Geldnot und Berufsstress zumeist nicht genug Zeit und Energie haben. Es gab aber Epochen, als nicht nur heißblütige Franzosen, Italiener und Spanier selbstverständlich neben der Ehefrau eine Geliebte hatten, sondern auch die braven Deutschen, denen Sachsens Kurfürst August der Starke mit seiner Vorliebe für Mätressen, insbesondere die berühmt gewordene Gräfin Cosel, imponiert haben mochte.

Nun ist die Auswahl, Ausbildung und Unterhaltung von solchen Nebendamen traditionell, ähnlich wie Polo, Hunderennen und Oldtimer, eher ein Zeitvertreib der besitzenden Klassen. Die Kunst der Vielweiberei wird niemals demokratisch sein. Mätressen sind kein Opium fürs Volk. Weltgewandte Könige, Staatspräsidenten und Großindustrielle, Finanzmogule und Verleger, kurz: Männer in ihrem Karriere-Zenit hatten stets bessere Voraussetzungen dazu als Angestellte, die hektisch der nächsten

Beförderung oder Gehaltserhöhung hinterherhetzen. Männer, die sich ihrer selbst und ihrer Position in der Welt nicht sicher sind, lieben nicht zwei Frauen gleichzeitig. Sie mögen Affären haben, von Bett zu Bett stolpern, aber sie führen niemals eine glückliche Ehe und haben eine Liebesgeschichte mit einer anderen Frau. Sie mögen sich vielleicht ähnlich unverzichtbar vorkommen wie James Bond, der auf den Satz der Geliebten »James, ich brauche dich!« nur antwortete: »England auch«, geben jedoch eher ein so komisch-trauriges Bild ab wie der New Yorker Literaturwissenschaftler Kugelmass aus Woody Allens Kurzgeschichte *Das Zwischenspiel mit Kugelmass,* den seine aufreibende Affäre mit Emma Bovary erst um sein Erspartes, dann beinahe um seine Frau und schließlich um den Restverstand bringt.

Fragiles Trio der Lust

Die Ehe zu dritt ist keine Beziehung im Sinne eines Entweder-oder, sondern eine Liebe des Auch. Was sie seit je schwierig bis unmöglich macht, ist die Forderung, dass sie als veritable Ménage à trois, also als Liebe zu dritt, gelebt werden soll. Diese schöne Idee kam, ganz wie der allumfassende Liebesanspruch, erst im romantisch vereinnahmenden neunzehnten Jahrhundert auf. Der vertraute Dreier unter Freunden, ob flott oder nicht, mag eine vor allem unter Männern verbreitete Sexualphantasie sein, doch in der Realität geht irgendwann meist eine Zweierbeziehung daraus hervor, für die einer auf der Strecke bleiben muss – oder alle drei. »In einem Trio der Lust ist immer einer der Verratene, oft sind es auch zwei«, schrieb Colette, die es wissen musste – schließlich war ihre um 1900 skandalöse und daher ungeheuer erfolgreiche *Claudine*-Romanserie der Wirklichkeit entlehnt, in der sie von ihrem schürzenjagenden Ehemann zu außerehelichen

Kontakten ermuntert wurde. *Jules et Jim,* der durch Truffauts gleichnamige Verfilmung berühmt gewordene Roman von Henri-Pierre Roche, schildert die autobiographische Geschichte von der Liebe des Autors zur Frau seines deutschen Freundes Franz Hessel. Zunächst ist es eine leidenschaftliche Beziehung zu dritt, doch die Frau kann das ersehnte Gefühlsgleichgewicht zwischen den beiden Männern auf Dauer nicht finden. Der Roman endet mit dem Tod der Liebenden. Gala dagegen, von ihrem Mann, dem französischen Dichter Paul Éluard, ebenso geliebt wie von dem befreundeten deutschen Maler Max Ernst, litt unter ihrer Neigung zu beiden Männern, die von 1922 bis 1924 währte. Wenn zwei sich streiten, freut sich ein dritter: Und so heiratete Gala später den spanischen Exzentriker Salvador Dalí.

Boris Pasternak verarbeitete in *Doktor Schiwago* seine eigene Ehe zu dritt. Wie der Held des Romans wurde auch der russische Schriftsteller, der den Nobelpreis 1958 aus politischen Gründen ablehnen musste, von zwei Frauen geliebt. Tagsüber hielt er sich bei seiner Geliebten Olga Iwinskaja und deren Töchtern auf, abends wanderte er zurück zu Ehefrau und Söhnen in die familiäre Datscha im Künstlerdorf Peredelkino. Beide Frauen kam ihre Liebe zu dem Schriftsteller teuer zu stehen: Olga, das Vorbild für Lara, wurde vom KGB »wegen Nähe zu spionageverdächtigen Personen« zu fünf Jahren Arbeitslager verurteilt und später, nach der Veröffentlichung des in der Sowjetunion verbotenen *Doktor Schiwago* in Italien (1960), erneut verhaftet. Während sie sich danach um die Verwaltung seines Nachlasses kümmerte, blieb der völlig isolierten Ehefrau Sinaida Neuhaus nach dem Tod ihres Mannes nichts als dessen Worte: »Lass Dir nichts einreden, wenn ich sterbe. Du allein bist mein voll gelebtes, bis zum Ende ausgekostetes Leben gewesen.« Im Roman macht der Arzt Schiwago aufgrund seiner Begabung und durch die Heirat mit der Tochter aus gutem Haus eine glänzende Karriere, doch die bolschewistische Oktoberrevolution erschüttert sein Weltbild und damit auch seine Selbstsicherheit. Die Lehrerin Lara, der er schon früher einmal begegnet ist, wird zu einem neuen Mittelpunkt in seinem Leben: »Sie hatten einander geliebt, weil alles ringsum es so wollte: die Erde unter ihnen, der Himmel über ihnen, die Wolken, die Bäume … Niemals, niemals, nicht einmal in den Momenten höchsten Glücks, verließ sie dieses Erhabene, Ergreifende: die Seligkeit, gemeinsam die Welt zu formen, das Gefühl, Teil des Gesamtbildes zu sein, die Empfindung, zu dem schönen Schauspiel, zum Universum, dazuzugehören.« Pasternak wie Schiwago lieben beide, Frau und Geliebte, gleichermaßen und können sich bis zum Tod innerlich von keiner ganz trennen.

Die Ehe zu dritt ist eben in der Realität nur in den seltensten Fällen eine Ménage à trois, in der alle drei friedlich zusammenleben, oder gar eine bigamistische Lebensform, wie sie etwa Goethe beim Liebesschauspiel *Stella* vorschwebte. In der Urfassung endete das Stück mit einem gesellschaftlichen Donnerschlag, nämlich einer Doppelehe Fernandos mit Stella und Cäcilie, ausformuliert als eine Liebe, die »selig Eine Wohnung, Ein Bett und Ein Grab« fassen soll. Fernando schließt beide Frauen in die Arme, und Cäcilie hat das letzte Wort: »Wir sind dein!« Doch dabei durfte es nicht bleiben – die Zeitgenossen empfanden diese Auflösung als frivol und skandalös. 1803 ließ Goethe das Stück daher als Trauerspiel enden: Cäcilies Vorschlag zur Dreiergüte kommt zu spät, Fernando erschießt sich, und Stella stirbt einen einsamen Gifttod.

Fortschrittliche Phantasien

Doch mitnichten zeigten sich alle Literaten derart skeptisch gegenüber der Ehe zu dritt. So findet sich auch manch positiver Entwurf eines harmonischen Dreierbunds. Bereits auf der Höhe der klassischen Zeit hatte man sich in der in schönen Gefühlen schwelgenden Epoche einen frischen Blick auf die Ehe angewöhnt: Sie galt nicht mehr als unverbrüchlich und unantastbar. Wo es darum ging, alle Schranken der Konvention niederzureißen, da schien den »schönen Seelen« auch das Recht gegeben, in einen geschlossenen Ehebund hinein oder aus ihm heraus mit einer anderen »fühlenden Seele« einen neuen Sonderbund zu schließen. So weit war man allemal als Jünger Jean-Jacques Rousseaus, der in *Julie* oder *Die Neue Heloise* (1761) mit schönem Beispiel voranphantasiert hatte. Das gescheite und mutige adelige Fräulein Julie liebt ihren Lehrer, den gebildeten Herrn Saint-Preux. Heiraten aber muss sie standesgemäß. Doch Herr von Wolmar ist ein Ehrenmann, der Verständnis hat für ihre Neigung zu Saint-Preux. So darf der einst erotisch und noch immer seelenvoll Geliebte zurückkehren, um die Kinder zu erziehen, und man bildet einen glücklichen, schöngeistigen, in einem Hause vereinten Zirkel – allerdings ohne außerehelichen Sex. Aber die Ehe zu dritt meint ja auch keineswegs allein die sexuelle, sondern die aufrichtig liebende Verbindung zu einem weiteren Partner. Insofern ist das Rousseau'sche Szenario geradezu vorbildlich.

Mindestens so berühmt war eine ähnliche Dreiecksbeziehung, die sich im ausgehenden achtzehnten Jahrhundert in Deutschland tatsächlich ereignete, wenngleich auch sie sich vor allem in Blicken und auf dem Briefpapier abspielte. Der Dichter Friedrich Hölderlin kam als Lehrer in das Frankfurter Patrizierhaus der Familie Gontard, wo er sich unsterblich in die Mutter seiner Eleven verliebte. Er verewigte Susette Gontard als Diotima in seinem Briefroman *Hyperion* (1797/99). Auch in ihr erblühte der »Genius der Liebe«, und während der knappen drei Jahre, die Hölderlin bei den Gontards verbrachte, wohnte die Seligkeit in Blicken, Gesten und Worten, auch wenn das äußere Leben aller Beteiligten weiterhin untadelig vonstatten ging. Doch die

Pflichten der Ehefrau und Mutter ließen den Gedanken an eine Trennung nie aufkommen. Von der Begegnung mit Hölderlin jedoch bewahrte Susette einen Glauben an das »allmächtige Wesen der Liebe, das uns ewig unsichtbar leiten und immer mehr und mehr verbinden wird«.

Die englische Schriftstellerin und Aristokratin Nancy Mitford, die selbst einen Großteil ihres Lebens als Geliebte eines französischen *Homme à femmes* zubrachte, hat in ihren Romanen und Biographien immer wieder Ehefrauen und Mätressen von geistig überlegenen und gesellschaftlich und finanziell unabhängigen Männern beschrieben: Beweis, dass diese altmodisch anmutende Praxis durchaus auch im zwanzigsten Jahrhundert noch elegant umgesetzt wurde. Unnachahmlich präzise und dabei höchst humorvoll schildert Nancy Mitford zumal die Situation konkurrierender, doch ebenbürtiger Frauen, die durch die gemeinsame Liebe zu einem Mann zu Verbündeten, sogar Freundinnen werden können. Zwischen ihnen herrscht das unausgesprochene Einverständnis, dass sie einander nichts nehmen. Die Geliebte, die oft ihrerseits verheiratet ist, würde mit der Ehefrau weder tauschen können noch wollen, und umgekehrt verhält es sich ebenso. In *Sein Sohn Sigi* (1953) hat sich die unbedarfte junge Engländerin Grace in den ungemein flotten französischen Aristokraten Charles-Edouard verliebt und ihn geheiratet. Als sie mit ihm in Frankreich ankommt, ist die Landpomeranze geschockt von den eleganten, makellos gepflegten französischen Frauen, von ihren Unterhaltungen und vor allem von ihren Amouren. Die ganze Idee einer Liebesaffäre ist ihr völlig fremd – und dann noch mit weiblicher Billigung! So ist sie völlig verdutzt, als Charles-Edouard ihr von Monsieur de la Bourlie erzählt, dem Liebhaber seiner Großmutter. »›Ihr Geliebter?‹ Grace war zutiefst erschüttert. ›Ist sie nicht ein bisschen zu alt, um einen Geliebten zu haben?‹ – ›Hängt Liebe vom Alter ab?‹ Charles-Edouard sah derart überrascht aus, dass Grace sagte: ›Ach – ich dachte nur so. Vielleicht ist ja auch gar nichts dabei.‹ Er lachte schallend auf und sagte. ›Wie englisch du doch bist! Aber M. de la Bourlie hat Großmutter sechsundvierzig Jahre hindurch täglich besucht, und in einem solchen Fall kannst du ganz sicher sein, dass Liebe eine Rolle spielt.‹ – ›Er wohnt doch nicht etwa ebenfalls hier?‹ – ›Nein. Er hat ein schönes Haus in Aix. Für gewöhnlich kommt er nachmittags herüber, aber heute ist er natürlich früher erschienen, er brennt darauf, *l'Anglaise* in Augenschein zu nehmen.‹ – ›Warum heiraten sie denn nicht?‹, fragte Grace. ›Wer? Ach so, Großmutter. Na ja, aber die arme alte Madame de la Bourlie.‹ – ›Ja, die arme. Und trotzdem. In England heiraten die Leute immer, wenn es eine lange Liebesgeschichte ist.‹«

Vom Aussterben bedroht: Die Mätresse

Die landläufige Psychologie unterscheidet zwischen zwei Sorten von Frauen: solchen, die man heiratet, und solchen, die allenfalls für ein Abenteuer gut sind. Dahinter verbirgt sich die männliche Erkenntnis, dass es Frauen gebe, die man täglich, womöglich ein Leben lang, ertragen kann, und solche, die man höchstens ein Weilchen in allernächster Nähe haben möchte. Männer, die solche Unterscheidungen zum eigenen Seelenheil treffen, nehmen dabei gleichzeitig an, dass die Frau an sich lieber geheiratet werden möchte. Deshalb steht die Geliebte im Ruf, mehr Stress als Lust zu erzeugen.

Schon aus der Antike kennt man den verhängnisvollen Einfluss der Mätressenherrschaft, auch Pornokratie genannt. Perikles, Athens wichtigster Staatsmann, verfiel der Hetäre Aspasia – die zuvor schon den von seiner Gattin Xanthippe geplagten Sokrates becirct hatte – und ließ sich ihretwegen sogar scheiden, schwänzte wichtige Versammlungen und sorgte für militärisch folgenreichen Klatsch und Tratsch. Die philosophisch ebenso wie erotisch glänzend ausgebildeten Hetären, in deren kundiger Gesellschaft manches Athener »Symposion« vom Denkerstammtisch in Gruppensex überging, trugen die Schuld an der seelischen Verweichlichung manches Mannes und entwickelten sich so vom harmlosen und beliebten Zeitvertreib zum gefürchteten politischen Haftungsrisiko.

So hieß es von Alice Keppel, der berüchtigten Urgroßmutter von Camilla Parker-Bowles, die den Kronprinzen »Bertie« und späteren König Edward VII. mit ihrer charmanten Gegenwart beglückte, sie habe »ein wanderndes Auge« und die »Sexualität einer streunenden Katze« gehabt. Nur hinter vorgehaltener Hand gaben manche Herren zu, es sei diesem Teufelsweib gelungen, »Unzucht zur Kunst« zu erheben – ein Talent, von dem sie ihre eigenen Frauen lieber verschont wissen wollten. Die Engländer bezeichnen die Mätresse, die *mistress,* denn auch wegwerfend als »something between a mister and a mattress«, also etwas, das sich zwischen dem Mister und der Matratze befindet; eben eine Art notwendiger Medizin gegen die Monotonie der Monogamie.

Ihr übler Leumund hat die Gattung der Mätressen, Kokotten und Konkubinen vielleicht zum Schwinden, aber nicht zum Aussterben gebracht. Dennoch gibt es, kulturhistorisch betrachtet, immer weniger Damen, die sich noch auf die kunstgerechte Gesellschaft verstehen. Eines aber hat sich in all der Zeit nicht geändert: Wo die Ehe das Klassenziel ist, da ist die Geliebte der Klassenfeind, der denn auch in Büchern und Filmen nur selten ohne den Zusatz »gefährlich« auftaucht. Dass Affären verhängnisvoll sein können, haben weniger unantastbare Politiker immer wieder zu spüren bekommen, vom konservativen britischen Heeresminister Jack Profumo, der in den frühen sechziger Jahren über seine Liaison mit Christine Keeler stolperte, bis hin zum ehemaligen Labour-Innenminister David Blunkett, den seine

Liebe zu einer verheirateten Frau noch anno 2004 das Amt kostete. Doch auch, wenn die Gespielinnen von Sportlern, Musikern oder Schauspielern, getarnt als Kellnerin, Teppichluder oder Kindermädchen, ihre Erfahrungen heute in Talkshows und bunten Blättern großzügig weitergeben, reichen sie an berühmt gewordene Verführerinnen wie Ninon de Lenclos, Madame de Pompadour, Lola Montez oder Marthe Bibesco nicht heran. Die heute vorherrschende Vulgarität hat aber nicht nur mit den um Aufmerksamkeit heischenden Frauen, sondern ebenso mit dem Mangel an in Frage kommenden Herren zu tun: Wer mit einem Dieter Bohlen anbändelt, dem ist nicht mehr zu helfen.

Berühmte Gespielinnen

Frühere Amouren spielten da in vieler Hinsicht in einer ganz anderen Liga – zumindest, wenn er König und sie hübsch, ambitioniert und geschickt genug war. Eine, die neben diesen Grundvoraussetzungen noch über viele andere herausragende Eigenschaften verfügte, war Jeanne-Antoinette Poisson. Ihr Mädchenname passte besser zu ihr als der ihr später verliehene *nom de guerre*. Denn die Frau aus bürgerlichen Verhältnissen, die unter dem Namen Madame de Pompadour als offizielle Mätresse von König Louis XV. in die Geschichte einging, war wie ein Fisch: von kühlem Temperament und schwer zu greifen, ein rosa gepuderter Mythos des achtzehnten Jahrhunderts. Louis XV., verheiratet mit der Tochter des polnischen Königs Stanislaus Leszczynski, hatte ungewöhnlich lange gewartet, bevor er sich Mätressen nahm. Die ihrerseits verheiratete Jeanne-Antoinette war nicht die Erste, aber die Erfolgreichste in seinem Herzen und Bett. Die Frau, der man am Hof prompt den Spitznamen »Unterrock IV.« verpasst hatte, machte sich ihm unentbehrlich; durch den vorzüglichen Geschmack, mit dem sie ihre Gemächer einrichtete, durch das Geschick, mit dem sie ihn umgarnte, und durch die Subtilität, mit der sie ihn in politischer Hinsicht beriet, ohne ihn je spüren zu lassen, dass es ihre, und nicht seine Ideen waren, die er in die Tat umsetzte. Innerhalb von vier Jahren schenkte Louis XV. der neu ernannten Marquise de Pompadour vier Schlösser, die sie umbauen, neu ausstatten und einrichten ließ. Sie sei »teurer als der Krieg«, fluchten die Kronräte des Königs – und die kokette Geldvernichtungsanlage war unerschöpflich in ihren Ideen. In Versailles richtete sie ein Theater ein, dessen Rollen sie an Adelige vergab, die ihr wohl gesinnt waren – wohl wissend, dass der einzig wirksame Schutz vor Intrigen ein möglichst großes Netz an Verbündeten ist. Sie setzte das Erscheinen der vom König zunächst verbotenen Enzyklopädie durch; sie unterstützte Kunst und Kultur, animierte Louis XV. zur Gründung der École Militaire in Paris, wo jährlich fünfhundert Söhne verarmter adeliger Familien als Offiziere ausgebildet werden sollten; sie las viel und unterhielt ihn. Als seine erotische Leidenschaft für sie abnahm, ermutigte sie ihn, mit anderen Frauen zu schlafen, und suchte die Mädchen selbst aus, die sie ihm zuführte. Seine Zuneigung jedoch wechselte nicht mit den Laken. Täglich verbrachte Louis XV. einige Stunden bei seinem »Fräulein Fisch«. Längst machten hohe Besucher nicht mehr nur dem Königspaar, sondern auch der Mätresse ihre Aufwartung. Von anonymen Todesdrohungen unbeeindruckt, stieg Madame weiter auf, wurde sogar zur Hofdame der Königin ernannt. Jeder Versuch, den König dazu zu bewegen, ihr seine Gunst zu entziehen, schlug fehl. Im Alter von siebenundvierzig Jahren starb sie 1764 an Tuberkulose, nach neunzehn Jahren ergebenem Dienst am Mann, an der Monarchie und an der Ehe zu dritt.

Was dem König teuer ist, kommt seine Untertanen billiger zu stehen. Im Rokoko hatte der Mann neben der Ehefrau selbstverständlich eine Mätresse. Die Damen kannten sich und waren bisweilen sogar befreundet. Da alle Beteiligten um die Halbwertszeit sexueller Strahlkraft wussten, hatte auch die Ehefrau Anspruch auf außereheliches Plaisir. In Italien ließ sich manche Dame die geduldete Zahl von Liebhabern sogar im Ehevertrag zusichern, und im kessen Österreich kam es einem Fauxpas nahe, wenn eine Dame nur mit ihrem Gemahl eingeladen wurde. Das Kleeblatt aus Cicisbeo, Gatte und Ehefrau hatte sich ebenso kameradschaftlich zu vertragen wie Mätresse, Ehefrau und Gemahl, wobei man vor allem von den jeweils unmittelbaren Konkurrenten graziöses Verhalten erwartete. Liebeskünstler vom Range eines Casanova und einer Pompadour begründeten durch ihre Beispiele europaweit ganze Schulen von Nachahmern und Nachahmerinnen.

Während die Pompadour neben ihrer flüchtigen eigenen jedoch nur eine weitere Ehe durch ihre Gegenwart bereicherte, war Lola Montez bereits Wiederholungstäterin, als sie 1846 in München eintraf. Ihr amouröses Portfolio umfasste neben Franz Liszt auch Alexandre Dumas – Vater wie Sohn – und diverse europäische Aristokraten. Wie es der Zufall wollte, war der bayrische König Ludwig I. gerade in niemanden verliebt; ein Zustand, den er gar nicht schätzte und der ihm weder stimmungsmäßig noch gesundheitlich gut bekam. Dank einer Audienz beim Monarchen hatte die gebürtige Irin Eliza Rosana Gilbert, die als »spanische Tänzerin« Maria de los Dolores Porris y Montez am Hoftheater abgelehnt worden war, ein Betätigungsfeld gefunden, das größeren Erfolg versprach. Ludwig fühlte sich wie neu geboren: »Und ich kann mich mit dem Vesuv vergleichen, der für erloschen galt, bis er plötzlich wieder ausbrach … Einen neuen Schwung hat mein Leben bekommen, jung bin ich wieder geworden, freudig sieht mich die Welt an.« Wieso erregte aber nun ausgerechnet diese Affäre solches Missfallen und wurde nicht wie die vorhergehenden großzügig übersehen?

Lola, die selbst ernannte spanische Adelige, die sich angeblich »infolge unglücklicher Familienverhältnisse genötigt« sah, als Tänzerin anzuheuern, hatte bereits eine Ehe mit einem Engländer im fernen Indien hinter sich. Geschieden und zurückgekehrt nach Europa, wurde sie eine Bewegungskünstlerin von fragwürdiger Begabung, aber mit großem Aplomb, trat in London, Paris, Warschau, St. Petersburg, Moskau, Dresden und Wien auf. Obwohl ihre professionellen Auftritte in München spärlich waren, wurde unentwegt über sie geredet. Königin Therese verwies den abtrünnigen Gatten einige Tage aus der gemeinsamen Loge im Theater, weil dieser sogar am helllichten Tag ganz ungeniert in die Barer Straße pilgerte, wo er der Mätresse Haus Nummer 7 geschenkt hatte. Lola Montez, »die Babylonische«, wurde bitter bekämpft – mit Flugblättern (»... komm und lass dich massakrieren oder bleib draußen und lass dich woanders totschlagen, auf dass wir erlöst sind von dir und der Pest und allen daran hängenden Übeln«) und sogar vom Papst, der Ludwig höchstpersönlich zur Raison rief. Doch jener hatte andere Sorgen, denn die fesche Lola wollte in den Adelsstand erhoben werden. Ludwig nahm sogar den Sturz der Regierung in Kauf, um ihren Wunsch zu erfüllen. Lola wurde zu einer Gräfin von Landsfeld; die Urkunde wurde am 25. August 1847 ausgestellt, dem Geburtstag des Königs, der angeblich auch der ihre ist – da sie keinerlei Papiere besaß, ließ sich dies nie nachprüfen. Als sich an der Universität das Korps Alemannia zu ihrem Schutz zusammenfand, kam es zu einer Straßenschlacht. Der König konnte dem Druck aus der Bevölkerung nicht länger standhalten; Gräfin Lola wurde aus München und Bayern ausgewiesen. Er selbst dankte im März 1848 zugunsten seines Sohnes Maximilian ab. Damit verzichtete er nicht nur auf den Thron, sondern schweren Herzens auch auf seine Lola. Nie wieder durfte der Name des »bewussten Gegenstands« in seinem Beisein genannt werden.

In moderneren Zeitläuften wird der hübsche englischen Snobismus »A bedded can't be wedded« (einmal Angefasstes wird nicht geheiratet) von der ehelich beschwichtigten Geschichte von Camilla Parker-Bowles und Charles Windsor konterkariert. Durch die Heirat mit dem englischen Thronfolger stieg Camilla als eine von wenigen Mätressen zur Ehefrau auf und wird eines Tages womöglich als Erste ihrer Zunft noch Königin werden.

Porträt einer Ehe

Changierend zwischen einer Vernunftehe und einer Ehe zu dritt, erfüllte die Verbindung von Vita Sackville-West und Harold Nicolson die wesentlichsten Kriterien, die rücksichtsvoll und daher glücklich erweiterte Ehen ausmachen: Unkonventionalität, Freiheit und unverbrüchliche Zuneigung der Partner untereinander.

Als sie 1913 heirateten, dürften sich sowohl Vita Sackville-West wie auch Harold Nicolson ihrer jeweiligen homosexuellen Neigungen bewusst gewesen sein. Was sie verband, waren statt Erotik eine tiefe Freundschaft, eine gemeinsame Weltanschauung, gleiche Werte und die leidenschaftliche Liebe zu den Künsten und zur Natur, die sie in ihrem Anwesen Sissinghurst später in herrlichen Gartenanlagen auslebten. Während sie ihrer literarischen Karriere nachging, ließ sich die Stimme des ehemaligen Diplomaten in Zeitungen, Rundfunk sowie im Kabinett vernehmen. Doch nach Geburt des zweiten Sohnes Nigel 1917, der später der Verbindung seiner Eltern in dem Buch *Porträt einer Ehe* ein Denkmal setzte, gingen die Eheleute erotisch getrennte Wege. Vita verliebte sich leidenschaftlich in Violet Keppel, deren Mutter die Mätresse des Königs war – die bereits erwähnte berüchtigte Urgroßmutter von Camilla Parker-Bowles. Drei Jahre lang kamen sie nicht voneinander los.

Ihre zweite große Liebe war Virginia Woolf, deren Einfluss auch Vitas Schriftstellerei gut tat, wie sich noch in ihren Liebesbriefen zeigt: »Ich vermisse Dich mehr, als ich für möglich gehalten hätte; und ich war darauf gefasst, Dich ziemlich zu vermissen. Dieser Brief ist also eigentlich nur ein Schmerzensschrei. Es ist unfassbar, wie unentbehrlich Du mir geworden bist. Ich vermute, Du bist es gewöhnt, dass die Leute Dir so etwas sagen. Du verteufelt verwöhnte Kreatur.« Doch auch Virginia Woolfs Billets hatten es in sich: »Meine liebe Vita – wäre Dir Donnerstag Nachmittag recht? – Soll ich bis Freitag oder Samstag bleiben? – Soll Leonard kommen und mich abholen? – Würde es Dich stören, wenn ich nur einen Morgenrock mitbrächte? – Wäre ich eine Plage, wenn ich im Bett frühstücken würde?« Harold Nicolson, aus beruflichen Gründen viel unterwegs, hatte derweil zahlreiche Beziehungen mit Männern, betrachtete aber im Gegensatz zu seiner Frau das Körperliche als zweitrangig. Über alle Affären und Liebschaften hinweg hielten sich die Eheleute in fast täglichem Austausch – wenn sie getrennt waren, schrieben sie sich – die Treue. Zwischen ihnen herrschte absolutes Vertrauen, und die vollkommene Freiheit, die sie einander gewährten, band sie nur noch stärker aneinander. Wenn die Rede auf ihre außerehelichen Aktivitäten kam, sprach er nachsichtig von »deinem Durcheinander« und sie von »deinem Vergnügen«. Häufig trafen am Wochenende auf Sissinghurst seine und ihre jeweiligen Liebhaber aufeinander. Doch auch als Vita ab 1927 eine leidenschaftliche Affäre an die nächste reihte, erwog sie niemals mehr, Harold zu verlassen – das war nur einmal, eben bei Violet Keppel, der Fall gewesen, wie sie in einer postum veröffentlichten Beichte zugegeben hat. Harold Nicolson verzichtete Ende der zwanziger Jahre auf seine Karriere als Diplomat, weil das Ehepaar die Trennungen verabscheute, die seine oft monatelangen Auslandsmissionen mit sich brachten. Von 1935 bis 1945 saß er als Labour-Abgeordneter im

Parlament; während des Krieges ernannte man ihn außerdem zum Leiter der BBC. Einmal, 1929, diskutierte das Paar seine Ehevorstellungen öffentlich, in der von Harold konzipierten Rundfunkreihe *Leute und Dinge.* Eine Ehe solle »auf einer dauerhaften Zuneigung« beruhen und »sich vom Verstand, von gegenseitiger Wertschätzung und gemeinsamen Wertbegriffen leiten lassen«, sagte er. Doch es war weitaus mehr als das, was ihn und seine Frau verband.

Nigel Nicolson beschrieb die Ehe seiner Eltern als die »Geschichte von zwei Menschen, die aus Liebe heirateten und deren Liebe sich mit jedem verstreichenden Jahr vertiefte, obwohl jeder von beiden dauernd und nach gemeinsamer Absprache dem anderen untreu war. Beide liebten Menschen ihres eigenen Geschlechts, wenn auch nicht ausschließlich. Ihre Ehe überlebte nicht nur Untreue, sexuelle Inkompatibilität und lange Abwesenheiten, sondern wurde darüber sogar nur noch stärker und feiner. Jeder gewährte dem anderen totale Freiheit ohne Überprüfung oder Vorwurf.«

Mit Respekt und Größe

Dass die Ehe zu dritt, wenn sie mit Respekt und Verständnis geführt wird, nicht nur zur Feuerprobe, sondern zur Chance für die Beziehung der Ehepartner werden kann, erlebt auch unser Versuchskaninchen Leonard, der sich in seiner zweiten Ehe mit Bella unvermutet bewähren muss. Als Bella ihm gesteht, sie habe sich verliebt, ist Leonard zunächst sprachlos vor Schreck. Doch in dem Moment, als er zu Vorwürfen und Beschwerden ansetzt – deshalb war sie in der letzten Zeit so oft weg, darum war sie so zurückhaltend bei den gemeinsamen Urlaubsplänen –, ergreift ihn Panik. Denn wenn er von seiner gekränkten Eitelkeit und seiner Eifersucht einmal absieht, erscheint ihm die Vorstellung,

Bella zu verlieren, unerträglich. Nach der gescheiterten Ehe mit Sophie hat er in Bella eine ideale Partnerin gefunden. Seine Liebe zu ihr ist vielleicht weniger leidenschaftlich als damals die zu Sophie, aber dafür tiefer und reifer. Bella ist nicht nur seine Frau, sondern auch seine beste Freundin. Sie sind ein eingespieltes Team, ergänzen sich perfekt. Zwischen ihnen gibt es nie Streit. Es ist aber nicht nur die Angst um den Verlust seines behaglichen Lebens, die Leonard zu sich kommen lässt. Es ist auch sein Stolz. Wer auch immer dieser andere Mann sein mag, in den Bella sich so heftig verliebt hat – besser als er, Leonard, ist er bestimmt nicht! Und völlig ausgeschlossen ist, dass er Bella ebenso sehr liebt wie Leonard. Er mag der bessere Sprinter sein, denkt Leonard sich grimmig, aber ich bin der ausdauernde Langstreckenläufer. Er wird sich das, was Bella und er sich aufgebaut haben, nicht von irgendeinem Adonis zunichte machen lassen.

Bella ist froh, dass Leonard nicht mit Trennung droht, sondern souverän auf ihre Beichte reagiert. Wie erwachsen er ist, denkt sie bewundernd, dieses Selbstbewusstsein hätte sie ihrem Mann gar nicht zugetraut. Sie weiß nicht, dass Leonard in den Nächten, wo sie nicht neben ihm schläft, kein Auge zutut und sich fragt, wie lange er diesen Zweikampf noch aushalten muss. Aber er hat sich vorgenommen, sie nicht vor die Wahl zu stellen: er oder ich. Wenn sie bei ihm bleibt, soll sie es freiwillig tun. Bella bemerkt, dass Leonard wieder viel aufmerksamer ihr gegenüber geworden ist. Und je mehr er sich um seine Frau bemüht, desto besser fühlt sich Leonard merkwürdigerweise selbst. Zum vielleicht ersten Mal in ihrer Ehe hat er das Gefühl, Bellas Liebe wirklich zu verdienen – weil er immer wieder gegen seine niederen Instinkte ankämpft, Eifersucht und Wut unterdrückt. Und wieder wird ihm bewusst, wie sehr er seine zweite Frau liebt: Diese Ehe mit ihr bedeutet ihm viel mehr, als er sich je hätte träumen lassen. Mit Bella möchte er alt werden, das weiß er mehr denn je – und diese Gewissheit verleiht ihm die Kraft, den anderen Mann in ihrem Leben zu dulden, zähneknirschend zwar, aber auch im Wissen, dass er lieber zwei Drittel von ihr haben möchte als gar keine Bella. Und je mehr sich deren Verliebtheit in den anderen verflüchtigt, umso beeindruckter ist sie von Leonards noblem Verhalten. Er macht ihr keine moralischen oder larmoyanten Vorhaltungen, lässt keine miesen Bemerkungen über den Konkurrenten fallen, behandelt sie eher noch liebevoller als früher, statt sie für ihre Untreue büßen zu lassen. Und dafür ist sie ihrem Mann so dankbar, dass sie nun erst recht daran glauben kann, dass diese Liebe halten wird. Wer solche Widrigkeiten gemeinsam überwindet, kann noch ganz andere Herausforderungen meistern.

Ohne es zu wissen, befinden sich Leonard und Bella in bester Gesellschaft. Der französische Präsident François Mitterrand lebte in seinen letzten Jahren bei seiner Geliebten, der Kunsthistorikerin Anne Pingeot, besuchte aber sonntags seine Frau Danielle, die ihn auch auf offiziellen Reisen begleitete. Dennoch bekannte er sich erst kurz vor seinem Tod 1996 zu seiner unehelichen Tochter Mazarine – aus Angst vor der französischen Öffentlichkeit, nicht aus Rücksicht auf seine Frau. Diese erinnerte sich später: »Als Mazarine geboren wurde, war das weder ein Schock noch ein Drama für mich. Ich habe es hingenommen.« Mitterrand hatte das Glück, mit einer selbstbewussten und unabhängigen Frau verheiratet zu sein, die sagte, jeder der Ehegatten habe die Freiheit des anderen respektiert, ohne dass die Ehe deshalb gefährdet gewesen sei. Bei Mitterrands Begräbnis waren denn auch seine beiden Familien rührend vereint – möglicherweise hatten sie das Beispiel des Schriftstellers Emile Zola vor Augen, der ebenfalls zwischen zwei Familien gependelt war. Seine Frau Alexandrine akzeptierte seine Geliebte Jeanne Rozerot, mit der er eine Tochter und einen Sohn hatte, während ihre eigene Ehe kinderlos geblieben war. Alexandrine Zola sorgte später sogar dafür, dass die unehelich geborenen Kinder den Namen des Vaters annehmen konnten.

Ebenfalls auf französischem Boden begann eine weitere berühmt gewordene Ehe zu dritt: Als gelangweilte und sexuell frustrierte Gattin des amerikanischen Bankiers Hugh Guiler kam Anaïs Nin der Schriftsteller Henry Miller gerade recht. Zunächst war ihre Beziehung rein intellektueller Natur; sie führten lange Gespräche über Philosophie und Literatur. Ihr sexuelles Verhältnis schloss schon bald Millers Lebensgefährtin, die Tänzerin June, mit ein. Aber auch sonst ergänzten sie sich gut: Sie unterstützte ihn finanziell, er diente ihrer Inspiration und ermutigte sie, selbst mit dem Schreiben zu beginnen. Hunderte von Briefen belegen die Fruchtbarkeit der Beziehung für beide. Anaïs Nin hatte jedoch nie die Absicht, sich scheiden zu lassen. Aus Rücksicht auf ihren Mann wurden die allerintimsten Details ihrer Beziehung mit Miller erst nach dessen Tod in den achtziger Jahren veröffentlicht.

Vor Risiken und Nebenwirkungen wird gewarnt

Die Ehe zu dritt ist eine sehr fortschrittliche Eheform, die, wenn mit Vertrauen, Bedacht, Rücksichtnahme und Liebenswürdigkeit betrieben, sehr glücklich sein kann. Sollten diese Eigenschaften nicht vorhanden sein, tut es auch eine aristokratische Lebenshaltung, eine hehre Form von zynischer Noblesse, dazu ein etwas blasierten Horror vor der Eintönigkeit des Gewöhnlichen, wie ihn der englische Politiker Alan Patrick Herbert an den Tag legte, als er sagte: »Die Vorstellung von einem Ehepaar, das fünfundzwanzig Jahre ohne Zwischenfall zusammengelebt hat, verrät ein Maß an Geist und Temperament, das man sonst nur an Schafen bewundert.« Allen Herren, die hoffnungsvoll zu diesem Kapitel vorgeblättert haben, sei jedoch gesagt, dass die Chancen für eine gelungene Ehe zu dritt außerordentlich gering sind. Zwar war Lust immer ein Bestandteil unserer abendländischen Kultur – aber die gesellschaftlichen Zwänge verstellen diese Perspektive heute weitestgehend.

Die Ehe zu dritt ist erwachsen, ehrlich und elitär, in der geistigen Haltung wie ihren Begleitumständen: Deshalb gehört sie an die fünfte Stelle der ehelichen Evolution. Diese Einordnung besagt bereits, dass sie nur etwas für Fortgeschrittene ist, die ihr Liebesleben bewusst erleben und reflektieren. Entgegen ihrem verheißungsvoll ausschweifenden Titel verlangt sie nämlich von allen Beteiligten Großmut – und Disziplin. Die Ehe zu dritt ist kein Arrangement, für das man sich nüchtern und rational entscheiden kann wie für eine Einbauküche mit allen Schikanen, sondern etwas, mit dem man sich auseinander setzen muss, wenn es so weit ist. Und niemand kann ihr Gelingen vorher garantieren.

Zugegeben: Wenn die Vernunft dauernd das Gefühl niederringen muss, lebt es sich nicht gut und liebt es sich noch viel schlechter. Paradoxerweise können deshalb nur gute Ehen in dieser Konstellation bestehen und sogar daran wachsen. Dazu darf die Anspannung, die den Beginn einer neuen Affäre immer begleitet, aber kein Dauerzustand sein, das heißt, der doppelt Liebende darf kein profaner Wiederholungstäter in Sachen Ehebruch sein. Und er muss – oberstes Gebot – in der Lage sein, seinem Partner jene Sicherheit und Liebe zu geben, die dieser braucht, um die Untreue ohne quälende Zweifel aushalten zu können. Mehr Männer als Frauen mögen in dieser Richtung Ambitionen haben, doch die allerwenigsten verfügen über die seelische Stärke und den Willen, das durchzuhalten – wie es ihnen übrigens meistens auch an Bereitschaft fehlt, ihrer Frau eine solche außereheliche Liebe zuzugestehen. Frauen, die von Natur aus weniger dazu neigen, sich für das Maß aller Dinge zu halten, bringen dagegen in einer solchen Situation eher Verständnis und Toleranz auf. Doch insgesamt fordert die Ehe zu dritt immer von einem Partner Eigenschaften, die man nicht zu sehr und vor allem nicht immer wieder strapazieren darf.

Die Ehe zu dritt ist also eine hohe Kunst – und nur schwer zu bewerkstelligen. Vor Risiken wie Herzrasen und Nebenwirkungen wie häuslichem Streit und großen Empfindlichkeiten sei daher gewarnt. Obgleich es sich bei dieser Eheform nicht um eine Einladung zum ordinären Ehebruch handelt, sondern um eine edle Übereinkunft, ist die Wahrung der Regeln anstrengend – vor allem für den doppelt Liebenden, der keinen der Partner zu kurz kommen lassen darf, wenn er das fragile emotionale Gleichgewicht wahren will. Der unbekannte Faktor in dieser Gleichung ist stets der Dritte. Dessen Leiden daran, immer der Zweitpartner und niemals die Hauptbezugsperson zu sein, kann selbst die schönste Liebe vergiften. Da ist es allemal besser, die besagte Dame oder der Herr ist selbst verheiratet.

Im Idealfall jedoch entwickeln sich zwischen den Beteiligten nicht nur vertrauliche, sondern auch vertraute Beziehungen, die mit der Zeit fast so viele Elemente einer engen Freundschaft annehmen können wie eine gute Ehe auch. Die Frau ist der Fels in der Brandung, die Geliebte die Welle. Und wo der Mann die Eiche ist, erscheint der Liebhaber als keckes Eichhörnchen.

Was die Ehe zu dritt von allen vorhergehenden Typen unterscheidet, ist, dass die Partner hier erstmals einen Weg gefunden haben, den Ehebruch zu dulden, ohne ihn zu erdulden, dass sie versuchen, ihn nicht als Krise, sondern als Chance zu betrachten. Dass dies nicht von vornherein und nicht rund um die Uhr gelingen kann, ist selbstverständlich – wohl jeder Mensch wünscht sich, der einzig Geliebte seines Partners zu sein. Im Fall der Ehe zu dritt aber steht er immerhin an erster Stelle, denn er ist eingeweiht, hat nicht selten sogar seinen Segen gegeben, bevor der andere die Affäre einging. Nur was sich ständig verändert, hat Bestand: Das haben die Teilnehmer dieses Ehemodells begriffen. Darum akzeptieren sie, dass der Partner gelegentlich einen anderen Menschen aufsucht, den er ebenfalls liebt, der ihn amüsiert oder anregt, ihm Abwechslung bietet und mit dem er in den allermeisten Fällen auch schläft.

Victor Hugo brachte es auf den Punkt, als er sagte: »Die Freiheit zu lieben ist ebenso heilig wie die Freiheit der Gedanken.« Liebe ist ihrer Natur nach freiwillig, und sie entsteht immer wieder von neuem. Sie hat keinen Sinn außer sich selbst, strebt nicht nach Zukunft, Planung und Fixierung, sondern nach dem momentanen Erlebnis. Ein Mensch, der liebesfähig ist, bleibt der Liebe treu, nicht der Treue. Denn mit der Liebe entfaltet er sein ureigenes Wesen. Wenn der Partner ihn um seiner selbst willen liebt, nimmt er die Ehe zu dritt hin – zum eigenen Wohl und zu dem der gemeinsamen Familie, und weil er begriffen hat, dass es wichtigere Formen von Treue gibt als die körperliche. Er wird nicht angelogen, und er weiß, dass sein Partner ihn nicht verletzen will. In dieser Ehe sind die Partner auch nach Jahren noch beieinander geborgen in der Gewissheit, dass sie einander nie verlassen werden: Das ist der Preis, der entrichtet werden muss, wenn die Ehe zu dritt gelingen soll. Die Beziehung der beiden Ehepartner ist unantastbar.

Es wird im Laufe einer solchen Ehe nicht ununterbrochen und nicht nur eine einzige dritte Person geben, aber ihr Auftauchen wird jedes Mal erneut dafür sorgen, dass die Partner sich weiterhin umeinander bemühen und füreinander fürchten, dass sie nicht abstumpfen und in einen gleichgültigen Ehetrott verfallen. Sie denken über die Bedürfnisse des anderen nach und reden darüber. Mit anderen Worten: Die oder der Geliebte sorgt durch seine bloße Existenz dafür, dass die Ehe eine bessere ist.

Der französische Existentialist Jean-Paul Sartre unterschied zwischen notwendiger Liebe und zufälligen Liebschaften. In der Ehe zu dritt handelt es sich um zwei Fälle von notwendiger Liebe – die eine dauert ein Leben lang, die andere so lange, wie sie wächst.

Es ist jedoch nicht jedermanns Sache, um seiner Opferbereitschaft willen geliebt zu werden oder trotz seiner eigennützigen Triebauslebung. Bei aller Pragmatik, Flexibilität und Individualität, die sie zulässt, enthält die Ehe zu dritt auch den unausgesprochenen Vorwurf, dass zwei Menschen einander nicht genug sein können. Diese Sorge führt schließlich oft dazu, dass der Einzelne prüft, ob er sich nicht selbst genug ist.

Der Single: Lieber in Freiheit allein als einsam zu zweit

»Es ist eine gar leidige Sache in der Ehe, wenn jeder sich hinsetzt, erwartungsvoll, dass ihn der andere nun glücklich machen soll. Es kann auf diese Weise leicht dahin kommen, dass beide allein und unbeglückt sitzen bleiben.« OSCAR WILDE

»Nur weil man auf der Suche nach einem Mann ist, muss man doch nicht verzweifelt sein!«
MEG RYAN IN »SCHLAFLOS IN SEATTLE«

»Wer viel erwartet, dem wird das Warten nicht lang.«
GABRIEL GARCÍA MÁRQUEZ, »DER OBERST HAT NIEMAND, DER IHM SCHREIBT«

Hoffnungsträger und Drohkulisse

Wer nach all den Aufregungen und Ärgernissen der verschiedenen Eheformen einmal vom Liebeskarussell absteigt, ist in der Regel froh, einige Runden auszusetzen. Es gibt mindestens zwei Arten, den Single zu betrachten: aus der Paar-Perspektive – oder als Co-Single. Als SINBAD *(Single Income, No Boyfriend, Absolutely Desperate)* oder als SINK *(Single, Independent, No Kids).* Unter Paaren gelten Singles gern als verwöhnt, exzentrisch und zickig. Vor allem jedoch stehen sie im Ruf, übermäßig anspruchsvoll zu sein. Es gibt aber auch jene, die sagen: Singles sind die großen

Romantiker unserer Gesellschaft, diejenigen, die noch an Wunder glauben und sich nicht mit dem Mittelmaß zufrieden geben. Keine Desperados, sondern Individualisten und Idealisten. Darum sind die steigenden Single-Raten ein wichtiges Indiz für die fortschreitende Liebesweisheit unserer Gesellschaft, denn es handelt sich bei diesen Solisten vor allem um Menschen, die lieber allein bleiben, als eine abgestandene Beziehung zu führen. Ein Orpheus, Prototyp aller traurigen Singles, hat mit Weiberhelden vom Schlage eines Casanova oder Don Juan nichts gemein – Männer, die zwar keine Nacht allein verbringen, aber ungebunden bleiben, wollen, weil sie die Einschränkung und Verantwortung scheuen, die zur erfüllten Nähe gehören. Orpheus dagegen hatte in Eurydike seine große Liebe gefunden und wieder verloren, aber dabei etwas Unschätzbares gelernt: dass es nichts Schöneres gibt. Mit weniger wollte er sich nach ihrem Tod nicht zufrieden geben, und wich vor den Frauen, die sich ihm anboten, in die Wälder zurück, wo die Tiere seinem Gesang andächtig lauschten. Inzwischen singen Orpheus' Nachfahren im Dschungel der Städte ihre Lieder von verlorener Liebe und zerstörter Hoffnung, aber so traurig, verzweifelt und sexhungrig, wie Paare es in herablassender Zweisamkeit oft meinen, sind die Solisten nicht. Sie wollen gar nicht um jeden Preis wieder ein Duett anstimmen. Doch absurderweise drängt sie gerade diese aufrichtige und eigenständige Haltung mehr und mehr in die soziale Defensive.

Denn Singles werden vor allem als die klaffende Wunde unserer schrumpfenden Gesellschaft wahrgenommen, die kaum noch Junge hat und ihre Alten nicht mehr finanzieren kann. Mehr als elf Millionen paarungsfähiger Deutscher im Alter zwischen 18 und 69 Jahren leben allein. Obwohl der Wunsch nach Kindern und Familie bei Männern wie Frauen zwar durchaus vorhanden ist, bleibt knapp ein Drittel aller Frauen kinderlos, Tendenz steigend. Gefragt nach dem wichtigsten Grund für diesen unfreiwilligen Verzicht geben die meisten an, es fehle ihnen der richtige Partner. Wir stehen also vor der paradoxen Situation, dass es in den Großstädten nur so wimmelt vor liebessehnsüchtigen Singles, diese aber immer weniger zueinander finden. Die erste hilflose Erklärung der Forscher lautet, dass die individuellen Wünsche im Widerspruch zueinander stehen. Wir wollen alles, einen Partner und eine Familie, einen guten Job und unsere Freiheit. Das lässt sich nicht alles zur selben Zeit verwirklichen. Viele Menschen befürchten bei der Familiengründung den Verlust ihres hohen Lebensstandards. Andere wiederum wollen mit dem Kinderkriegen warten, bis sie ihre Ausbildung abgeschlossen haben – was an deutschen Universitäten bekanntlich dauern kann –, und sind dann so froh, eine Stelle zu bekommen, dass sie den Kindeswunsch erneut hintanstellen. Als Nächstes regt sich dann die Befürchtung, mit einem Kind die gerade begonnene Karriere zu unterbrechen oder aufs Spiel zu setzen. Frauen, die heute zugunsten einer Familie vollständig auf die Ausbildung verzichten, gibt es kaum noch – bis Mitte des letzten Jahrhundert wurde es dagegen als ganz normal angesehen, mit Anfang zwanzig zu heiraten und sich fortan Mann und Familie zu widmen. Angesichts der aktuellen Scheidungsraten jedoch tut jede Frau nur gut daran, sich darum zu bemühen, auf eigenen Füßen stehen zu können. Große Sorgen machen sich die Forscher dennoch vor allem um die Akademikerinnen, die sich Nachwuchs zwar finanziell leisten könnten, aber nicht beruflich. Gleichzeitig sind es vor allem diese hoch qualifizierten Frauen, die Schwierigkeiten haben, einen passenden Partner zu finden.

Mit anderen Worten: Der Single ist ein aus soziologischer, ökonomischer und psychologischer Sicht betrachtet hoch komplexes und kompliziertes Wesen, Hoffnungsträger und Drohkulisse zugleich, ein unbeschriebenes Blatt, auf dem sich die Zukunftsformel abbilden soll. Er trägt nicht leicht an seiner Last – sind doch die Wünsche des Kollektivs längst zu verbindlichen Normen geworden. Wir glauben, ein Recht auf ihre Verwirklichung zu haben, ja betrachten sie regelrecht als Forderung, die wir im Einklang mit der Gesellschaft auch selbst an uns richten: Du sollst einen Mann, Kinder, eine Ausbildung und einen Beruf haben. Wer das nicht schafft oder nicht miteinander vereinbaren kann, fühlt sich als Versager. In Japan nennt man Singles bereits »Parasiten«. Die emotionale Schmach, alleine zu bleiben, wird auch bei uns immer mehr von dem zwischen den Zeilen spürbaren Vorwurf begleitet, die Singles seien allesamt Hedonisten, die nur an sich selbst und ihre Lustmaximierung dächten.

Für fortgeschrittene Solisten

Aber dieses Kapitel der romantischen Evolution gilt nicht den modernen Don Juans, den selbst ernannten Nachfolgern von Casanova und Porfirio Rubirosa oder jenen, die ihr Singletum als Glaubensbekenntnis vor sich hertragen, nicht denen, die die Verantwortung scheuen oder ihre eigene Freiheit über die Ansprüche und Aufgaben stellen, die eine Beziehung unweigerlich mit sich bringt. Es gilt auch nicht den sonnig gestimmten Twens, die noch alles vor sich haben. Es handelt nicht von denen mit der selbstsüchtigen »Who needs a wife when you can have a life?«-Mentalität. Es gilt vielmehr jenen, die *wieder* Single sind, den Versehrten, den Erfahrenen, den Enttäuschten und den Zweiflern. Denen, die einmal glaubten, die Liebe gefunden zu haben, und denen sie wieder entglitten ist. Den Getrennten, den Geschiedenen und den Verwitweten. Es betrifft daher eigentlich nicht den Mann um die Dreißig auf der Suche nach der richtigen Frau (obwohl ein solcher hier durchaus einiges Wissenswerte erfahren kann). Und ebenso wenig ist es der Endzwanzigerin gewidmet, die von einem Brautkleid aus champagnerfarbenem Satin und einer Hochzeitsreise auf die Malediven träumt. Es gilt denen, die einen Schritt weiter sind, weil sie einmal geliebt haben.

Man erkennt sie daran, dass sie nicht so unbedarft drauflos-lieben wie die Debütanten, dass sie sich nicht mit dem Erstbesten zufrieden geben, dass sie anspruchsvoll sind, aber auch selbst ihren eigenen Ansprüchen genügen wollen. Das heißt nicht, dass sie weniger stürmisch oder hingebungsvoll lieben werden, wenn es wieder so weit ist. Es bedeutet lediglich, dass sie vergleichen. Und dass den meisten von ihnen Qualität wichtiger ist als Quantität. Ihr Solistenstatus mag nicht immer freiwillig gewählt sein, doch selbst, wenn sie vom Partnerschaftskarussell abgeworfen wurden, nutzen sie die Chance, um in sich selbst hineinzuhören. Auf sich selbst gestellt, sind die Singles keine Ausreißer vor der Einsamkeit, wie etwa die seriellen Monogamisten, die uns im vierten Stadium der Ehe-Evolution begegnet sind, und wahrscheinlich laufen sie das nächste Mal auch nicht so schnell weg wie die harmoniebedürftigen Liebeshochzeiter, wenn erste Wolken am rosaroten Horizont aufziehen.

Dieses Stadium zwischen verlorener Liebe und neuem Glück ist manchmal das Schwierigste, manchmal das Unverbindlich-Angenehmste und ganz sicher das Innovativste der romantischen Entwicklung. Der Single hat einen Bruch, eine Macke, einen Spleen: Er genießt seine Freiheit und weiß doch, dass er etwas verpasst. Das eine macht ihn stark, das andere empfindsam. Ohne Zweifel ist das Singletum daher das wichtigste Stadium der gesamten Paar-Evolution. Denn die schmerzhafte Vereinzelung ist ein Zustand, in dem sich jeder irgendwann einmal befinden wird, befunden hat und in dem sich mancher immer wieder befindet: nach dem Verlust des Partners, nach einer gescheiterten Ehe oder Beziehung. Und er lässt sich nur ertragen und genießen, wenn man daran glauben kann, dass es auch wieder ein Danach geben wird, eine glückliche, erfüllte Liebesbeziehung. Das Singletum ist immer eine Momentaufnahme, ein Felsvorsprung, auf dem man sich von der Sisyphosarbeit der Liebe ausruhen kann und von wo aus man den zurückgelegten Weg ebenso überdenken kann wie den vor sich liegenden. Es bietet die Chance, Bilanz zu ziehen, das Ziel neu ins Visier zu nehmen und sich zu überlegen, was man möglicherweise früher falsch gemacht hat. Wer diese Möglichkeiten nutzt, wird klüger und geläutert aus dieser Einzelphase hervorgehen. Und wenn der Single einen Durchhänger hat, darf er sich mit der Gewissheit trösten, dass keiner so nah dran ist an der idealen Beziehung wie er.

Sonderling trifft Klassefrau

Noch in den neunziger Jahren hatten Soziologen wie Ulrich Beck frohlockt, bei den Singles handle es sich um die »Speerspitze der Individualisierung«; wer es vorzog, allein zu bleiben, galt als schicker Pionier der Moderne. Singles waren Leitfiguren. Inzwischen sind die Alleinstehenden, die in manchen Großstädten fast die Hälfte der Haushalte ausmachen, das Schreckgespenst der von Nachwuchssorgen tyrannisierten Gesellschaft. Single-Land gilt als Hauptwohnsitz von Neurosen aller Art und ist überdies als sexuelles Notstandsgebiet verschrien. Der Lebensstilforscher Stefan Hradil schreibt: »Singles (...) gelten nicht länger als Helden der Autonomie, sondern als einsame Defizitwesen, die auf Partnersuche sind. (...) Die Einsamkeit, die Entsolidarisierung, die Orientierungslosigkeit der Einzelnen wird beklagt. Harmonie und das Glück in der Familie werden gefeiert.« Dabei handelt es sich bei dem Solistenheer keineswegs durchweg um bockige Verweigerer und Aussteigertypen mit Partnerschaftparanoia, wie das Klischee vom Desperado es will. Die Einzeltierchen sind mitnichten renitent. Als »überzeugte Singles« würden sich die wenigsten von ihnen bezeichnen. Mindestens zwei Drittel hoffen auf dauerhafte Zweisamkeit. Warum also finden Frauen keine Männer und Männer keine Frauen mehr? Indirekt gibt es dafür vor allem eine Ursache: die Ehe, die sich nämlich als eine Einrichtung entpuppt, die der einen Hälfte der Menschheit wohl bekommt und der anderen immer weniger.

Männern tut die Ehe bekanntlich gut. Sie wirkt lebensverlängernd, mental stabilisierend und ist der männlichen Psyche insgesamt zuträglich. Verheiratete Männer sind gesünder, netter, reicher und anständiger, sagen die Forscher. Das ahnen auch die Herren selbst und sehen zu, dass sie schleunigst zum Standesamt oder vor den Traualtar kommen. Eingefleischte Junggesellen, denen ihr lediger Familienstand schützenswerter erscheint als die Pandabären Chinas, scheint es immer weniger zu geben, und die Letzten ihrer Art leben in den meisten Fällen auch schon seit vielen Jahren glücklich mit derselben Frau in einer eheähnlichen Gemeinschaft. Manche haben sich auch mit Fleiß ausschließlich in solche Frauen verliebt, bei denen sich die E-Frage nie stellte, da sie bereits verheiratet waren.

Sind bindungswillige und -fähige Junggesellen also Mangelware? Es scheint so. Untersuchungen, die unter ledigen Männern durchgeführt wurden, haben ergeben, dass diese insgesamt passiver, phlegmatischer und asozialer in ihrem Verhalten sind als ihre verheirateten Geschlechtsgenossen. Langjährige Junggesellen behaupten in der Regel, sie wollten nicht heiraten, weil sie sich ihre Freiheit bewahren wollten. Vor seinem inneren Auge sieht man diese John Waynes und Lucky Lukes der Neuzeit in einem klapprigen Ford Mustang dem Sonnenuntergang entgegenfahren. Die zerforschte schnöde Realität aber sagt, dass das Einzelgängertum erwiesenermaßen weniger aus Hoffnung auf häufig wechselnde Bettgenossinnen betrieben wird als vielmehr deshalb, weil viele Einspänner schlicht unter Gamophobie, panischer Ehescheu, leiden. Sie haben Angst vor der Verantwortung für einen Partner und mögliche Kinder sowie vor der Ehe im Allgemeinen. Soziologen weisen darauf hin, dass es sich bei solchen eingefleischten Junggesellen meist um Männer handelt, die eine schwierige Kindheit hatten – angesichts der Scheidungsraten in der westlichen Welt, denen Millionen von Jugendlichen zum Opfer fallen, wird es also wohl künftig immer mehr von dieser Sorte geben.

Neben den Gamophoben gibt es unter den Männern noch die Frust-Singles, so genannte »New Spinsters«. Diese Eigenbrötler sind zwischen dreißig und fünfzig, verdienen wenig oder sind arbeitslos und besonders stark in sozial schwachen Großstadtvierteln vertreten. Sie gelten als Problemgruppe im Single-Land, was so viel heißt wie, dass sie kaum vermittelbar sind. Und dann sind da noch die Verweigerer, lauter Hagestolze, die sich nach Liebesenttäuschungen vergraben haben und über ihrem Premiere-Abo misanthropisch geworden sind.

Auf der anderen Seite des Geschlechterzauns stehen Frauen, die dem Profil der ehescheuen und menschenfeindlich gesinnten männlichen Singles kaum entsprechen. Ledige Frauen sind wesentlich stabiler, aktiver und glücklicher als ihre beringten Geschlechtsgenossinnen und blicken zuversichtlicher in die Zukunft. Sie sind entscheidungsfreudiger, selbstständiger, geselliger und beruflich erfolgreicher, leiden seltener unter Migräne, Schlaflosigkeit, Kreislaufbeschwerden und depressiven Zuständen. Manche verheiratete Dame beneidet sie im Stillen, denn die Ehe erweist sich für die meisten keineswegs als der erhoffte Traumzustand. So sind es vor allem Frauen, die ihre Ehen für unglücklich halten, die von sexueller und geistiger Frustration berichten. Knapp die Hälfte aller verheirateten Frauen gibt an, wenn sie die Wahl hätten, würden sie ihren Partner nicht noch einmal ehelichen. Deshalb geht der Wunsch zur Scheidung denn auch häufiger von weiblicher Seite aus.

Verheiratete Männer sind also glücklicher als Junggesellen, und weibliche Singles sind glücklicher als Ehefrauen. Houston, wir haben ein Problem! Nicht die frustrierte, neurotische und verklemmte Jungfer und der schicke, verwöhnte Playboy, wie das Klischee es vorgaukelt, bevölkern die Single-Haushalte unserer Städte, sondern die selbstsichere, attraktive Singlefrau und der schüchterne, einsame und leicht verwahrloste Junggeselle bestimmen das Bild. Kein Wunder, dass die allermeisten kinderlosen Frauen angeben, der fehlende richtige Gefährte sei der Grund für den gesellschaftspolitisch beklagten Nachwuchsmangel. Man kann sie verstehen: Wenn nur Loser und Sonderlinge frei herumlaufen, wie will man da einen passenden Vater zum Kind finden?

Da Männer außerdem, so will es die Natur, meistens Frauen heiraten, die ihnen zwar oft unmerklich, doch leicht unterlegen sind – ihrer Bildung, sozialen Herkunft oder wenigstens ihrer Statur nach –, handelt es sich bei den Dauer-Junggesellen gewissermaßen um den Bodensatz der Männlichkeit, bei den Frauen jedoch um die absolute Spitze. Frauen, die zu keinem Mann aufsehen, weil sie selbst es so weit nach oben geschafft haben, finden auch der Statistik nach schwerer einen Partner: Denn Männer brauchen für ihr eheliches Wohlbefinden ein Überlegenheitsgefühl, wie gering es auch sei. Forscher haben außerdem herausgefunden, dass es vor allem die temperamentvollen, phantasiebegabten Frauen sind, die jung heiraten – besonnenere, rationalere Mädchen warten erst einmal ab, während die anderen die Ehe glorifizieren und nur zu bereitwillig glauben, sie hätten ihren Märchenprinzen gefunden. Frauen, die früh heiraten, sind in der Regel weniger gebildet als solche, die erst später vor den Altar treten, und sie neigen dazu, ihr Studium, ihre Doktorarbeit oder andere berufliche Projekte innerhalb der Ehe nicht weiterzuverfolgen, zumal wenn erst einmal Kinder da sind. Andersherum sind Frauen, die sich »hochgearbeitet« haben, oftmals nicht verheiratet. Denn ihr Erfolg deutet bereits darauf hin, dass sie über Ehrgeiz und Durchsetzungsvermögen verfügen, die das hyperanfällige männliche Selbstbewusstsein anzukratzen drohen. Daher erscheinen sie als potentielle Gemahlinnen weniger attraktiv. Dabei sind oft gerade dies besonders bindungsfähige Frauen, die ein ausgeprägtes Verantwortungsbewusstsein besitzen, liebevoll mit den eigenen Eltern umgehen und gelernt haben, Krisen durchzustehen. Mit anderen Worten: Männer heiraten nicht nur lieber als Frauen, sie heiraten in der Regel auch noch die Falschen. Und hier beißt sich der Hund nun endgültig in den Schwanz.

In der Tat stellen verfügbare Klassefrauen immer wieder fest, dass eigentlich alle Männer, die nicht einen schweren Schatten haben, fest liiert sind. Das wiederum bereitet der anständigen Single-Julia, die ihren Romeo nicht aus den Armen einer anderen herausreißen will, Probleme. Doch selbst, wenn er sich jemals aus seiner aktuellen Beziehung löst, sind ihre Chancen gering: Bei den meisten Männern sind die Beziehungslücken so kurz, dass man sie als solche nicht einmal wahrnimmt. Heute Susi, morgen Anke, danke.

Aber auch bei den Frauen gibt es solche, die es eilig haben, sich wieder zu binden. Psychologen unterscheiden zwischen jenen, die nach einer Scheidung oder Trennung möglichst rasch wieder in einer Beziehung unterschlüpfen, und denen, die sich Zeit lassen mit der Suche nach einem neuen Partner. Doch anders als Männer, die als Solisten vor allem in erotischer Hinsicht rasch wieder Anschluss suchen, sind die Unterschlüpfer meist Frauen, die keinen qualifizierten Beruf haben und mit einer neuen Beziehung eher versuchen, ihre Versorgung sicherzustellen. Die Mehrheit der weiblichen Singles jedoch steht finanziell auf eigenen Beinen.

Drum sucht ewig, wer nicht findet?

Während sich Beziehungen früher im Laufe der Ausbildung oder in der Zeit des Berufseinstiegs ergaben, ist in unseren globalisierten Zeiten die Partnerwahl ständig möglich. Überall – oder eben nirgends. Wo man sich dauernd begegnet, wird es immer schwieriger, einander kennen zu lernen. Mindestens jeder vierte Single gibt an, mangelnde Zeit und Gelegenheit seien die Hauptgründe für seine Partnerlosigkeit. Viele wenden sich darum an Datingagenturen im Internet, wo auf mehrere Dutzend Kontakte zwar durchaus der ein oder andere Herzenstreffer entfällt, doch die virtuell begonnenen Beziehungen in der Realität selten dauerhaft bestehen bleiben. After-Work-Partys und Treffen für »Fische ohne Fahrrad« sind auch nicht jedermanns Sache: Die Vorstellung von lauter eingesperrten »Singletons«, wie Bridget Jones sie nennt, in einem Raum, jeder mit einem imaginären Post-it-Zettelchen »Nimm mich!« auf der Stirn, verströmt in der Tat den abschreckenden Ruch von Verzweiflung. Mit letzter Kraft klammern sich die Beteiligten an den Strohhalm ihres Cocktails und versuchen, die Würde zu bewahren. Daneben erscheinen die Balz- und Deckrituale in der Tierwelt vergleichsweise ausgefeilt.

Das Heer der Singles wächst also – ein Grund zur Sorge? Im Gegenteil. Forscher bescheinigen gerade den »transitorischen« Singles, jenen also, die bindungsfähig und -willig sind und immer wieder zu einer Partnerschaft zurückkehren, gesteigerte Liebesklugheit. Sie suchen sich von Mal zu Mal einen Menschen aus, der besser zu ihnen passt. Ausgerechnet Nummer dreizehn ist manchen Experten aller statistischen Wahrscheinlichkeit nach zufolge Mr. Right oder Miss Perfect.

Doch es gibt auch jene, die sich auf der Flucht vor der abendlichen Einsamkeit kopfüber in die Arbeit stürzen und denen es dann irgendwann schwer fällt, einem anderen Menschen Platz nicht nur in ihrem Bett, sondern auch in ihrem Leben einzuräumen. Was diese Fraktion der Workaholics zwischen Freiheitsjubel und Depression erlebt, hat nichts mehr mit Goethes Lebensmaxime gemein: »Freudvoll / Und Leidvoll / Gedankenvoll sein / Langen / und Bangen / In schwebender Pein / Himmelhoch jauchzend / Zu Tode betrübt / Glücklich allein / ist die Seele, die liebt.«

Frauen unter sich

Wenn man sich im Stadtbild umschaut, fällt auf, dass die Frauen immer mehr unter sich bleiben. Ob in Geschäften oder in Restaurants, im Kino, im Fitnessclub oder auf Reisen: Frauen ohne Männer, wohin das Auge fällt. Den Statistiken zufolge kommen zwar auf 48 weibliche Singles 52 männliche. Die gefühlte Wirklichkeit der Frauen jedoch besagt, dass es ganz eindeutig nicht genug Männer gibt. Die Chancen für eine Singlefrau ab vierzig, einen passenden Partner zu finden, scheint geringer zu sein als ein Millionengewinn im Lotto. Jede Frau kennt jede Menge anderer toller Frauen, attraktiv, beruflich erfolgreich, humorvoll und vielseitig interessiert, die ohne Mann sind, aber fast keine kennt auch nur einen einzigen Mann mit Format, der unbeweibt lebt. Genug Männer mag es also vielleicht geben, aber ganz eindeutig gibt es nicht genug gute. Zum Glück haben die meisten Frauen keine Minderwertigkeitskomplexe mehr, weil sie keinen »abgekriegt« haben, sondern sind eher froh, dass ihnen niemand nachts die Decke wegzieht oder im Bad auf die Klobrille pinkelt. Frauen, die eine Partnerschaft hinter sich gelassen haben, so die Psychologin Eva Jaeggi, »entdecken ihren eigenen Geschmack, ihren Lebensstil wieder. Wie soll die Einrichtung der Wohnung aussehen? Die Kleidung? Welches Essen mag man, welches nicht? Welche Filme will man sehen, welche Bücher lesen? All die Bereiche, in denen man sich bisher oft unterordnete, werden neu erobert. Dann pflegen Frauen ihren Freundschaftskreis, bauen ihn wieder auf, wenn er durch die Ehe vernachlässigt war.«

Single-Frauen sind selbstständig, selbstbewusst und gebildet und suchen entsprechende Männer. Finden sie diese nicht, bleiben sie lieber allein. Soziologen erklären das damit, dass Frauen es besser verstünden, aus ihrem Leben etwas zu machen. Männer dagegen seien stärker dem traditionellen Rollen- und Versorgungsmuster verfallen. Ohne Partnerin fehlt ihnen die anschmiegsame Hälfte des Selbstbilds. Einer Faustregel zufolge bleiben Männer bei den Frauen, solange für alles Wesentliche gesorgt ist, also Bier im Kühlschrank steht, die Hemden gebügelt sind und sie ungestört die *Sportschau* anschauen können. Während die Herren der Schöpfung sich daher im ungewohnten Alleingang oft defizitär fühlen, begreifen Frauen das Singletum als Chance, sich zu entwickeln, als Herausforderung. Aber es gibt auch Krisen: die Einsamkeit. Und eine gewisse Langeweile, die nichts mit mangelnder Beschäftigung zu tun hat, sondern damit, dass ein ganz bestimmter Platz im Wesenszentrum unbesetzt ist.

Sophie zum Beispiel ist über die Trennung von Leonard inzwischen hinweg. Es hat eine Weile gedauert, weil sie sich immer wieder gefragt hat, ob es richtig war, sich scheiden zu lassen, oder ob sie ihre Beziehung mit Hilfe einer Eheberatung hätten retten können, zum eigenen Wohl ebenso wie dem der Kinder. Doch inzwischen hat sie aufgehört, darüber nachzugrübeln. Ihr Leben ist ausgefüllt im besten Sinne: Sie arbeitet halbtags, oder jedenfalls das, was der Arbeitgeber so halbe Tage nennt, nämlich von morgens um acht bis gegen vier. Dann saust sie heim, um das Kindermädchen abzulösen, das zusammen mit der Miete mehr oder minder ihr gesamtes Gehalt verschlingt. Aber dann ist die kleine Familie unter sich: Der schönste Moment des Tages. Jakob und Emma sind unbeschwert und fröhlich, soweit sie das beurteilen kann; anfänglich hatten die beiden natürlich oft gefragt, wann

Papi denn nur zurückkomme, aber inzwischen haben sie sich daran gewöhnt, nur von ihrer Mutter einen Gutenachtkuss zu bekommen. Außerdem verbringen sie jedes zweite Wochenende bei ihrem Vater. Sophie hat einen großen Freundeskreis, eine Wohnung, in der sie sich wohl fühlt, keinen Krach mit Leonard – sie ist mit ihrem Leben vollauf zufrieden. Und trotzdem ertappt sie sich manchmal bei dem Gedanken, dass es schön wäre, wenn es jemanden gäbe, der sie am Abend in den Arm nimmt, mit dem man, wenn die Kinder im Bett sind, bei einem Glas Wein über die Geschehnisse des Tages ebenso reden könnte wie über die Nachrichten oder die Ausstellung neulich. Es ist so anstrengend, immer stark zu sein, denkt sie, wenn sie abends beim Abschminken in den Spiegel schaut. Neulich bemerkte eine Freundin, wahrscheinlich habe sie es als Alleinerziehende doppelt schwer, einen neuen Kerl zu finden. Das kann und will Sophie nicht glauben. Ihre Kinder sind doch das Beste, was sie im Leben je hervorgebracht hat! Außerdem sucht sie ja keinen Versorger oder Ersatzvater für die beiden, sondern einfach jemanden, der ab und zu da ist – für sie, nicht für die Kinder. Wenngleich die ihn natürlich mögen und akzeptieren müssten, alles andere wäre undenkbar. Ohnehin kann Sophie sich nicht vorstellen, wieder ganz mit jemandem zusammenzuleben. Sie hat sich daran gewöhnt, allein zu sein, und braucht diese Rückzugsmöglichkeit, um nachzudenken. Eines Tages vielleicht, wenn die Kinder größer sind. Aber im Moment ist eigentlich alles gut so, wie es ist. Wäre da nicht dieses kleine Vakuum unterm Solarplexus, diese Sehnsucht danach, jemanden zu lieben – manchmal kommt ihr das Alleinsein vor wie eine Verschwendung von Ressourcen. Schließlich weckt die Liebe doch das Beste in den Menschen, macht sie wach und aufmerksam jenseits ihrer eigenen Egozentrik. Das ist es, was Sophie vermisst: die Lust daran, sich für jemanden anders anzustrengen, sich um einen anderen zu bemühen. Sie fühlt sich nicht einsam, dazu ist ihr Leben viel zu ausgefüllt. Aber ihr fehlt die spielerische Erweiterung, die eine neue Liebe mit sich bringt. Keine Ausweitung der Kampfzone, sondern die Entdeckung einer schönen neuen Welt. Diese Sehnsucht begleitet sie auf Schritt und Tritt, unsichtbar wie der berühmte Hase Harvey aus Sophies altem Lieblingsfilm mit James Stewart.

Das Solistentum mit Fassung tragen

Machen wir uns nichts vor: Das Singledasein ist kein Idealzustand. Gewiss, es hat seine Vorteile, und es sind keine geringen. Aber diejenigen, die sie schon eine Weile genossen haben, wissen selbst am besten, dass man Teile der Unabhängigkeit und Freiheit durchaus für die Freuden der Zweisamkeit aufgeben würde – wenn denn der richtige Mensch dafür des Weges käme.

Es ist weniger die allgemeine Freizeitgestaltung, die den meisten schwerer fällt, als die besonderen Anlässe, bei denen man das Alleinsein kurzfristig akut zu spüren bekommt. Offizielle Einladungen mit der beliebten Standardformulierung »laden wir Sie und Ihre Begleitung ...« erinnern einen dezent daran, dass man keine solche Begleitung vorzuweisen hat. Hochzeitsfeste, bei denen man sich als Frischgeschiedene fühlt wie ein wandelnder zynischer Kommentar: Seht her, so kann's gehen. Eigene runde Geburtstage sind auch so eine Sache, zumal, wenn man sich gerade getrennt hat und sich eine Feier daher gewissermaßen aus Pietätsgründen verbietet. Ich selbst etwa habe meinen Dreißigsten mit meiner Mutter in einem schönen Hotel verbracht, eine Freundin ihren Vierzigsten mit anderen Single-Freundinnen auf einer Beauty-Farm. Zum Fünfzigsten gönnt sich dann die ein oder andere wahrscheinlich einen heimlichen Lifting-Urlaub allein mit einigen guten Büchern in Südafrika. Was für Aussichten!

Wahrscheinlich wäre kaum jemand peinlich berührt von solchen defensiv-eskapistischen Plänen, wenn Phasen der Niedergeschlagenheit im normalen Umfeld leichter zu ertragen wären. Aber in einer Gesellschaft, die es gleich als Indiz einer Depression deutet, wenn jemand über einen längeren Zeitraum nicht die Energie aufbringt, tagtäglich Fröhlichkeit und Elan auszustrahlen, hat jede private Krise den Ruch einer Niederlage. Wer eine Weile ohne ersichtlichen Grund ernst und nachdenklich ist, fühlt sich bald selbst wie ein seltsamer Exot, mit dem etwas ganz und gar nicht in Ordnung sein kann, bloß weil ihm nicht zum Lachen zumute ist. Die Rezepte sind gleich bei der Hand: ein neuer Partner, ein neuer Wohnort, ein neuer Job, ein neues Leben muss her, damit man wieder Optimismus und Leidenschaft ausstrahlt. Perfider noch ist der stets unaufgefordert erteilte Rat, sich doch in die Hände eines Therapeuten zu begeben. Wir, die in Gedanken immerzu in der Zukunft leben, haben offenbar verlernt, geduldig auf ihr Eintreffen zu warten.

Da der Single gesellschaftlich gesehen keinen guten Ruf genießt, gilt es, das Solistentum mit Fassung, Eleganz und Selbstbewusstsein zu tragen. Weil das im Verein meist einfacher ist als allein, gibt es zahllose Clubs, denen man sich anschließen kann.

Die amerikanische Single-Bewegung »Quirkyalones«, auf gut deutsch: »schrullige Alleinis«, wehrt sich gegen die Stigmatisierung der Einzeltierchen zu neurotischen Haar-in-der-Suppe-Findern. Sie betrachten ihr Singletum als »natürlichen Ruhezustand« und propagieren das Alleinsein in einem lesenswerten »Manifest für kompromisslose Romantiker« als konsequente Anspruchshaltung. Tatsächlich mutet ihre Einstellung im ritualisierten amerikanischen Verabredungszirkus geradezu radikal an: Als Romantiker der reinsten Form sind die Quirkyalones überzeugt, dass es irgendwo genau den Menschen gibt, der zu ihnen passt. Daher sind sie nicht auf Kuppelei aus, entsagen Dating-Services und Mistelzweig-Partys, sondern glauben weiterhin an das Weltwunder Liebe: »Unter Millionen müssen wir den einen finden, der uns versteht.« Mittelmaß gilt nicht. Selbst, wenn man sich dem Credo der Bewegung – »wir sind konstitutionell unfähig zu alltäglichen Beziehungen« – nicht verschreiben mag, ist diese Einstellung doch vielversprechend, weil sie von einer gereiften Gefühlskultur zeugt. Denn nicht nur jene, die im Doppelpack auftreten, sind vollwertige Menschen, wie oft suggeriert wird. Im Gegenteil.

Nachdem er oftmals erst schmerzhaft lernen musste, die falschen von den richtigen Freunden zu unterscheiden, sieht der frisch gebackene Single seine Bekannten wieder viel häufiger und bemüht sich um neue Kontakte. Sein Terminkalender ist dicht gefüllt mit Ausflügen, Reisen und anderen Planungen, während eingesessene Paare sich in ihrer behäbigen Zweisamkeit oft viel schwerer tun, spontan vom Fleck zu kommen. Singles wissen, wie wichtig Freundschaft ist, oder sie erinnern sich jedenfalls wieder daran – und genießen die Erfahrung, dass die Geborgenheit in wenigen wichtigen Freundschaften zerbrochene Beziehungen mehr als wettmachen kann. Und wenn sie je im Liebesrausch einer früheren Beziehung Freundschaften grob vernachlässigt haben, schwören sie sich nun, es nie wieder zu tun. Doch sie schätzen ihre Freunde nicht nur ganz neu, sondern sie sind umgekehrt auch selbst loyale und verlässliche Freunde – und trotzdem pflegeleicht und unkompliziert. Singles sind nicht nachtragend, wenn jemand ihren Geburtstag vergisst, rechnen nicht auf, wer »dran ist« mit Einladungen oder Anrufen. Sie können zurückstecken. Sie halten sich nicht für das Zentrum von allem.

Die Singles sind also keine Schar von Geschiedenen und Beziehungsgeschädigten, keine Kohorte von Eigenbrötlern und Kontaktverweigerern. Sie warten nur nicht darauf, um jeden Preis wieder Teil eines Paares zu werden. Das macht sie den Politikern unheimlich.

Solomütter im Teufelskreis

Sorgen macht man sich von Staats wegen vor allem um die Alleinerziehenden, von denen es in Deutschland zwei Millionen gibt, vorwiegend Frauen. Sie gelten als »Risikogruppe«, weil sie besonders schnell an die Armutsgrenze geraten können, wenn nur eine Kleinigkeit ihrer Alltagsarrangements aus dem Lot gerät. Tatsächlich landen dramatisch viele Alleinerziehende in dieser Gruppe. So wird von den mehr als eine Million Kindern, die in Deutschland von Hartz IV abhängig sind, fast jedes zweite von einem einzelnen Elternteil aufgezogen. Wenn da ein Kind erkrankt und deshalb nicht in die Kindertagesstätte kann, hat die Mutter keine andere Wahl, als zu Hause zu bleiben. Auch springt niemand für sie ein, wenn ihr Kind sechs Wochen Sommerferien hat. Der häufige Arbeitsausfall kostet sie oft genug früher oder später den Job. So entstehen immer mehr kleine Familien mit großen Geldsorgen, die von der Gesellschaft allein gelassen und stigmatisiert werden. Das eigentliche Risikomerkmal lautet jedoch nicht »kein Mann« oder »Kind«, sondern einzig »kein Geld«. Denn die größte Gruppe der Alleinerziehenden kommt mit ihrem Leben bestens zurecht, wie Forscher herausgefunden haben. Untersuchungen zeigen: Alleinerziehende Mütter sind genauso gesund und zufrieden wie gebundene, ihre Kinder kommen in der Schule genauso gut zurecht, sind so ausgeglichen und fröhlich wie die aus »normalen« Familien – vorausgesetzt, sie leiden keine materiellen Sorgen. Der Graben verläuft nicht zwischen Kindern aus »heilen« und »kaputten« Familien, sondern zwischen Arm und Reich. Die geplante Neuregelung des Unterhaltsrechts ist da nur ein erster Schritt in die richtige Richtung. Nicht die Frau soll künftig in erster Linie von Unterhaltszahlungen profitieren, sondern das Kind. Das trägt auch der Statistik Rechnung, die besagt, dass nur eine Minderheit, nämlich 28 Prozent der allein erziehenden Frauen, von ihrem Partner verlassen wurden. 43 Prozent haben sich aus eigenem Antrieb getrennt, und immerhin 29 Prozent schieden einvernehmlich auseinander, kümmern sich daher aller Wahrscheinlichkeit nach auch weiterhin gemeinsam um den Nachwuchs. Die meisten Solo-Mütter haben also ihre Lebenstüchtigkeit bereits mit der mutigen Entscheidung bewiesen: »Ich schaffe es auch allein.« Tatsächlich leisten Alleinerziehende Phänomenales: Sie sind immer gesund, Meisterinnen der Improvisation und der Organisation, und man kann sich hundertprozentig auf sie verlassen. Doch statt sich für ihre Eingliederung in die Arbeitswelt einzusetzen, gelten sie eher als bemitleidenswerte, bedürftige Minderheit. Das demütigt die Betroffenen und kostet den Staat überdies Milliarden an Arbeitslosengeld, Sozialfürsorge und Fördermaßnahmen. Statt für kostenlose Kinderbetreuung zu sorgen oder die Kinderbetreuung wenigstens steuerlich absetzbar zu machen, sind allein erziehende Mütter gehalten, um jeden Cent zu feilschen. Daran zeigt sich, dass das Gebären und Aufziehen von Kindern auch in einem Land, das mehr denn je auf Nachwuchs angewiesen ist, noch immer als Leistung im Rahmen des Gewöhnlichen gilt.

Lieber allein als in schlechter Gesellschaft: Inspirierende Solisten und Ehe-Abwehrer

Der Single ist sein eigener verblasster Mythos. Was waren das für unbeschwerte Zeiten, da er als künstlerisch-schwärmerischer, geheimnisumwitterter Einzelgänger galt, der auf der Suche nach seiner inneren Wahrheit niemanden an sich binden wollte. So empfahl Rainer Maria Rilke dem Adressaten seiner *Briefe an einen jungen Dichter,* dieser solle sich der Einsamkeit hingeben, um dann umso mehr schöpferischen Nektar aus der liebenden Begegnung zu ziehen. Andere gerierten sich als Verführer, die so viele Frauen wie möglich beglücken wollten, anstatt eine einzelne unglücklich zu machen. Allen gemeinsam war die Entschlossenheit, das Alleinsein als Chance zur Erweiterung der eigenen Persönlichkeit zu nutzen. Deshalb wurden junge Männer schon immer gern auf Reisen geschickt, ob auf die *Grand Tour* der Romantik oder per Zweirad wie in den *Motorcycle Diaries* des jungen Che Guevara. Einsamkeit bildet – und macht einen aufmerksam nicht nur für sich selbst, sondern auch für andere.

Die tragischste Gestalt unter den Singles ist Orpheus, der uns schon einmal begegnet ist. Nachdem seine geliebte Frau Eurydike beim Spiel mit Freundinnen von einer giftigen Schlange gebissen wird und stirbt, gibt er seinem Schmerz in wehmütigen Liedern Ausdruck, und »da trauerten die Vöglein und die klugen Hirsche und Rehe mit dem verlassenen Gatten«. Die herzzerreißende Szene, gewissermaßen das Gegenmotiv der Arche Noah, ist von den alten Meistern häufig dargestellt worden, die die Gelegenheit nutzten, ihre Malkunst an allerlei exotischem Tier zu erproben; bei Roelant de Savery stehen Bären, Hunde und ein Nashorn ehrfürchtig am Rand der Lichtung, auf der Orpheus sein Klagelied erschallen lässt, Affen und Papageien hocken ergriffen in den Ästen. Doch alles Flehen bringt die Verlorene nicht zurück, so dass Orpheus sich beherzt auf den Weg in die Unterwelt macht, zu Pluto und seiner Frau Persephone. Unbeirrt von den Schatten der Toten, die ihn auf seinem Weg durch den Orkus umschweben, tritt er vor den Thron des Hades. Sein Lied bringt selbst die blutlosen Schatten zum Weinen. Sie geben ihm Eurydike mit, doch darf er sich während des ganzen langen Weges nicht einmal nach ihr umschauen, sonst ist sie für ihn auf ewig verloren. Doch noch ist es ja nur Eurydikes Schatten, der hinter ihm schwebt und keinen Laut von sich gibt, nicht den eines Atemzugs, nicht den eines Schrittes, und von Sehnsucht und Angst überwältigt, kann Orpheus nicht anders, als einen Blick nach hinten zu werfen. »O Jammer! Da schwebt sie, das Auge traurig und voll Zärtlichkeit auf ihn heftend, zurück in die schaurige Tiefe. Zum zweiten Male stirbt sie den Tod, doch ohne Klage – hätte sie klagen können, so innig geliebt zu sein?«, heißt es daraufhin bei Gustav Schwab. Dem unglücklichen Sänger bleibt nichts, als weiter klagend durch die Wälder zu ziehen.

Die Zeiten schwermütiger Waldgesänge sind heutzutage vorbei. Und noch etwas hat sich verändert: Heute sind es vor allem die Damen, die als imponierende Einzelgänger in den Blick fallen. Wir sind von inspirierenden Frauen umgeben, die ihr Leben im unabhängigen Alleingang bestens im Griff haben – die amerikanische Außenministerin Condoleezza Rice ist Single, Alice Schwarzer ist es und Marion Gräfin Dönhoff war es zeitlebens ebenfalls. Es sind allesamt Frauen, die sich für das ledige Leben nicht aus Mangel an Gelegenheit entschieden haben, sondern weil sie den Verzicht auf die Ehe eher als Nein mit Pointe ansahen: eine Ablehnung gegen die Einrichtung zugunsten einer vollständigeren Lebens- und Liebeserfahrung. Oscar Wilde brachte es mal wieder auf den Punkt, als er sagte: »Den idealen Gatten gibt es nicht. Der ideale Gatte bleibt ledig.« Männliche Vorbild-Singles sind dennoch viel seltener, auch wenn es jede Menge Herren gibt, die sich als Single gerieren, sobald ihnen eine attraktive Frau gegenübersitzt. Schnell ziehen sie sich den Ring vom Finger, was meist einen verräterischen hellen Streifen hinterlässt, oder verschweigen ihre Gattin einfach, als täte diese nichts zur Sache. Das Problem vieler Männer – und damit auch Frauen – besteht darin, dass sie gar nicht reif sind für eine gleichberechtigte, ganzheitliche Beziehung. Auf die Frage, wann sie eigentlich gedächten, erwachsen zu werden, antworten selbst Mittvierziger im Sinne Hugh Grants, das sei das Letzte, was sie anstrebten. Angesprochen auf die Vaterrolle, erwidern zwei von drei kinderlosen Männern über vierzig: Im Prinzip hätten sie nichts dagegen, fühlten sich aber noch nicht reif genug. Forscher sehen sich durch solche Ausbrüche an Infantilität bestätigt in ihrer Prophezeiung, dass immer mehr Männer in einen Zeugungsstreik treten, gewissermaßen als Rache für die Emanzipation der Frauen. Die sollen so dazu bewogen werden, entweder die traditionelle Arbeitsteilung wiederherzustellen und zu Hause zu bleiben, bis der Nachwuchs aus dem Gröbsten raus ist, oder aber ganz auf Kinder zu verzichten. Und so schiebt mancher die Vaterschaft auf, während die doppelt gestrafte Dame an seiner Seite kinderlos bleibt.

Frauen sind in ihrem Single-Leben wesentlich konsequenter als Männer, unter denen selbst die klügsten, fortschrittlichsten und freiheitsliebenden irgendwann heiraten, während es unter den Damen immerhin einige gibt, die der Ehe von vornherein nichts abgewinnen können – wenn auch nicht viele. Selbst die größten Rebellinnen haben sich irgendwann einmal zur Heirat hinreißen lassen, darunter George Sand, Tania Blixen, Franziska zu Reventlow. Anders Coco Chanel. Sie entwarf die Kleidung zum Aufstieg und Ausbruch der Frau aus dem eng geschnürten Korsett der Zeit: schmale Röcke und locker sitzende Jacken, in denen man nicht nur frei atmen, sondern auch frei denken konnte. An Gefährten und Liebhabern mangelte es ihr nicht, aber auf eine Ehe ließ sie sich niemals ein und beharrte zeitlebens auf der Anrede »Mademoiselle«.

Auch die Jahrhunderttänzerin Isadora Duncan bezeichnete die Ehe als »entwürdigenden Stand«. Einen Stand, in den sich die Schriftstellerin Ingeborg Bachmann gar nicht erst begab. Sie verwarf die Ehe als »große Konvention« von Anfang an und lehnte sie ab als »eine unmögliche Institution … für eine Frau, die arbeitet und denkt und die selbst etwas will«. Die einzig eheähnliche Gemeinschaft, die sie selbst als solche empfand, war ihre Freundschaft zu Hans Werner Henze, während sie die Beziehung mit

Max Frisch als Angriff auf ihre Unabhängigkeit wertete. Als Frisch um ihre Hand anhielt, blieb sie ihm die Antwort schuldig. In ihrer Prosadichtung *Undine geht* (1961) besingt sie die große, radikale Liebe, die ihr Ziel in der Freiheit hat, in der sich alle institutionellen Sicherheiten aufgelöst haben zugunsten einer außergewöhnlichen Beziehung: »ordnungslos, hingerissen und von äußerster Vernunft«.

Das fünfte Rad am Wagen

Die Ehe ist eine Form, sich festzulegen. Das zeigt sich schon daran, dass selten nach ihrem Befinden gefragt wird. Früher gehörte es zu jedem Gespräch mit meiner Freundin Anna, sie auf den Stand ihrer Beziehung anzusprechen. Ganz selbstverständlich fragte man: »Na, und wie geht es mit Otto?« Was folgte, war ein Bericht von der gegenwärtigen Lage der Liebe, bei dem man sich miteinander aufregte, schimpfte oder sich für den anderen freute. Inzwischen sind Anna und Otto verheiratet, und ich käme nicht auf den Gedanken, Anna zu fragen, wie es ihrer Ehe geht. Es erscheint mir irgendwie unschicklich, so, als hegte ich Zweifel daran, dass die eheliche Zweisamkeit im Allgemeinen oder gar diese im Besonderen kein Dauerglückszustand sei. Was ich im Übrigen natürlich tue – wenn man selbst erlebt hat, wie lautlos eine eheliche Gemeinschaft implodieren kann, wird man misstrauisch, was den schönen Schein bei anderen angeht. Aber dennoch erkundige ich mich nicht, ob der Ehestand Annas Vorstellungen entspricht oder gar, ob sie glücklich verheiratet ist. Ich frage höchstens: »Und, was macht Otto so?« Und dann sprechen wir darüber, an was für Projekten dieser gerade beruflich arbeitet, über ihre Umzugspläne oder andere familienbezogene Themen. Auch mich hat nach meiner Hochzeit niemand mehr gefragt, ob die Ehe oder der Ehemann meinen Erwartungen eigentlich entsprachen. Warum auch – schließlich hatte ich mir beide selbst ausgesucht, und man geht ja stets davon aus, dass des Menschen Wille auch wirklich sein Himmelreich sei. Mit der Heirat wird die Liebe zum Tabu, zu einem geheimen Ort, von dessen Gegebenheiten Außenstehende meist erst dann etwas hören, wenn die Krise längst irreparabel ist oder die Trennung beschlossene Sache. Dann allerdings erfährt man oft mehr darüber, als man je wissen wollte, denn der Bruch mit der Intimität einer Partnerschaft wird von beiden aus Rache und Verletztheit nicht selten bis ins Detail hinein vollzogen.

Wie sehr die Liebe uns definiert, erfährt man als Single ganz besonders drastisch. Es scheint diesbezüglich zwei Arten von Herangehensweisen zu geben: die totale Ausblendung oder die geradezu penetrante Frage nach dem Stand der Dinge. Die Ausblendung funktioniert ähnlich wie das effiziente Nicht-zur-Kenntnis-Nehmen von gescheiterten Ehen unter Konventionalisten, wie es schon beschrieben wurde. Wer zuvor bereits die Trennung sorgfältig ignorierte, fragt später erst recht nicht, ob es einen neuen Partner gibt. Diese Menschen erwarten, nach Ablauf einer gewissen Schonzeit, in der sie sich vom Schock des Unsäglichen erholen konnten, fristgerecht davon in Kenntnis gesetzt zu werden – aber nur, bitte schön, wenn es auch wirklich etwas »Ernsteres« ist. Kurzzeitige Liebschaften oder vollbusige Begleiterscheinungen müssen weder vorgestellt noch eingeführt werden. Die Nachfrager sind die, die sich bei jedem Gespräch sofort erkundigen, ob man jemanden »gefunden« hat, ganz so, als sei der einzelne Mensch im Sinne von Platons Kugelideal ein amputiertes Wesen, das nicht lange überleben kann, jedenfalls nicht gut. Erst, wenn das Singledasein sich nicht als vorübergehendes Übel, sondern als anhaltender Zustand zu entpuppen droht, fragt niemand mehr, aus Furcht, peinlich berührt sein zu müssen über die offensichtliche Unvermittelbarkeit des Bekannten.

Wenn man wieder Single ist – zumal als Scheidungsopfer – ist das Erste, was man überrascht feststellt, dass es einem plötzlich an eindeutigen Angeboten mangelt. Viele geschiedene Frauen können berichten, dass ihnen, als sie noch verheiratet waren, allerhand offenherzige Avancen von ihrerseits ehelich gebundenen Männern gemacht wurden. Eine Freundin erzählt, kurz nach ihrer Hochzeit habe ihr ein guter Bekannter ganz ungeniert vorgeschlagen, nun, da sie beide verheiratet seien, könnten sie ja endlich richtig Spaß miteinander haben. Die Spielregeln braucht man in solchen Fällen nicht festzulegen, weil jeder sie kennt. Sie lauten: Wenn beide gleich viel zu verlieren haben, haben sie auch das gleiche Interesse daran, die Affäre zu verheimlichen. Und tatsächlich bestätigen Psychologen, dass die meisten verheirateten Damen ihre Seitensprünge selbst vor der besten Freundin verbergen, der sie sonst alles erzählen, während Singlefrauen ihrer Vertrauten sofort Bericht erstatten, wenn sie etwas mit einem verheirateten Herrn anfangen.

Eheleute bändeln also untereinander an, aber nicht mit Singles? Interessanterweise hätten alle Galane, die sie während ihrer Ehe mit dieser These konfrontiert habe, dies immer heftig abgestritten, erzählt meine Freundin. Merkwürdigerweise, so fügt sie hinzu, habe sie jedoch von all diesen guten Bekannten seit ihrer Scheidung nur noch sehr sporadisch gehört. Natürlich: Jetzt könnte es ja gefährlich werden. Nicht auszudenken, wenn Liebe im Spiel ist und einer von beiden ungebunden! Wer sich mit einem Single zusammentut, läuft schließlich Gefahr, in die totale Beziehung zu geraten – was Verheiratete, die zwar durchaus fremdgehen, aber doch an ihrer Ehe festzuhalten gedenken, verständlicherweise tunlichst vermeiden wollen. Die Angst davor, in eine verhängnisvolle Affäre hineinzustolpern, in der man von der Single-Geliebten unter Druck gesetzt wird, scheint für viele Männer die Schreckensvision schlechthin zu sein.

Dass der Single gefährlich ist, auch wenn er sich selbst harmloser vorkommt als je zuvor, wird ihm auch von anderer Seite bestätigt. Verheiratete Freunde tun sich plötzlich schwer damit, einen einzuladen – »Ach, weißt du, die Tischordnung geht dann nicht auf«, heißt es dann entschuldigend. Und wenn man doch gebeten wird, findet man sich unter Garantie neben einem anderen Frischgetrennten oder -geschiedenen wieder, ganz so, als sei das schon Gemeinsamkeit genug, um gleich in eine neue gemeinsame Zukunft aufzubrechen. Anschließend kommt dann der Anruf: »Na, wie fandst du denn den Hans?« Neben dem man prompt drei Tage später bei den Müllers wieder zu sitzen kommt, und in der Woche drauf bei Schmidts erneut. Allgemeine Verwunderung, wenn es dann bei der höflichen Vorstellung heißt: »Ach, Hans und ich kennen uns schon.« So oder so ist Hans, kaum, dass er bei drei Abendessen herumgereicht wurde, gleich wieder in festen Händen: Es findet sich garantiert eine, die ihn nimmt.

Nun kann man ja als weiblicher Solist nichts dafür, dass alle möglichen Leute Frau und Kinder haben. Aber man kann sicher sein, dass man von diesen Menschen, solange man ungebunden ist, wenig zu sehen bekommt – zu groß ist die Angst zumindest der Damen, dass der ein oder andere Ehemann im stummen, leidenschaftlichen Blickaustausch mit dem Single-Gast vergessen könnte, dass er außer drei Kindern, zwei Hunden und einem haushohen Kredit auch noch eine Frau hat. Die Schwabinger Bohémienne Franziska zu Reventlow, die immer wieder freimütig über ihre Amouren Auskunft gab, warnte in diesem Zusammenhang vor dem Borgen von Männern: »Fortsetzung mit verheirateten Männern ist überhaupt nichts Rechtes, ich hab' das Ausleihen niemals gerne gehabt. Es ist gerade so, wie wenn man sich von Freundinnen einen Mantel oder Pelz leiht – dann gefällt er mir, kleidet mich besonders gut, und ich ärgere mich, wenn ich ihn zurückgeben soll. Man kann es auch vergessen oder etwas daran ruinieren, und dann ärgert sich die Freundin. Es gibt immer leicht Unannehmlichkeiten für beide Teile.«

Kleines Plädoyer für die heimliche Liebe

Es ist aber keineswegs so, dass der Single emotional unterfordert sein muss, nur weil er unbemannt oder -beweibt ist, im Gegenteil, er mag ganz und gar erfüllt sein von heimlicher Sehnsucht nach einem geliebten Wesen. Allerdings ist die unerklärte und daher zwangsläufig unerwidert bleibende Liebe in unserer auf narzisstische Gratifikation erpichten Zeit gänzlich aus der Mode gekommen, ja, es scheint, als werde sie außer in Popsongs nicht einmal mehr in Erwägung gezogen. Gegenseitigkeit wird in Liebesdingen für selbstverständlich gehalten, wo es doch nach wie vor an ein Wunder grenzt, dass zwei Menschen aufeinander zu- anstatt voneinander weg lieben.

Dabei ist die unerwiderte Liebe, die Menschen einst zu Verzweiflungstaten bis hin zu Selbstmord und allerlei edlen Sublimierungsgesten animierte, eine der größten Antriebskräfte der Literaturgeschichte. Was wären die größten Gestalten ohne ihr leuchtendes Liebesideal, was Don Quijote ohne seine angebetete Dulcinea, was Werther ohne die unerreichbar verheiratete Lotte, was hätte Dante ohne den Ansporn seiner Liebe zu Beatrice vollbracht oder Petrarca ohne Laura? Edmond Rostand erzählte von Cyrano de Bergeracs hinreißend hoffnungsloser Verehrung für die edle Roxane, und Ludovico Ariosts rasender Roland verlor über die chancenlose Liebe zur schönen Angelica sogar den Verstand, der dann in einer Sondermission vom Mond zurückgeholt werden musste, wo sich prompt noch allerhand andere gebrochene Herzen fanden.

Nun sind wir allseits sehr bewegt, wenn uns dergleichen in der

Kunst vorgeführt wird, doch für den Hausgebrauch scheint uns diese Art Sehnsucht untauglich, geradezu hinderlich. Sicher, jeder schwärmt einmal für diesen oder jenen unerreichbaren Zeitgenossen, doch halten wir es damit eher wie mit einem zu teuren Paar Schuhe: Man träumt vielleicht ein Weilchen davon, dann schminkt man sich die Sache ab und nimmt mit einem anderen Paar vorlieb, das man sich leisten kann.

Aber gerade weil die heimliche, unerwiderte Liebe etwas Maßloses, Unbescheidenes hat, sich nicht darum schert, was praktisch ist, schicklich oder möglich, ist sie unbedingt zu empfehlen. Meist hat sie einen tragischen Kern, denn sie gilt ja jemandem, den man kennt, den man nicht haben darf, haben kann. Nicht weniger tragisch ist die Liebe zu einem ehemaligen Partner, erfährt doch mancher erst bei der Trennung, dass er weiterliebt, unvorhergesehenermaßen. Dann sieht man sich nicht mehr, spricht nicht mehr miteinander, trifft sich nicht mehr. Nur ist da eben etwas, das nicht aufhören will und worüber man keine Macht hat. Das bestürzende Andauern der Liebe gegen alle Planung und allen Willen, der auf eine übersichtliche, handhabbare Einrichtung des Lebens gerichtet ist, ist eine der eindrücklichsten Empfindungen, deren der Mensch fähig ist. Diese Art Liebe besitzt eine Notwendigkeit, die sich nicht erklären, nur verstehen lässt. Denn so chancenlos sie auch sein mag, bedeutet ihre bloße Existenz doch auch die Fortdauer von so etwas wie Glück. Natürlich ist es bitter, wenn man nicht geliebt wird. Aber ein noch größeres Unglück ist es, wenn man selbst nicht liebt.

Den Adressaten einer heimlichen Liebe lässt sich kein Vorwurf machen: Sie wissen ja nichts von der Unruhe, der Schlaflosigkeit und dem Herzklopfen, das sie auslösen. Die heimliche Liebe mag in ihrer traurigen Unerfülltheit gelegentlich wie ein Riss durchs ganze Herz gehen, aber sie ist genügsam, berauscht sich allein an der Existenz des geliebten Menschen. Solche heimlichen

Lieben sind daher stabil. Manche hält ein ganzes Leben, unausgesprochen im Herzen bewahrt. An ihr werden alle anderen, womöglich realistischen Empfindungen gemessen. Still und verborgen, bleibt sie ein Barometer für alle anderen Lieben, eine melancholische Sehnsucht. Überhaupt ist dies eine Liebesform für Melancholiker, denen die Liebe als aussichtsloser Versuch in experimenteller Psychologie erscheint. Emotionen sind chamäleonartige Gebilde, die sich unentwegt verändern, von neuen Empfindungen gelöscht und überschrieben werden. Indem man es im Innern bewahrt – und nur so kann es wachsen –, kann man aber versuchen, ein Gefühl zu begreifen, das einen Zustand auslöst, der niemals lang genug stillhält, als dass man ihn mehr als mustern, dass man ihn verstehen oder gar verarbeiten könnte. Während im wirklichen Leben Verstand und Gefühl immer wieder vor ihrer Unvereinbarkeit zu kapitulieren drohen, ist die Liebe in Gedanken stets glücklich.

Gewiss: Manchmal vergeht das Gefühl auch mit der Zeit, stirbt ab, weil es keinerlei Nahrung mehr bekommt. Eines Tages sucht man es dann und bemerkt, dass es verschwunden ist. Es gibt aber auch heimliche Lieben, von denen man erfolgreich wegläuft, nur um immer wieder zu ihnen zurückzukommen, sobald man sich wiedersieht. Jeder Abschied wird da zu einem neuen Anfang. »Komm. Nur einmal. Komm«, sind Undines letzte lockende Sätze, in denen die magische Wiederholung des Einzigartigen noch einmal beschworen wird. Manche Liebe ist so: Man liebt und vergisst und kehrt zurück zur Liebe.

Und nicht nur Singles sind Kandidaten für diese Form von Liebe. Manch einer hält das gleichmütige Nebeneinander in seiner Beziehung nur aus, weil er an diesen einen anderen Menschen denkt und daran, was gewesen wäre, wenn. Die heimliche Zuneigung ist vornehm in ihrer anbetenden Genügsamkeit. Wenn man dieses starke Gefühl allerdings lange genug gehegt hat, empfiehlt es sich nicht, ihm eines Tages doch noch Ausdruck zu verleihen oder ihm womöglich Taten folgen zu lassen; das Risiko ist zu groß, dass nach dem Aufprall auf dem Boden der Tatsachen nichts mehr von dieser großen stillen Liebe übrig bleibt außer der Erkenntnis, dass man sich leider geirrt hat.

Alles Stadtneurotiker?

Singles sind vorsichtig. Sie möchten durchaus glauben, dass beim nächsten Mann oder bei der nächsten Frau alles anders wird, aber sie trauen sich nicht recht. Sie haben in der Regel mehrere gescheiterte Beziehungen hinter sich, von denen mindestens eine ernst und wichtig war. Wenn sie bereits als Kind das Scheitern der eigenen Eltern erlebt haben, potenziert sich das Misstrauen – zumal, wenn sie dann geheiratet haben, um sich und der Welt zu beweisen, dass sie es besser machen werden, und selbst schmerzhaft Schiffbruch erlitten haben.

Singles haben sich nolens volens daran gewöhnt, allein klarzukommen, ihren Mann zu stehen. Vor allem weibliche Singles sind nicht besonders gut darin, einem Partner zu vermitteln, dass sie ihn brauchen. Denn sie brauchen ihn ja tatsächlich nicht, jedenfalls nicht zum Überleben, nicht für die Pflicht, nur für die Kür. Sie wollen ihn aber auch gar nicht brauchen – denn was, wenn er dann doch nur wieder abhaut, sobald sich erste Schwierigkeiten abzeichnen? Dann war er sowieso der Falsche, pflegen Freunde in solchen Fällen zu sagen, aber das Herz kümmern solche faulen Sprüche bekanntlich nicht. Es möchte andere Menschen erfreuen und selbst erfreut werden, ohne dadurch in emotionale Abhängigkeit zu geraten, weil es lernen musste, dass solche Bande die Trennung noch schrecklicher machen.

Bei aller Sympathie für den Alleinkämpfer ist an seinem allgemeinen Ruf aber auch ein bisschen was dran. Denn je länger das Solo dauert, umso mehr Berechtigung hat auch das Klischee: Singles sind neurotisch, sie sind bisweilen von mimosenhafter Empfindlichkeit, und manche werden über ihr Alleinsein wunderlich, ohne es zu bemerken. Man muss keine Heldin aus Serien wie *Ally McBeal* oder *Sex and the City* sein, um mit seinem Computer, seiner Topfpflanze oder seinem Spiegelbild zu reden. Die Mitfreude über die glückliche Verliebtheit anderer kann an manchen Tagen in offenen Neid auf die Legionen glücklicher Paare umschlagen, oder jedenfalls den Gedanken: »Ich möchte das, was die haben.« Auch muss man kein Stadtneurotiker sein, um wehmütig eng umschlungenen Pärchen nachzuschauen und dabei für sich selbst über die Anschaffung eines Hundes nachzudenken. Gerade weil es schwierig ist, immer stark zu sein, möchte die Single-Frau sich gelegentlich mit einem kleinen Einkauf dafür belohnen, dass sie es trotzdem schafft (sonst tut es ja keiner). Und am Monatsende muss sie dann feststellen, dass sie es sich nicht leisten kann, sich zu belohnen, weil sie eigentlich jeden Cent sparen muss, um den bescheidenen Ein-Personen-Haushalt zu finanzieren.

Das Schönste am Singledasein ist die Zeit zum Nachdenken. Wenn man allein nach einem abendlichen Ausflug in Gesellschaft nach Hause kommt, Musik anmachen und den Abend in Ruhe Revue passieren lassen und darüber nachsinnen kann, wie andere Menschen leben. Man sieht die Brüchigkeit mancher Freundesehe und würde um keinen Preis tauschen wollen. Natürlich proklamiert der Single, glücklich zu sein – jedenfalls glücklicher als in einer schlechten Beziehung. Jeder Mensch muss schließlich einen Weg finden, das, was er hat und was er ist, vor sich selbst zu rechtfertigen und gut aussehen zu lassen. Wenn einem dies immer gelänge, ohne dabei andere Lebensweisen und Partnerschaftsstile zu kritisieren, wäre man allerdings ein angenehmerer Zeitgenosse.

Phönix aus der Asche

Natürlich sind auch unter den Singles nicht alle bereit für eine neue Beziehung. Bei einigen ist nach einer Scheidung oder Trennung das Vertrauen in die Welt erst mal gebrochen, andere trauern einem früheren Partner hinterher oder stürzen sich in die Arbeit. Mancher irrt auf der Suche nach dem perfekten Gefährten von Liaison zu Liaison, ähnlich wie viele der Mehrfachhochzeiter. Doch jedes Mal, wenn er meint, den Traummann oder die Traumfrau endlich gefunden zu haben, stellt sich dies als Irrtum heraus. Dann fragt er sich, warum das Schicksal es so schlecht mit ihm meint. Den Fehler sucht er ausschließlich bei den anderen. Mancher Single glaubt tatsächlich, niemand sei gut genug für ihn, keiner könne ihm das Wasser reichen. Dabei ist der Grund dafür ein anderer: Er jagt einem Hirngespinst hinterher.

Singles haben den Glauben an die große Liebe nicht verloren, aber sie haben gelegentlich Zweifel – oft gerade dann, wenn sie eine neue Beziehung anfangen und sich innerlich bereits gegen das Scheitern wappnen. Feuerwerksgefühle sind ihre Sache nicht, auch wenn sie sich danach sehnen: Viel zu groß ist die Furcht, am Schluss doch nur wieder vor einem Scherbenhaufen zu stehen. Daraus erwächst manchmal eine geradezu krankhafte Panik vor Bindung. Die vier Mädel aus *Sex and the City* sind, bei aller New Yorker, schuhfixierten und sonstigen Überdrehtheit, gute Beispiele dafür – vor allem natürlich Carrie, die sich übergeben muss, als sie einen Verlobungsring in der Tasche ihres Freundes entdeckt.

Viele Menschen sind »gerade mal wieder« Single, doch die meisten von ihnen erfahren diesen Zustand nicht als beglückenden Lebensstil voller Abenteuer und Neugier auf die Welt, sondern eher als Zeit des passiven Wartens auf die nächste Liebe. Das Single-Dasein ist aber wesentlich mehr als die Übergangsphase zwischen zwei Beziehungen, die dann wieder verworfen werden.

Wer das Alleinsein als Chance zur Wahrheitsfindung begreift, kann hier das Fundament für die ideale Beziehung legen. Er kann frühere Erfahrungen überdenken und verarbeiten, anstatt vor der Auseinandersetzung wegzulaufen und später dieselben Fehler erneut zu machen. Ist dieser bedrückende Ballast erst abgeworfen, wird man offen für das Neue, frei im Kopf und im Herzen unbeschwert. Zugleich vertieft der Single seine eigene Persönlichkeit durch intensive Freundschaften und das Bemühen um Menschen, die ihm wichtig sind, pflegt alte und neue Interessen, Hobbys und erweitert seinen Bekanntenkreis. Vor allem aber begreifen Singles, wie sehr sie einst von Konventionen und dem Erwartungsdruck der Umgebung eingeengt waren. Das öffentliche Scheitern – und jede Trennung und Scheidung bekommt innerhalb eines Bekanntenkreises etwas von einem Spießrutenlauf – ist immer eine Feuerprobe, aus der man gestählt hervorgeht. Das Nichterreichen vorgegebener Pseudoziele mag zunächst schmerzhaft sein, aber dann verschafft es auch Erleichterung. Erst wer sich loslöst von dem, was andere denken, kann herausfinden, ob er selbst diese Wünsche hegt oder ob sie pure Nachahmungen dessen waren, was ihm in seiner Umwelt begegnete. Frei werden, um zu erkennen: das ist die Aufgabe des Singles. Das bedeutet auch, die Gedanken an die Vergangenheit und die Zukunft endlich einmal sein lassen zu können und sich ganz auf die Gegenwart zu konzentrieren. Wer auf sich selbst und die eigene Wahrnehmung gestellt ist, hinterfragt Verhaltens- und Denkmuster, die ihm früher selbstverständlich schienen. Der Single stellt die gesellschaftliche Dressur in Frage.

Das Alleinsein ist eine existentielle Aufgabe. Erst wer die eigene unaufhebbare Einsamkeit akzeptiert, kann sich in diesem Bewusstsein voll entwickeln. Wer sich ihr stellt, kann erleben, wie sich mit der wachsenden Individualität auch Selbstbewusstsein, Freiheit und Liebesfähigkeit entfalten. So lehrte die Schriftstellerin Lou Andreas-Salomé ihren Geliebten Rilke die Einsamkeit als Grundlage aller Lebenskunst. Der Dichter bedauert jene, die »sich hinwerfen, wenn die Liebe über sie kommt, sich ausstreuen, so wie sie sind, in all ihrer Unaufgeräumtheit, Unordnung, Wirrnis«. Das Alleinsein fördert mit der Selbsterkenntnis auch die Selbstliebe, ohne die keine Beziehung gelingen kann.

Der Single, der sich im Alleingang viele Eigenschaften und Ansichten erarbeitet hat, die die geistige Grundlage der idealen Beziehung bilden, ist geläutert, nachdenklich und offen für andere Menschen. Er ist bereit, verletzlich zu sein und mit seinen Sinnen zu arbeiten. Vor allem hat er gelernt, stärker in der Gegenwart zu leben – und dass Liebe nicht planbar ist. Was ihm fehlt, ist der Mensch, mit dem sich diese Einsichten ausprobieren lassen. Solange er das Gelernte nicht auch anwenden kann, fühlt er sich unbewohnt, ganz so, wie es Herbert Grönemeyer singt: »In mir sind alle Zimmer frei und ich dazu.« Der Single wartet auf den Menschen, der in diesen Zimmern leben kann, und er wartet womöglich sehr lange. Aber er weiß, er wird ihn erkennen, wenn er ihm begegnet.

Die ideale Beziehung: Endstation Sehnsucht

»Das ist unsere Geschichte. So weit. Da bist du, und da bin ich. Und wir sind beide noch da. Das ist mehr als erwartet. Wir sind da. Wir sind anderswo. Das ist wenig genug.«
MICHAEL LENTZ, »LIEBESERKLÄRUNG«

»Und ich wollte doch, dass wir würden, was wir werden könnten.«
A. L. KENNEDY, »ALSO BIN ICH FROH«

»Wissen Sie, was ich bei Ihnen vermisse?« – »Nein. Was denn?« »Gar nichts.« AUDREY HEPBURN ZU CARY GRANT IN »CHARADE«

Liebe lieber ungehörig

Alle Menschen träumen von der idealen Beziehung – die Verheirateten ebenso wie die Singles. Allerdings sind letztere aufgrund ihrer Bereitschaft, sich ganz neu auf die Liebe einzulassen, näher dran als jene, die sich noch auf einer niedrigeren Stufe der Ehe-Evolution abplagen und zunächst aus bestehenden, lieb gewonnenen Denkmustern und Verhaltensweisen ausbrechen müssen. Doch die ideale Beziehung steht beruhigenderweise jedem offen, den Solisten ebenso wie den leidenschaftlich oder auch schon abgekühlt Verheirateten. Worauf warten wir also noch?

Die Liebe, wie sie hier gemeint ist, haben Dichter, Schriftsteller und Philosophen, vor allem jedoch Liebende selbst immer wieder beschrieben. Goethe hat ihre Wirkung auf die ewig gültige Kurzformel gebracht: »Lieben belebt.« Und weil er bei dieser beflügelnden Erfahrung nicht allein bleiben wollte, hat er hinzugefügt: »Freiwillige Abhängigkeit ist der schönste Zustand, und wie wäre der möglich ohne Liebe?« Da ist alles eins und in der Schwebe: Fühlen und Wissen, Lieben und Denken, der Leib und der Intellekt. Zum Wesen dieser freiheitlich gestimmten Liebe gehört, dass zwischen ihrer Idee und ihrer praktischen Umsetzung ein Lernprozess liegt, den einem niemand abnehmen kann. Man kann diese Liebe nicht anderen verordnen, sondern nur sich selbst. Die ideale Beziehung ist kein Zustand, sondern eine Aufgabe, die es immer wieder neu zu lösen gilt, eine Herausforderung an Körper und Geist. Denn in der Liebe geht es – wie immer im Leben – darum, das Begehren nicht in der Befriedigung erlöschen zu lassen. Es gilt, sich guten Mutes auf eine lebenslange Anstrengung ohne Erfolgsgarantie und Haltbarkeitsversprechen einzustellen. Die wahren Romantiker, die in diesem Kapitel endlich zum Zuge kommen, sind heute diejenigen, die auf Sicherheit, Steuervorteile und Ehevertrag verzichten. Denn wer es wagt, auf die Annehmlichkeiten der Ehe zu verzichten, beweist, dass er sich immer weiter bemühen will – dem anderen, aber auch sich selbst zuliebe.

Der Anfang von Tolstois *Anna Karenina,* einem der größten Familien- und tragischsten Eheromane der Weltliteratur, hat Berühmtheit erlangt: »Alle glücklichen Familien gleichen einander, jede unglückliche Familie dagegen ist unglücklich auf ihre besondere Art.« Doch was für Familien gilt, trifft auf Zweierbeziehungen keineswegs zu, ganz im Gegenteil. Wenn es um die Ehe geht, ähneln sich die Schicksale und Erfahrungen eindeutig eher im Unglück als im Glück. Das zeigt sich schon an den zahlreichen Äußerungen über die Einrichtung, die allesamt vor allem eines beweisen: Die allerwenigsten Menschen hätten die Ehe von sich aus erfunden. Man muss die Institution nicht so vehement ablehnen, dass man in der Ehe vor allem ein Kürzel für

Errare humanum est erkennt, und man braucht auch nicht Arthur Schopenhauer zuzustimmen, der verkündete: »In unserem monogamischen Weltteil heißt heiraten, seine Rechte zu halbieren und seine Pflichten zu verdoppeln.« Aber dass die Ehe übel beleumundet ist, müssen auch jene zugeben, denen es anders lieber wäre. So beschrieb Jean-Paul Sartre den Ehestand als »in vielen Fällen lebenslängliche Doppelhaft ohne Bewährungsfrist und Strafaufschub, verschärft durch Fasten und gemeinsames Lager«. Oscar Wilde fand, die Einrichtung komme einer »gegenseitigen Freiheitsberaubung in beiderseitigem Einvernehmen« gleich, und verkündete, man solle immer verliebt sein und daher nie heiraten. Claudia Cardinale pflichtete ihm bei, als sie sagte: »Die Ehe funktioniert am besten, wenn beide Partner ein bisschen unverheiratet bleiben.« Einem alten Sprichwort zufolge ist ein Optimist »ein Mann, der an die Ehe glaubt, und ein Pessimist ist ein verheirateter Optimist«. Sokrates, der mit Xanthippe dementsprechende Erfahrungen machte, übte sich im Stoizismus, als er empfahl: »Heirate auf jeden Fall! Kriegst du eine gute Frau, wirst du glücklich. Kriegst du eine böse, dann wirst du Philosoph.« Prominente Äußerungen, die die Ehe verunglimpfen, gibt es zuhauf. Was jedoch das Glück in der Ehe betrifft, so schweigen sich die Menschen darüber tunlichst aus.

Da ich im Vorangegangenen so viele Beispiele von zwar zeitweise durchaus glücklichen, doch letztlich meist gescheiterten Ehen gegeben habe, möchte ich mich an dieser Stelle zunächst vor allen glücklich verheirateten Menschen verneigen – in Bewunderung, Anerkennung und Mitfreude. Wenn Sie, der Sie dies lesen, von sich sagen können, dass Sie glücklich verheiratet sind, und das nicht erst seit gestern, so haben Sie erreicht, was andere sich erträumen. Alle anderen mögen sich mit Clint Eastwood trösten, der sagte: »Es gibt nur eine Art, glücklich verheiratet zu sein, und sobald ich weiß, wie es geht, heirate ich wieder.«

Wie man die Ehe umgeht: Einige praktische Erwägungen

Der Liebe mag man nicht entgehen können, der Ehe allemal. Wer heute liebt, muss nicht heiraten; wer heiratet, muss nicht zusammenleben; wer zusammenlebt, muss keine Kinder bekommen. Und wer Kinder in die Welt setzen möchte, muss deshalb umgekehrt nicht heiraten. Eine kurze Zusammenstellung der wirksamsten Ehevermeidungsstrategien kann also in keinem Fall schaden. Nicht erst seit Geoffrey Chaucer und Jane Austen ist bekannt, dass eigenständiges Denken seitens der Frau auf Männer eine zuverlässig abschreckende Wirkung hat. Hilflos, naiv und schutzbedürftig sollte man sich daher als weibliches Wesen auf keinen Fall geben, sonst kommt sofort einer daher, der den Rest des Lebens auf einen aufpassen will. Als heiratsunwilliger Mann sollte man in Gesellschaft von Damen unbedingt einschläfernd sanft, betont sensibel und ausnehmend gesprächig auftreten, denn wortkarge Machos und wölfisch einsam wirkende Cowboy-Typen werden von Frauen allzu leicht als Aufgabe betrachtet, als verirrte Wesen, die es zu bekehren und zu umsorgen gilt. Weder Damen noch Herren sollten mit ihrem Vermögen prahlen, so sie über eines verfügen: Das zieht Heiratskandidaten an wie Honig die Bienen. Frauen, die unberingt bleiben wollen, sollten einen Beruf ergreifen, der sie rund um die Uhr beschäftigt: Männer schätzen es im Allgemeinen gar nicht, wenn eine Frau weniger Zeit hat als sie selbst. Außerdem sollte man seine Nase immerzu in Bücher stecken: Auch das vertreibt den Durchschnittsmann ziemlich zuverlässig.

Sollte es aber trotz aller Vorsichtsmaßnahmen zum Kniefall kommen, gibt es immer noch Tricks, daraus kein Waterloo werden zu lassen. Denkt man sich die romantischen Umstände, die diese Heiratsanträge üblicherweise begleiten oder jedenfalls gemeinhin begleiten sollten, einmal weg, fällt es schon deutlich leichter, sie als das zu erkennen, was sie eigentlich sind, wenn man sie im Kopf umformuliert. Ersetze »Willst du mich heiraten?« mit »Willst du den Rest deines Lebens mit mir verbringen?«, so sieht die Sache einerseits übersichtlicher, aber plötzlich auch beängstigend maßlos aus.

Bei Oscar Wilde lässt sich an zahlreichen anschaulichen Beispielen prächtig lernen, wie man Heiratsanträge graziös entgegen-, jedoch nicht annimmt, ohne die Nerven des Antragstellers übergebührlich zu strapazieren. Im Gegenteil: Dieser sollte anschließend das Gefühl haben, dass ihm nichts Besseres passieren konnte, als in seinem Ansinnen aufgehalten worden zu sein. In der Komödie *Ein idealer Ehemann* setzt die umschwärmte Mabel Chiltern ihren Bewunderer Lord Goring äußerst wirkungsvoll schachmatt: »Bitte, gehen Sie nicht, Miss Mabel. Ich habe Ihnen etwas ganz Besonderes zu sagen.« – »Oh, ist es ein Antrag?« – »Nun ja, es ist einer – ich kann es nicht leugnen.« – »Das freut mich so sehr. Es ist heute bereits der zweite.« – »Der zweite heute? Welcher eingebildete Esel hatte die Frechheit, es zu wagen, Ihnen einen Antrag zu machen, bevor ich meinen machen konnte?« – »Tommy Trafford natürlich. Es ist einer von Tommys Antragstellungstagen. Während der Saison macht er seine Anträge immer dienstags und donnerstags.« – »Sie haben doch hoffentlich nicht angenommen?« – »Ich habe es mir zu Regel gemacht, Tommys Anträge nie anzunehmen. Deshalb muß er immer wieder einen machen. Nachdem Sie heute morgen nicht aufgetaucht sind, war ich natürlich nahe daran, ja zu sagen. Hätte ich es getan, wäre das eine ausgezeichnete Lektion gewesen, sowohl für ihn als auch für Sie. Es hätte Ihnen beiden zu besseren Manieren verholfen.«

Männer sind so, Frauen auch

Dass es in den meisten Fällen klüger, gesünder, freudvoller und lohnender ist, nicht zu heiraten, hat mit der Institution Ehe ebenso zu tun wie mit der Natur des Menschen. Immer wieder wird verdrängt, ignoriert oder schlicht übersehen, dass die Ehe ihrem Wesen nach ein Zweck- und Schutzbündnis ist und kein Mittel für lebenslängliches Liebesglück. Wer heiratet, verordnet sich eine gemeinsame Zukunft. Indes: Die Liebe geht, die Ehe bleibt. Denn die Beständigkeit des Gefühls lässt sich nur erhoffen, nicht planen: So verheiratet Körper und Kopf auch sein mögen, es bleibt die Seele immer unvermählt. Dennoch heiratet man zum eigenen Besten und hoffentlich nicht zum Nachteil des anderen. Keiner tut es, um den anderen zu betrügen und unglücklich zu machen oder selbst enttäuscht zu werden – auch wenn es das ist, was am Ende nicht selten dabei herauskommt.

Ich hätte mich natürlich sechs Kapitel kürzer fassen und sagen können: Die Ehe funktioniert nicht, weil Männer und Frauen nun einmal nicht zusammenpassen. Die Erkenntnis ist zugegebenermaßen nicht ganz neu, was sie aber nicht weniger wahr macht. Aus weiblicher Sicht ist das so, weil Männer stundenlang mit elektrischem Rasierer am Kinn durchs Haus laufen können, aber nie Zeit haben, den Müll runterzubringen. Männer kriegen es fertig, sich sonntagabends durch mehr als dreißig Programme zu zappen, aber hinterher eine dezidierte Meinung über jeden Gast in Sabine Christiansens Talkrunde zu haben. Wenn sie gerade dergestalt ihre Daumenmuskeln an der Fernbedienung stählen, fühlen Männer sich gestört von Frauen, erst recht, wenn diese gerade ein Buch lesen, Jazz hören oder mit Freundinnen und Müttern telefonieren wollen. Männer verstehen nicht, warum Frauen sich statt einer James-Bond-Wiederholung lieber einen mit Preisen überhäuften, nicht-amerikanischen Film auf Arte anschauen wollen, finden es aber natürlich, von April bis November jeden zweiten Sonntagnachmittag eine Dauerverabredung mit RTL zu haben (für unbemannte Frauen sei hinzugefügt, dass es sich hier um das Phänomen Formel 1 handelt). Männer wundern sich, warum Frauen jeden freien Quadratzentimeter des Badezimmers mit Duftwässerchen, Cremetiegeln und Zahnaufhellungs-Gels zustellen, aber trotzdem nicht aussehen wie Claudia Schiffer. Für einen ähnlichen Hexenkult wie Modezeitschriften halten sie Aromatherapie, Yoga und Mailorder-Kataloge. Die meisten Frauen könnten die Wohnung problemlos in eine Flucht von begehbaren Kleider- und Schuhschränken verwandeln; Männer finden mehr als fünf Paar Schuhe überflüssig. Männer und Frauen haben ein vollkommen gegensätzliches Temperaturempfinden, weshalb jedes weibliche Wesen, das in ein zwecks Frischhaltung kühlschrankkühles Männer-Auto steigt, sich sofort erkältet, während Männer sich in überheizten Frauenwohnungen gern versucht fühlen, unaufgefordert nicht nur den Mantel abzulegen. Wo Männer auf maximal einen Lichtschalter drücken, müssen Frauen zu ihrem Wohlbefinden alle vorhandenen Lampen anmachen und entzünden gern zusätzlich noch mehrere Kerzen. Männer machen Müll; Frauen trennen ihn und entsorgen sogar leere Batterien in den entsprechenden Kistchen im Supermarkt. Wo wir schon im Supermarkt sind: Frauen kaufen (und essen) Salat, Gemüse und Obst, was den meisten Männern nur im Notfall passiert, also wenn jemand anderes es ihnen vorsetzt. Unversorgte Männer halten sich an die bewährte Dauerdiät aus Tiefkühlpizza, Stulle und Kartoffelchips, oder aber sie gehen Abend für Abend essen, vorzugsweise in wechselnder weiblicher Begleitung. Männer verachten grundsätzlich weiblichen Musikgeschmack, haben aber selbst oft gar keinen. Bei Ebbe auf dem Konto schränken Frauen ihren Schuhkonsum ein, legen im Büro Extraschichten ein und hoffen auf bessere Zeiten und das dreizehnte Gehalt; Männer verspekulieren sich mit Aktien oder gehen in die Spielbank. Wo Männer zu viel trinken, essen Frauen Schokolade. Und wo einem Mann mit wenig Haar und viel

Bauch aus dem Spiegel ein Adonis entgegenschaut, erblickt die Frau immer nur ihr Moppel-Ich.

Mit der Darstellung von solchen und ähnlichen Unterschieden, ihrer Diagnostizierung, Erläuterung und Einebnung haben sich längst andere befasst, die mehr davon verstehen. Das Schöne jedoch ist, dass sich die Liebe, so entschlüsselbar ihre einzelnen Zutaten auf dem heutigen Stand der Wissenschaft erscheinen, wieder in ein Geheimnis verwandelt, sobald sie zwei Menschen erfasst. Dann nämlich kommen jene Eigenschaften zum Tragen, die Frauen an Männern und Männer an Frauen zwar nicht verstehen können, die aber unvermindert starke gegenseitige Anziehung bewirken. Für den täglichen Überlebenskampf mögen wir nicht mehr aufeinander angewiesen sein, aber um uns in unserer ganzen Persönlichkeit voll zu entwickeln, benötigen wir diesen positiven Stress unbedingt. Erst wer klaren Verstandes und offenen Herzens auf andere Menschen zugeht und sie in ihrem Anderssein akzeptiert, wird auch aus sich alles herausholen, was in ihm steckt – und so die Liebe entdecken. Diese Bereitschaft ist Grundvoraussetzung für das Erleben der idealen Beziehung.

Liebeschancen

Die meisten Leute erwarten, dass ihnen die Liebe eines Tages zustößt und dass sich alles Weitere dann schon ergeben wird. Es ist aber nicht das große Gefühl, das uns zustößt, sondern der andere Mensch. Diese Hilfestellung der glücklichen Begegnung, ob man sie nun Schicksal nennt oder Zufall, erhalten wir. Alles andere bleibt uns selbst überlassen. Und spätestens dann ist es notwendig, dass wir unsere Liebesgewohnheiten ändern – nicht nur dem Partner, sondern uns selbst zuliebe.

Am Anfang erscheint dies mit Hilfe der Hormone und der Bindungsmoleküle recht einfach, geradezu zwingend. Denn wer verliebt ist, stellt den anderen ganz von selbst über sich: Das eigene Wohlbefinden hängt schließlich elementar von ihm ab. Die Glücksstoffe im Gehirn machen uns dann zu angenehmeren Zeitgenossen, sanfter, verständnisvoller und der Umwelt gegenüber aufmerksamer. Mit der allmählichen Rückkehr zum biologischen Normalzustand kommt aber auch der Narzissmus wieder: Geliebt zu werden wird plötzlich ebenso wichtig wie das Lieben selbst. Auf einmal ist weniger entscheidend, wie es dem anderen geht, sondern inwieweit er unser eigenes Selbstwertgefühl unterstützt. Die Verliebtheit hat dann in der Regel bereits zu einer Beziehung geführt, die sich alsbald als Beziehungskiste darstellt. Bereits der Begriff »Beziehung« verrät die Einschränkung, die damit verbunden ist: Wir setzen uns zueinander in Beziehung, relativieren uns. Da bist du, und da bin ich. Das sind deine Erwartungen, Wünsche, Bedürfnisse, und das sind meine. Das versucht man dann möglichst dauerhaft unter einen Hut zu bringen und nennt es Liebe.

Die Liste von Eigenschaften, die Forscher am Bundesbevölkerungsinstitut für die ideale Paarung aufgestellt haben, liest sich einigermaßen utopisch: »Frau und Mann verbindet eine starke Emotionalität und Sexualität, sie kommunizieren regelmäßig und haben einen positiven Kommunikationsstil, sind treu, gegeneinander solidarisch und unterstützen sich, haben gemeinsame Kinder, Freunde und Wohnungseigentum, weder ihre Eltern noch sie selbst haben bislang eine Scheidung erlebt, sie sind gleich gebildet und etwa gleichaltrig und haben ähnliche Interessen und Lebensentwürfe, haben nicht zu früh geheiratet und vor der Eheschließung längere Zeit zusammengelebt, sind religiös gebunden oder traditionell orientiert und leben nicht in der individualistischen Umgebung von Großstädten.« Diese Kriterien werden von immer weniger Eheleuten erfüllt, weshalb Familienforscher für die Zukunft schwarz sehen: Deutschland sei auf dem

Weg in eine Gesellschaft mit »fragmentierten Familienstrukturen«. Hinter dieser abstrakten Formulierung verbirgt sich ein grausamer Teufelskreis, denn Scheidungen sind nicht nur für die beiden unmittelbar Beteiligten entsetzlich, sondern vor allem für ihre Kinder, die diese traumatische Erfahrung eines Tages wiederum in ihren eigenen Beziehungen belasten wird.

Aber entgegen solcher Erkenntnisse können wir nun mal nicht anders, als die Familien, von denen unser Fortbestand abhängt, auf das schönste und zugleich flüchtigste aller Gefühle zu bauen. Indem wir auf die Liebe setzen, machen wir das Beständigste vom Vergänglichsten, das Alltägliche vom Außergewöhnlichen, das Reale vom Romantischen abhängig. Und während alles immer besser wird, Lebensdauer, Karrieren, Stabilität, Sicherheiten, Genüsse und Freiheiten, bleibt eines offenbar immer gleich: unsere Chance für Liebe. Was wächst, sind die Versagensmöglichkeiten: Wir scheitern an der Dauer, wir scheitern am Nachwuchs, wir scheitern an der Freiheit.

Der Druck der Freiheit

In der Kathedrale von Bayeux in der Normandie befindet sich die Skulptur eines Paares aus dem zwölften Jahrhundert. Mit einem Arm haben sie einander eng umschlungen, mit der anderen Hand halten sie sich gegenseitig die Ohren zu. Ihre Augen sind geschlossen, frenetisch zusammengepresst: Sie wollen nichts sehen und hören, was sie voneinander und von ihrer Liebe ablenken könnte. Das steinerne Bildnis der Treue, des idealen Paares, drückt schon im vormedialen Zeitalter aus, dass man sich die Welt vom Leib halten muss, wenn die Liebe dauern soll. Adam und Eva mögen keine andere Wahl gehabt haben, als sich in die Arme zu fallen, ebenso wenig wie Longus' rührende Hirtenkinder Daphnis und Chloë. Wir dagegen haben die Qual der

Wahl zwischen Lebensentwürfen und Liebesszenarien, können immerfort ausprobieren, in Frage stellen und wieder verwerfen. Kehrseite dieser Freiheit ist der Druck, keine Chance ungenutzt zu lassen.

Es ist nämlich nicht nur die Welt, die in Gestalt von Berufsstress, erotischer Konkurrenz und Selbstverwirklichungsphantasien immer wieder in unsere Lieben hineinbricht und diese schwierig gestaltet, sondern es sind zuallererst unsere eigenen Ansprüche. Zu der klassischen Wertvorstellung von Dauer ist heute eine zweite getreten: Wir wünschen uns nicht nur eine langlebige, sondern auch eine gute Beziehung, suchen nach Qualität plus Quantität. Schwindet die Intimität, relativiert sich auch der Wunsch nach Dauer. Werden die Standards nicht mehr erfüllt, heißt es: »So nicht.« Heutzutage muss schließlich niemand mehr zusammenbleiben – was allerdings oft dazu führt, dass man auch nicht mehr gewillt ist, sich anzustrengen. Hohe Erwartungen sind bestimmt nichts Schlechtes. Aber man darf bei ihrer Formulierung nicht vergessen, dass man sie auch selbst erfüllen muss.

Wo das private Glück viel mehr als früher von einem erfüllten Liebesleben abhängt, ist die Angst vor Verletzung ebenso groß wie die vor Zeitverschwendung mit dem falschen Menschen. Der Tatsache, dass wir uns dank Freuds Lehre und küchenpsychologischer Tipps allerorten der Mechanismen unserer Seelen bewusster sind als je zuvor, steht eine immer höhere Erwartung an den anderen gegenüber. Dieser soll unser hoch komplexes Ego in seiner Komplexität nicht nur erkennen und bestätigen, sondern ihm in seinen verästelten Regungen auch jeweils genau entsprechen. Wir erwarten, dass uns der andere von sich aus versteht und instinktiv etwa begreift, dass hinter einer schroffen Absage manches Mal nur die Aufforderung steckt, sich stärker zu kümmern. Männer wie Frauen bedienen sich zumal in der Phase des Anbandelns oft eines verwirrenden Codes, dessen einzige

Regel darin besteht, dem anderen nicht zu sagen, was man eigentlich will oder fühlt, sondern sich hinter einer Mauer aus Coolness und Abgeklärtheit zu verschanzen. Dahinter verbirgt sich zwar auch das uralte, lustvolle Liebesspiel von Flucht, Verfolgung und Überwältigung, aber es steckt noch mehr dahinter als neckisches Balzverhalten: Unsicherheit, Angst und der Glaube, alles müsse von selbst an seinen Platz fallen. Mit anderen Worten: Wo alles ständig möglich ist, ist der Toleranzlevel auf einen erschreckend niedrigen Pegelstand gesunken.

Gerade in unserer Zeit des *anything goes,* der maximalen Möglichkeiten und Versuchungen, wird kaum noch die Liebe selbst als das eigentliche Wunder wahrgenommen, sondern nur mehr ihre Beständigkeit. Wo sich alle scheiden lassen und man sich von einer Beziehung zur nächsten hangelt, wo die Ratlosigkeit ansteckend und die Ödnis allgegenwärtig ist, ist die Dauer zum Ziel mit beinahe mythischen Ausmaßen geworden. Paaren, denen das Unwahrscheinliche gelingt, also ein Leben lang zusammenzubleiben, werden eines Tages noch Denkmäler gesetzt werden; bereits jetzt wird ihnen mindestens ein bewunderndes, ehrendes Gedenken im gesamten Familien- und Bekanntenkreis bewahrt. Auf einer Bank im New Yorker Central Park prangt so bereits die ein oder andere Messingplakette: »Zum Gedenken an Joy, die immer so gerne hier saß, und Mike, der ein Leben lang neben ihr saß, von ihrer Tochter Sarah.«

Wir erwarten von unserer Liebesbeziehung, dass sie all unsere Bedürfnisse befriedigt – auch, wenn praktisch alles dagegen spricht. Dabei sollen nicht nur Alltagssorgen romantisch abgefedert werden, sollen Lebensvorstellungen zueinander passen und Geschmäcker sich ähneln, sondern auch im Bett sollen beide zur selben Zeit dasselbe wollen. Abweichungen stellen ein Problem dar, das anzusprechen gefährlich sein kann. Wer sich beklagt, läuft Gefahr, umgehend vor die Tür gesetzt zu werden mit dem Hinweis: Wir passen wohl doch nicht zusammen. Die Anforderungen der vollständigen Verzahnung übersteigen die Kompromissbereitschaft und Anpassungsfähigkeit des Durchschnittspartners oft bei weitem. Früher hoffte man, dass der andere einen anständig behandelte, gelegentlich in den Arm nahm und hin und wieder zuhörte, wenn es etwas zu besprechen gab, doch inzwischen besteht bereits Diskussionsgefahr, wenn man einmal einige Stunden lang nicht auf eine SMS oder E-Mail reagiert. Das romantische Betriebssystem ist extrem anfällig geworden; kleinste Frequenzstörungen bringen es zum Absturz, und den technischen und nervlichen Anforderungen eines Neustarts ist nicht jeder gewachsen.

Wir hängen einem Traum von Liebe nach, der wie ein Bildschirmschoner immer genau dann auf der romantischen Mattscheibe auftaucht, wenn wir gerade nicht aktiv daran arbeiten. Dann fallen uns ältere Paare auf, die Hand in Hand auf einer Parkbank sitzen oder spazieren gehen, junge Eltern, die lachend mit ihren Kindern spielen und sich mittendrin einen langen, innigen Blick zuwerfen, oder Teenager, die sich voller Begeisterung füreinander auf offener Straße umarmen und abküssen. Sehnsüchtig blicken wir ihnen hinterher und denken: So müsste es sein. Geht doch! Bloß wie?

Zutaten der idealen Beziehung

Von Natur aus neigt der Mensch dazu, das Wesen aller Dinge endgültig feststellen zu wollen. Wir spüren dem Denken bis in die letzte Gehirnwindung nach und gehen der Liebe anthropologisch und biochemisch auf den Grund. Anschließend wollen wir alles schön sortieren, in Schachteln tun und mit Etiketten versehen. Schaut man sich in unserer Kultur um, kommt man sich vor wie ein Verhaltensforscher, der eifrig notiert, wie sich alles liebt und betrügt, und wie sich dabei immerfort kuriose, komische und tragische Verwicklungen ergeben. Im Laufe der Zeit hat sich jene Aufteilung durchgesetzt, die Erotik und Liebe in denselben Karton tut, ebenso wie Ehe und Kinder oder Beruf und Finanzen.

Was wir in die Schachtel tun, auf der »Liebe« steht, liegt an der jeweiligen Definition. Ich persönlich schließe mich Franziska zu Reventlow an, die schreibt: »Unter Liebe verstehe ich – nun, eine seriöse Dauersache. Aber Sie dürfen mir diesen Begriff nicht zu optimistisch auffassen. Dauersache ist alles, was – sagen wir, was monatelang dauert – seriöse Dauersache, wenn es viele Monate sind; über ein Jahr –, dann wird es schon Verhängnis mit einem Stich ins Ewige. Natürlich gibt es auch Dauersachen mit Unterbrechung und viele andere Variationen.« In den Liebes-Karton würde ich zuerst Respekt hineintun, allerstärkstes Interesse, Aufrichtigkeit, Nähe und Vertrauen, aber auch eine Prise Distanz. Humor müsste ebenfalls hinein, nachdem man zuvor sorgfältig jedes daran haftende Krümelchen Zynismus abgeklaubt hätte. Was von der Sehnsucht nicht mehr in den doppelt verschnürten Karton »Gefahrengut« ginge, käme bei mir ebenfalls in die Liebesschachtel. Die Sehnsucht ist vielleicht sogar das Entscheidende. Manchmal denke ich, es gibt nichts Schöneres, als die Schritte eines geliebten Menschen die Treppe hinunterknarren zu hören und ihm vom Fenster aus nachzublicken. Dann herrscht eine Zeit lang tiefer, wunderbarer Friede – und dann springt einen unvermittelt die Sehnsucht an danach, ihn die Treppe hinaufknarren zu hören, um ihn wieder in die Arme schließen zu können. Die Sehnsucht ist wie eine große Katze, sie kann wild und ungestüm sein, die Nackenhaare hochstellen, die Krallen ausfahren und fauchen, dass einem angst und bange wird. Sie kann sich aber auch friedlich zusammenrollen und schnurrend schlafen, ohne jemanden zu stören. Sie hat keine eigenen Vorstellungen, sie urteilt und bewertet nicht; Hauptsache, sie hat mich und meine Träume, die ihr als Spielmäuse dienen. Gedanken wie »Das kann doch noch nicht alles gewesen sein«, »Da muss es doch noch etwas anderes geben«, »Wie es wohl wäre, wenn …« sind ihre liebsten Gefährten. Die ungestillte Sehnsucht ist es, die im Liebeskarton rumort und für Unruhe sorgt. Aber auch Geborgenheit gehört unbedingt hinein und Verständnis, Vertrautheit und das Gefühl, jemandem so nahe zu kommen, dass man versteht, was diesen einen Menschen ausmacht, was ihn im Innersten zusammenhält. Unter Lieben verstehe ich, jemandem Gutes zu wollen und sich immer wieder daran zu erinnern, dass sein Wohlergehen mir wichtiger sein sollte als mein eigenes. Den guten Vorsatz zu fassen, für den anderen ein besserer Mensch zu sein, das Beste zu geben. So zu lieben ist eine Herausforderung. So geliebt zu werden, ist eine Sensation.

Liebe ist ein vollkommenes Gefühl in einer unvollkommenen Welt. Hannah Arendts programmatische Sätze an ihren zweiten Mann Heinrich Blücher – »Unsere Herzen sind eins an das andere gewachsen und unsere Schritte gehen im Gleichmaß« – kommen einem Idealzustand schon sehr nah. Von der schönen Idee, dass Liebende nicht nur seelisch, sondern auch körperlich aneinander gewachsen sind, muss sich allerdings jeder irgendwann verabschieden. Der Schwur körperlicher Treue läuft meistens auf einen Meineid hinaus. Hat man das erst einmal akzeptiert, lebt es sich gar nicht so schlecht zusammen mit dem Menschen, den man liebt; es ist allerdings ein Pakt, der sich nur unter Gleichgesinnten schließen lässt, zu dem man Klugheit, Verständnis und unendlich viel Disziplin braucht – im Geist wie im Herzen. Wie unglücklich eine Liebe sein kann, die nur noch in den Köpfen existiert, haben Simone de Beauvoir und Jean-Paul Sartre vorgemacht. Die ideale Beziehung verlangt nach gegenseitiger erotischer Einfühlung, nach einer Zärtlichkeit, die auf die wirkliche

Selbstständigkeit und Freiwilligkeit der Partner gebaut ist. Toleranz ist dazu unbedingt notwendig, doch wenn sie mit Selbstverleugnung bezahlt werden muss, ist der Preis zu hoch.

Warum ist es so schwer, in der Liebe die richtige Balance nicht nur zu finden, sondern auch zu wahren, zwischen Annäherung und Entfremdung, Umarmen und Erdrosseln, zwischen der Bereitschaft, ganz für den anderen da zu sein, und der Auflösung in ihm? Mir scheint, den meisten Menschen geht es wir mir: Wir wollen in der Liebe einfach von allem zu viel. Wir wollen Leidenschaft und Rückhaltlosigkeit, Vertrautheit und Zärtlichkeit und Geborgenheit, wollen zuhören und verstehen, aber auch reden, das heißt, eigentlich möchten wir natürlich gehört werden, bevor wir noch ein Wort gesagt haben. Wenn es um Gefühle geht, werden wir maßlos.

Darüber vergisst man gern, dass Liebe auch mit viel Arbeit verbunden ist. Sie ist sogar richtiggehend mühsam. Sich in diesen Zustand gesteigerter Aufmerksamkeit zu bringen, in dem man jederzeit schmerzbereit sein muss, verletzlich und hellwach, ist nicht jedermanns Sache. Aber die ständige Erneuerung, die dazu gehört, schenkt glücklicherweise mehr Energien, als sie fordert.

Nichts für Liebesmuffel

In einer idealen Beziehung hat die Liebe viele Aggregatzustände. Ihre Magie besteht darin, dass das Gefühl immer wieder neu ist, immer wieder neu erkannt und genossen werden kann. Diese Liebe will nicht den anderen verändern, sondern höchstens sich selbst – denn wer liebt, möchte für den anderen ein besserer Mensch sein. Und so ist die ideale Beziehung untrennbar verbunden mit der Suche nach dem Lebenssinn: Wer ihn darin erkennt, sein Potential auszuschöpfen, alles aus sich herauszuholen, was in einem steckt, weiß, wie oft man hinter seinen Möglichkeiten zurückbleibt. Das Streben nach Erfüllung und Erweiterung der eigenen Person wird so unversehens zum Liebesdienst: Wer dem anderen alles sein will, dem erscheint diese Mühe plötzlich mühelos.

Das schönste Geschenk der Liebe ist es, geliebt zu werden nicht nur um seiner selbst willen, sondern für das Potential, das in einem steckt. Die ideale Beziehung ist daher auch idealistisch gestimmt: Die Partner sehen vor allem das Gute aneinander, anstatt sich dauernd zu kritisieren und nörgelnd in den Ohren zu liegen. Wer liebt, sieht nicht zuerst die Schwächen, sondern die Stärken. Und indem jemand noch da an uns glaubt, wo wir selbst jeden Glauben fahren gelassen haben, ermutigt er uns zu Höchstleistungen, spornt uns an. So bestärkt zu werden, macht staunen – und bindet uns aufs Angenehmste aneinander.

Liebe bedeutet, mehr auf den anderen zu achten als auf sich selbst. Eine Freundin von mir zum Beispiel hat seit längerem einen Verehrer, der vehement beteuert, sie zu lieben. Er ruft sie dreimal täglich an, aber meistens nur, um wortreich von sich selbst zu reden. Gelegentlich fragt er sie auch um Rat, aber vor allem rückt er sich selbst ins rechte Licht. Wenn sie einmal keine Muße hat, mit ihm zu sprechen oder ihn zu treffen, reagiert er gekränkt und beleidigt. Aber auch sonst erkundigt er sich kaum je nach ihr, danach, wie es ihr geht, was sie gerade tut oder was ihr wichtig ist. Und wenn er es doch einmal tut, dann nur, um ihr, kaum dass er sie hat ausreden lassen, mitzuteilen, was er über ihre Situation denkt. Eine merkwürdige Auffassung von Liebe liegt diesem Verhalten zugrunde. Denn Liebe sollte keiner Ego-Maximierungsanstalt ähneln, in der man sich ständig selbst glorifiziert, bestätigt und bespiegelt sehen will, sondern von Aufmerksamkeit für den anderen geprägt sein. Liebe bedeutet, jemandem zu helfen, der zu werden, der er sein möchte – und nicht der, den man selbst haben will. Denn wenngleich sich in einer glücklichen Beziehung Geben und Nehmen die Waage halten müssen, bedeutet Liebe zunächst einmal geben, nicht nehmen. Daraus ergibt sich ein Zustand der äußersten Wachheit, doch die Aufmerksamkeit richtet sich weniger auf unsere eigene Befindlichkeit als auf die des geliebten Wesens.

Liebe darf nicht immer fragen, ob sie mit derselben Intensität oder gar mit noch mehr Gefühl erwidert wird. Als Kinder haben wir keine andere Wahl, als unsere Eltern zu lieben, genauso wie der Hund keine andere Möglichkeit hat, als auf die Person fixiert zu sein, die ihn füttert und streichelt. Aber anders als der bescheidene Hund fordert der geliebte Mensch mehr von uns als Essen und Liebkosungen. Er ist unser doppelter Boden, unser Resonanzraum, der Spiegel, in dem wir uns selbst betrachten: Findet er uns klug, begehrenswert und witzig, fällt es uns leichter, uns auch selbst zu mögen. Seine Zustimmung gibt uns Auftrieb. Sie signalisiert aber auch, wie wir sein müssen, um geliebt zu werden. Bis zur Manipulation ist es dann nur noch ein kleiner Schritt. In der idealen Beziehung definieren sich die Partner deshalb nicht über ihre Liebe, sondern sie erfreuen sich daran.

Wer eine ideale Beziehung erleben will, muss autonom sein. Das ist eine Lektion, die sich eigentlich nur als Single richtig lernen lässt. Denn es bedeutet, dass man imstande sein muss zu lieben, ohne ständig danach zu fragen, ob man wiedergeliebt wird. Doch um eine Liebe so sehr auf sich selbst zu gründen, muss man zunächst mit sich selbst im Reinen sein.

Die in diesem Buch geschilderten verschiedenen Ehetypen kommen unterschiedlichen Charakteren und Veranlagungen entgegen. Während für die Stabilität der konventionellen Ehe und der Vernunftehe die Wertschätzung starker äußerlicher Motive wie Kinder, Vermögenserhalt und -vermehrung wichtiger sein kann als tatsächliche Bindungsfähigkeit, sind die Liebesehe und die Ehe zu dritt eher etwas für Gemütsmenschen, die es sich darin allerdings nicht bequem machen dürfen, wenn es gut gehen soll. Die Mehrfachhochzeiter fallen mal in die eine, mal in die andere Kategorie. In all diesen fünf Stadien der Ehe-Evolution jedoch wird den Beteiligten ein Großteil der Arbeit abgenommen, da der Zusammenhalt durch die institutionelle und pragmatische Macht der Ehe unterstützt wird. Diese Sicherheit fällt erst für den Single weg. Sie stellt sich auch in der idealen Verbindung nicht wieder ein. Denn einer der Grundsätze dieser Beziehung liegt in der Freiheit und Freiwilligkeit der Partner. Sie kommen nicht zusammen, weil sie aufeinander angewiesen oder voneinander abhängig sind, sondern weil sie begriffen haben, dass es schöner ist, sich zu lieben, als sich nicht zu lieben.

Große Liebende

Mit der Liebe machen wir die Feuerprobe aufs Leben, wir setzen den Fuß in die Luft und hoffen, dass sie trägt. Der Lyrikerin Rose Ausländer zufolge ist es mit der Liebe wie mit dem Dichten: »Sieben Höllen durchwandern. / Der Himmel sieht es gern. // Geh, / sagt er, / du hast nichts zu verlieren.«

Damit die zutiefst glückliche Beziehung nicht ein Traumgespinst bleibt, überidealisiert und daher unlebbar, muss man Beispiele dafür finden. In der Literatur ist diese Art Liebe vornehmlich den ganz Jungen, wie Romeo und seiner Julia, oder den Alten vorbehalten, wie Fermina Daza und Florentino Ariza im Roman *Die Liebe in den Zeiten der Cholera.* Vielleicht liegt es daran, dass auf den ersten Blick vor allem die Jungen und die Alten jene selbstvergessene Unschuld zu besitzen scheinen, die zu einer großen Liebe nötig ist. Die Jungen sehen leichter von sich selbst ab, weil sie das Leben noch vor sich haben, die Alten, weil sie so viel erlebt haben und wissen, wie nichtig das meiste von dem ist, was man einst für vielsagend hielt. Den Jungen und den

Alten fällt es daher leichter, ganz im Moment zu leben und nicht dauernd an die Zukunft zu denken. Sie führen keine Kosten-Nutzen-Erwägungen und sind aufgrund fehlender oder überreicher Erfahrung unvoreingenommen. Diese Unmittelbarkeit verleiht ihnen Talent zur Liebe. Sie sehen den anderen so, wie er ist, und nicht so, wie sie ihn gerne hätten.

Nichts auf der Welt sei schwieriger als die Liebe, findet Fermina Daza, die Heldin des Romans *Die Liebe in den Zeiten der Cholera* (1985) von Gabriel García Márquez. Deshalb ist es oft bequemer ohne sie. So hat Fermina denn auch fünf Jahrzehnte lang zufrieden mit ihrem Mann, Doktor Juvenal Urbino, gelebt. Es ist keine Ehehölle, die García Márquez seine Heldin erleben lässt; es ist ein gutes, ausgefülltes Leben. Nur die Einsamkeit vermochte es nicht zu heilen. Und darin liegt Florentinos späte Chance. Getrennt voneinander haben Fermina und er ein Leben lang die Liebe erlernt, und als sie schließlich aufeinander treffen, ist ihr Glück vollkommen.

In Carl Jonas Almqvists hinreißendem Eheverhinderungsroman *Die Woche mit Sara* blitzt schwelgerische Empfindsamkeit dort auf, wo der Leser am wenigsten damit rechnet, nämlich in Passagen von unerbittlichem Realismus. Almqvist schildert den klassischen Fall: Junge trifft Mädchen, man findet Gefallen aneinander, schon trägt er sich mit Hochzeitsgedanken – wäre da nicht eine erschreckende, schier unüberwindliche Hürde. Nein, kein Nebenbuhler und keine böse Schwiegermutter stellen sich diesem Bund in den Weg, sondern einzig die Braut selbst. Sara ist eine unkonventionelle, willensstarke junge Frau, die auf die Freiwilligkeit aller wahren Liebe pocht, die nicht auf ein Ehegelöbnis baut, sondern ihre Stärke allein aus der Gegenseitigkeit beziehen kann. »Die Liebe zwischen zwei Menschen«, doziert sie, »sollte niemals unter einem Zusammenleben oder einem gemeinsamen Haushalt leiden, ganz gleich, wie es geht. Ich finde, es ist am besten, wenn man niemals zusammenzieht, weil Leute, die sich lieben, einander viel schneller reizen, verärgern und schließlich kaputtmachen als andere, die nicht aufeinander bauen.« Dem arglosen Albert fällt es zunächst schwer, mit Saras unmissverständlichen Bemerkungen umzugehen, die so gar nicht seinen konventionellen Vorstellungen entsprechen. Erst als er nach und nach erfährt, wie reizvoll, aber auch beunruhigend es ist, wenn harmlose Verliebtheit unversehens in schönen, tiefen Ernst umschlägt, in ein Gefühl, das eine Antwort fordert, lässt er sich auf Sara ein. Ihre Anmut und wache Herzensbildung verfeinern auch die seine: »Das Wunderbarste war, dass jene vollkommene Freiheit, die sie ihm trotz allem gewährte – von ihr wegzureisen, wenn und wann er wollte, ohne gleich an Verlassen zu denken –, sie in seinen Augen tausendfach liebenswürdig, umgänglich und angenehm machte. Und Liebenswürdigkeit ist das Einzige, was echte Liebe zeugt.« Das Plädoyer für eine Partnerschaft, die auf gegenseitiger Liebe, Respekt und freiwilliger Verpflichtung beruht, löste bei seinem ersten Erscheinen 1839 einen Skandal aus und hat bis heute nichts von seiner Eindringlichkeit und Berechtigung verloren.

Der Unstern, unter dem die Liebe von Romeo und Julia bei Shakespeare steht, hat ihre Geschichte seit mehr als vier Jahrhunderten nur noch strahlender leuchten lassen. Es ist jedoch nicht nur der tragische Ausgang, der das Paar so unvergesslich macht, sondern die Persönlichkeit der Liebenden. Romeo unterscheidet sich durch seine Ernsthaftigkeit und seine Empfänglichkeit für eine tiefe Liebeserfahrung von den gleichaltrigen Freunden, was die ihm darin ebenbürtige Julia instinktiv erkennt. Weil Julias Vater für seine Tochter eine standesgemäße Verbindung anstrebt, ist deren heimliche Hochzeit mit Romeo, dem Abkömmling einer verfeindeten Sippe, Notwehr und Liebesbeweis zugleich. Was uns rührt, ist die Kompromisslosigkeit dieser Liebe, wenn Julia in bedingungsloser Treue zu Romeo den Tod einem Leben ohne ihn vorzieht. Inspirierend ist jedoch vor allem die Verbindung selbst, die dank der völligen Missachtung von Konventionalität und Engherzigkeit, dank einer ungewöhnlichen geistigen und seelischen Verbundenheit zu einem Inbegriff der idealen Liebe geworden ist.

Literatur, Theater und Film erzählen davon, wie sich die Liebe anfühlen kann, anfühlen sollte – und warnen zugleich davor, dieses Gefühl für allzu langlebig zu halten. Ist die große Liebe erst einmal gefunden, ist der Tod nie fern, ob bei Lessings *Emilia Galotti* oder Kleists *Penthesilea* oder in Filmen wie *Love Story* und *Shadowlands.* Trost spenden uns diese Geschichten dennoch. Denn sie zeigen, dass Liebe den Menschen von sich selbst erlösen kann, wenn auch nur vorübergehend. Sie kann ihm seine Bestimmung zeigen, ihm Momente schenken, in denen er eins wird mit der Welt, in denen alle Distanz aufgehoben scheint. Ganz bei sich und dabei ganz bei einem geliebten Wesen: Für diese unvorhersehbaren Momente leben wir, ihretwegen lesen und lieben wir.

Die schottische Schriftstellerin A.L. Kennedy, die in ihrem Roman *Also bin ich froh* (2004) mit der Beziehung zwischen der neurotischen Radiosprecherin Jennifer und dem wiederauferstandenen Dichter Cyrano de Bergerac im Glasgow der neunziger Jahre eine der schönsten, unwahrscheinlichsten Liebesgeschichten der Gegenwartsliteratur erzählt, bringt es auf den Punkt: »Ich wusste, welche Liebe er meinte, die Liebe, die Dunkelheit mit einschließt, und das Schicksal, allein weiterzulieben.« Jennifer erfährt eine wundersame Verdopplung: »So ein Mensch ist keine Veränderung, sondern eine Erweiterung, wie der Geschmack eines Kusses.« Das hat Folgen. »Ich lernte, wie es ist, allein zu sein. Es war mehr von mir da, was allein sein konnte. Es tat weh.«

Die Helden der Literatur, die wahre Liebe immer als Herausforderung an die ganze Person betrachten, kennen auf diese Risiken und Nebenwirkungen nur eine mögliche Antwort: Sie sind gewarnt und scheren sich nicht darum. Und wir, die wir anlesen gegen die seelische Abstumpfung, können dabei immerhin allerhand lernen. Zum Beispiel, dass man versuchen muss, Zukunft und Vergangenheit loszulassen, um sich ganz auf die Gegenwart zu konzentrieren. Die Lebensfreude liegt im Augenblick – und grübelt man zu lange darüber nach, ist er schon wieder vergangen. Schaut man genauer hin, bemerkt man, dass all die großen Liebespaare sich weder Alltagssorgen noch Karrieregedanken machen. Sie haben keine Zeit, über die Zukunft nachzudenken, weil sie von der Gegenwart ganz und gar beansprucht sind.

Die radikale Liebe, die aus den Briefen des berühmten Paars Abaelard und Heloïse spricht, ist eine Freiheit, in der alles Fixieren und Definieren der Geschlechter beseitigt scheint, wo man sich nicht aneinander wund reibt, sondern wo einer der selbstlose liebende Förderer des anderen ist, ohne dazu angehalten zu werden. Der gefeierte und umstrittene Denker Abaelard, Sohn eines bretonischen Ritters, hatte sich in seine Schülerin Heloïse verliebt, nachdem ihn der Domherr Fulbert im Jahr 1113 als Logik-Professor nach Notre-Dame berufen hatte. Die ganz besondere Erotik, die mit dem Funken der Erkenntnis schon zwischen so manchem Lehrer und seiner Schülerin übergesprungen ist, teilte sich auch den beiden mit. Abaelard erinnerte sich später in seinem Brief an einen Freund: »Da wurden über dem offenen Buch mehr Worte über Liebe als über Lektüre gewechselt; da gab es mehr Küsse als Sprüche. Nur allzu oft zog es die Hand statt zu den Büchern zu ihrem Busen, und öfter spiegelte Liebe die Augen ineinander, als dass die Lektüre sie auf die Schrift lenkte.« Der gravitätische Lehrer und seine eifrige Schülerin trafen sich in ihrer intellektuellen Neugier und ihrer Ablehnung der bürgerlichen Vorstellungen. Aber auch ihre Körper treffen aufeinander:

Heloïse wird schwanger. Ihr Onkel Fulbert besteht auf Heirat. Ahnend, dass die Ehe ihre Liebe letztlich zerstören würde, sträubt Heloïse sich vehement dagegen: Es sei eines Philosophen wie Abaelard nicht würdig, bei Kindergeplärr über seinen Abhandlungen zu sitzen, schreibt sie ihm. Der von Konventionen beeindruckbarere Abaelard setzt sich durch, doch seine Geliebte zollt ihm keinen Beifall dafür, wie er selbst berichtet: »Sie fragte, welche Ehre sie an mir gewinnen könne, wenn sie mich ehrlos mache und sich und mich zugleich erniedrige … Wie viel Verwünschungen würden diesem Ehebund folgen, welcher Schaden der Kirche, wie viel Tränen der Philosophen! … Sie verwarf diese Ehe aufs Lebhafteste, da sie für mich in jeder Hinsicht anstößig und belastend sei.« Seitenlang benennt Abaelard die Argumente, die Heloïse gegen die Ehe anführt. Sie »fügte schließlich hinzu, wie viel lieber es ihr und ehrenvoller für mich sei, dass sie eher meine Geliebte als meine Gattin heißen wolle, so dass mich an sie allein Zuneigung bände, nicht der Zwang der ehelichen Fessel kettete. Und wir, zur rechten Zeit getrennt, genössen bei unserer Zusammenkunft umso willkommenere Freuden, je seltener sie wären.«

Auch Katharine Hepburn und Spencer Tracy entschieden sich gegen alle Fesseln und schlugen den steilen romantischen Weg der Zweisamkeit ein. Der Legende zufolge hat das Schauspielerpaar nie geheiratet, weil die Frau des gläubigen Katholiken Tracy sich nicht auf eine Scheidung eingelassen hätte. Tatsächlich lag es vor allem daran, dass Katharine Hepburn auf keinen Fall noch einmal heiraten wollte: Nach der konventionellen Ehe mit ihrem »besten Freund«, dem Versicherungskaufmann Ludlow Ogden Smith, hatte sie von der Institution genug. »Man sucht sich nicht aus, in wen man sich verliebt. Es gibt so wenige Menschen, die man zu lieben vermag«, erinnerte sie sich später. Die Beziehung von Spencer Tracy und Katharine Hepburn durchlebte alle

Höhen und Tiefen, die auch Ehen zu Eigen sind, die ein Vierteljahrhundert währen. Wenn er drehte, brachte sie ihn ins Studio und holte ihn abends ab. Da sie ihre Liebe jedoch mit Rücksicht auf Tracys Frau im Verborgenen führten, dienten solche Rituale nicht der Bequemlichkeit, sondern entsprangen der Freude am Zusammensein. Garson Kanin, einem befreundeten Drehbuchautor, zufolge gründete sich ihre Beziehung »auf Respekt, wechselseitiger Hochachtung vor dem Talent des anderen, Großzügigkeit auf beiden Seiten, dem völligen Fehlen von Besitzdenken und einem wunderbaren Sinn für Humor«. Sie gehörten zusammen, doch sie gehörten einander nicht. Es gab immer eine Hintertür, durch die er schlüpfen konnte, um sich auf Sauftouren zu begeben, und sie, um den ein oder anderen beruflich förderlichen Flirt einzugehen. Tracy war gelegentlich denn auch beunruhigt über die Ex-Liebhaber, die seiner Kate unverdrossen den Hof machten. So reute es Howard Hughes ein Leben lang, dass er sie nicht hatte überreden können, ihn zu heiraten. Sie wiederum wusste, dass ihr Liebster nach wie vor eine starke Verbundenheit zu seiner Ehefrau verspürte. Doch Konkurrenz belebt bekanntlich das Gefühl: Alle, die sie miteinander erlebten, bestätigen, dass Tracy und Hepburn einander vergötterten – trotz seiner melancholischen Phasen und seines Alkoholismus und trotz ihres Snobismus, ihres Ehrgeizes und ihrer schnoddrigen Besserwisserei. Auf die Frage, ob sie je daran gedacht habe, Spencer Tracy zu verlassen, gab Katharine Hepburn zur Antwort: »Wozu hätte das gut sein sollen? Ich habe ihn doch geliebt. Und ich wollte mit ihm zusammen sein. Hätte ich ihn verlassen, wären wir beide unglücklich gewesen.« Sie waren zusammen, doch jeder behielt eine eigene Wohnung. Als Tracy aber später erkrankte, schlief sie aus Besorgnis nachts auf dem Boden vor seinem Bett. Der die Liebe fördernde Entschluss, sich ganz aufeinander zu konzentrieren, sich füreinander Zeit zu nehmen und der Welt gemeinsam den

Rücken zu kehren, ließ das Paar vor allem in den letzten Jahren von Tracys Leben unzertrennlich werden. Sie führten ein ruhiges, beschauliches Leben auf dem Land, lasen, malten, hörten Musik. Rückblickend sagte Katharine Hepburn: »Wir waren einfach glücklich, zusammen zu sein. Es gibt über diese Jahre nicht viel zu erzählen. Wir haben uns geliebt. Mehr ist dazu nicht zu sagen.«

Wahre Romantiker heiraten nicht

Das bedrohlich verkürzte Verfallsdatum der Durchschnittsehe ärgert unseren chauvinistischen Staat, der auf die Vermehrung seiner Bevölkerung und damit seiner Steuerzahler, Verbraucher und Rentenbeitragszahler bedacht ist. Dazu sind stabile Liebesverhältnisse natürlich nützlich. Es wäre auch im Interesse der Krankenkassen, wenn die Menschen sich wieder mehr auf die Lebenslänglich-Formel des Zusammenlebens besinnen könnten, weil sie dann für weniger Therapien, Eheberatungen und Antidepressiva aufkommen müssten. Es gibt Forscher, die prophezeien, dass in unseren Zeiten staatlicher Verarmung und sozialer Unsicherheit die Ehe ein spektakuläres Comeback erleben könnte, weil sie wieder als Trieb- und Schutzbündnis gebraucht wird. Doch damit die Ehe tatsächlich wieder zu dem Ort wird, an dem sich zwei Menschen gegenseitig Wärme, Verständnis und Geborgenheit spenden, müssen wir zunächst unsere Liebesgewohnheiten aufgeben und uns von der Illusion verabschieden, dass in der Ehe aus eigenem Antrieb zusammenwächst, was zusammengehört. Meistens geschieht nämlich das genaue Gegenteil.

Wir überlegen endlos, was wir mit unserem Leben anstellen, welchen Beruf wir ergreifen, in welches Viertel wir ziehen und welches Kleid wir kaufen, aber wenn es um die Romantik geht, sind klare Gedanken zwar hilfreich, aber verpönt. Sie wirken relativierend, zögerlich und rational, wo hemmungslose Euphorie gefragt ist. Denn wir wollen ja schließlich, dass die Liebe den Verstand überrumpelt und mitreißt. Das mag zwar der Ehe als solcher nicht gelingen, schwingt aber bei ihrer Anbahnung fast immer mit. Selbst abgebrühte Zyniker wissen, dass man auf einen Heiratsantrag besser nicht mit Sätzen wie »Ach, frag mich doch in einem Jahr noch mal« antworten darf. Wenn man es doch tut, überlebt die Beziehung dieses Misstrauensvotum meist nicht. Die Ehe gilt als Glücksfall für die Liebe, doch wenn das Glück tatsächlich vorhanden ist, braucht es dazu die Ehe nicht.

Der Ehestand will den Menschen mit all seinen Ängsten und Schwächen so stärken, dass er nützlich sein kann – vor allem anderen. Die ideale Beziehung will ihn ebenfalls stärken, aber nicht zum Wohle anderer, sondern zu seinem eigenen Besten.

Die meisten Menschen heiraten nicht nur dem Partner zuliebe, sondern ebenso sehr, um sich selbst Grenzen zu setzen. Die Ehe dient nicht allein dazu, den anderen anzupflocken, sondern auch die eigene Person. Mir scheint, die Ehe ähnelt einem Nadelöhr: Wurde erst einmal ein Teil der Person hindurchgezwängt, wird der Rest schon folgen, meint man – schließlich bleibt ihm nichts anderes übrig. Herz, Körper und Verstand sollen gleichermaßen von der Partie sein, und hat eins von den dreien erst einmal ja gesagt, hält man es nur noch für eine Frage der Zeit, bis die anderen zwei ganz automatisch hinterherflutschen. Gleichzeitig, so die Hoffnung, lösen sich diffuse Sehnsüchte, Wünsche und Zweifel in Luft auf. Hinter dem Beschluss zu heiraten steckt ein passives Glückserwarten, das im Kappen von Möglichkeiten sein Heil wittert. Verheiratete möchten sich zurücklehnen in ehelicher Sicherheit und glauben, dass Liebe, Leidenschaft und aufrichtiges Interesse am anderen mit dem Jawort ganz selbstverständlich von Dauer sein werden, eben »bis der Tod euch scheidet«.

Wahre Romantiker heiraten gerade nicht, und setzen sich damit Aufgaben und Maximen, anstatt es sich bequem zu machen:

Sie erwarten nicht, glücklich gemacht zu werden, sondern sich aktiv darum bemühen zu müssen. Das Ziel, nämlich eine dauerhaft erfüllte Liebesbeziehung zu erleben, ist also das Gleiche wie beim Hochzeiter, nur ist die Herangehensweise genau entgegengesetzt. Der wahre Romantiker hat wesentlich größere Erfolgsaussichten.

Denn wo die meisten Menschen in der Hoffnung leben, etwas zu finden, das sich wie die Liebe anfühlt, aber der Probleme und Mühen der Liebe entbehrt, hat der Romantiker erkannt, dass eine ideale Beziehung mehr erfordert: Täglich von neuem auf den Partner einzugehen, ihn ernst zu nehmen, nichts für selbstverständlich zu halten.

Die Ehe entspricht den Konventionen, und es ist nicht zuletzt das Hochzeitsfest im Beisein von Zeugen, das manche angetraute Bindung stabilisiert, weil die Trennung als Gesichtsverlust und Peinlichkeit angesehen wird. Die ideale, romantisch gestimmte Beziehung dagegen schert sich nicht darum, was andere denken. Hier haben sich die Partner von Konventionen befreit und hören auf ihre eigene Stimme.

Was der Ehe die Routine ist, ist der idealen Beziehung das Ritual, die bewusste Wiederholung bestimmter Gewohnheiten und Gesten anstelle des alltäglichen Abriebs. Den Planungen, Zukunftssorgen und der Erinnerungsseligkeit der Ehe setzt die ideale Beziehung die Freude am Beisammensein im Augenblick entgegen.

Während in der Ehe der Anspruch auf Selbstverwirklichung oft zu Lasten des anderen geht und damit zerstörerisch wirkt, versuchen die Partner in der idealen Beziehung, einander zu helfen, ganz sie selbst zu sein. Hier wird nicht mit Verboten und Ermahnungen gearbeitet, so wie manche Frau ihren Gatten auffordert, vor Mitternacht wieder aus der Kneipe daheim zu sein, oder viele Männer ihrer Gemahlin untersagen, nach der Geburt in ihren

Beruf zurückzukehren, sondern mit Ermutigung: Du schaffst das schon, ich glaube an dich.

Hinter dem Eheversprechen steht immer auch ein Besitzanspruch: *mein* Mann, *meine* Frau. In der idealen Beziehung gehört man nicht einander, sondern einzig und allein sich selbst. Das zeigt der bewusste Verzicht auf eine Einstellung, in der man glaubt, den anderen vereinnahmen und über dessen Zeit und Ressourcen frei verfügen zu können.

Der vielleicht wichtigste Unterschied zwischen Hochzeitern und Romantikern jedoch ist, dass die Partner sich in der idealen Beziehung immer wieder klar machen, dass Liebe ihrem Wesen nach selbstlos sein sollte. Natürlich lässt sich das nicht pausenlos erreichen, aber solange es zumindest ab und zu geschieht, ist schon viel gewonnen. Wenn ich einen Menschen liebe, muss mir in letzter Konsequenz wichtiger sein, dass es ihm gut geht, als dass es ihm mit mir gut geht. Wenn ich dem Geliebten das Beste wünsche, muss ich damit klarkommen, dass dieses Beste eines Tages mich womöglich nicht mehr mit einschließt. Die ideale Beziehung hat diesbezüglich viele Elemente einer aufrichtigen Freundschaft: Unseren Freunden wünschen und gönnen wir doch auch das Beste, ohne dabei zu denken, dass sie keine anderen Bekannten außer uns haben dürfen. Nur in der Liebe wollen wir für den anderen so einzigartig und unersetzlich sein wie er für uns, und werden zu Furien, wenn sich herausstellt, dass dem nicht so ist.

Ich will keineswegs behaupten, dass sich die ideale Beziehung partout nicht innerhalb einer Ehe erleben lässt. Ich glaube nur, dass es für die meisten Menschen leichter ist, ohne Trauschein den Anforderungen nachzukommen, die diese anspruchsvolle Liebesform an sie stellt, als in der trügerischen Sicherheit der Institution. Um das zu verdeutlichen, habe ich einige Punkte herausgepickt, an denen sich der Unterschied zwischen der herkömmlichen Ehe und der idealen Beziehung besonders deutlich zeigt.

Problem Erwartungshaltung

Die meisten Eheleute wachen eines Morgens auf und stellen ernüchtert fest, dass das Eheleben ihren Erwartungen ganz und gar nicht entspricht. Die Verliebtheit ist futsch, der Körper, der da neben einem im Bett liegt, ist nicht mehr warm und anschmiegsam, sondern hat einem feindselig den Rücken zugekehrt und man ist ganz froh, keine Ahnung zu haben, was im Kopf des anderen eigentlich vor sich geht. Die Ehe ist immer auch ein Pakt zur gerechten Pflichtverteilung, nach dem Motto: Wenn du spülst, trockne ich ab. Dagegen ist nichts einzuwenden. Problematisch wird es jedoch, wenn wir zu viel voneinander erwarten. Zu einer idealen Beziehung gehört, dass man sich bemüht, nicht den Partner zu lieben, den man gerne hätte, sondern den, den man tatsächlich hat. Und dass man sich im selben Zug bemüht, diesen immer wieder aufs Neue wahrzunehmen. Die Herausforderung der idealen Beziehung besteht nicht darin, den anderen daran zu hindern, dass er sich weiter- und womöglich von uns weg entwickelt, sondern sich gemeinsam zu entwickeln. Dann werden die Übereinstimmungen immer mehr statt weniger.

Problem Besitzdenken

Ein guter Partner hat treu zu sein: Dieser Anspruch ist eines der größten Probleme der Zweierbeziehung. Das weit verbreitete Leiden an der Leidenschaft liegt vor allem darin begründet, dass Sexualität und Liebe zwar im Idealfall zusammengehören, aber dennoch nicht miteinander verwechselt werden dürfen. In unserer Kultur wird die funktionierende Sexualität oft als Voraussetzung für die Entstehung von Liebe gesehen. Nichts fürchten die angestrengt Monogamen daher mehr als den Seitensprung, der denn auch, wenn er bekannt wird, in den allermeisten Fällen zur Trennung führt. Die Komplikationen, die diesbezüglich auftauchen, haben aber eher damit zu tun, dass Treue ein ebenso weiter Begriff ist wie die Liebe selbst, jedoch selten differenziert betrachtet wird. Schon beim Bemühen, den Tatbestand der Untreue zu definieren, geraten die meisten ins Schlingern. Ist wirklich einzig und allein der untreu, der trotz fester Bindung mit einem anderen schläft? Oder schon der, der einen anderen küsst? Und was ist mit dem, der sich lediglich nach einem anderen sehnt? Mit engstirnigen Verhaltensmaximen wird man der Sache nicht gerecht. »Wer sich selbst treu bleiben will, kann nicht immer einem anderen treu bleiben«, warnte schon Christian Morgenstern. Wer liebesfähig ist, sich also mit Offenheit und Bereitschaft anderen Menschen liebend zuwenden kann, wird tatsächlich fast niemals ein Leben lang treu sein – jedenfalls nicht, wenn man den Begriff streng auslegt, in emotionaler wie in körperlicher Hinsicht.

»Es ist doch gewiss, dass in der Welt den Menschen nichts notwendig macht als die Liebe«, schrieb Goethe. Ein Mensch, der lieben kann, bleibt seiner Natur nach der Liebe treu, nicht der Treue. Für ihn wird es immer wichtiger sein, mit jeder Faser zu lieben, als aufopferungsvoll treu zu sein. Denn mit der Liebe entfaltet er sein ureigenes Wesen, und wenn man ihm dies verbietet, beschneidet man seine Seele. Das ist womöglich erklärungsbedürftig. Wenn jemand Tiere liebt oder den Wald, würden wir es seltsam finden, wenn er nur eine einzige Katze oder einen bestimmten Baum liebte. Diese Beschränkung auf ein Einzelnes erschiene uns wie eine zwanghafte Fixierung. Bei der Liebe zum anderen Geschlecht jedoch gilt diese Fixierung nicht als Krankheit, sondern als notwendige Bedingung. Wir wollen einander exklusiv besitzen, und merken dabei gar nicht, dass das aus der Warenwelt stammende Besitzdenken in eklatantem Widerspruch zu unserer angeblichen Liebe steht. Wir fordern voneinander die

Treue, weil wir eine kindliche Urangst davor haben, verlassen zu werden. Da die Liebe aber kein Zustand ist, sondern ein lebendiger Prozess, lässt sich diese Fixierung nicht auf einen Befehl hin künstlich bewerkstelligen, und auch ein Treueversprechen ist daher bestenfalls eine Absichtserklärung, keine Garantie. Ein liebesfähiger Mensch kann denselben Menschen immer wieder lieben. Es ist ihm aber durchaus möglich, gleichzeitig auch einen anderen Menschen zu lieben. Die Liebe entsteht im Augenblick, und in diesem Moment steckt Ewigkeit.

Zugegeben: Die Motivation eines Seitensprungs ist oft nicht hehre Liebesfähigkeit und Aufmerksamkeit, sondern platte Neugier, eheliche Langeweile oder schlicht Triebabfuhr. Wer sich jedoch in einer Beziehung befindet, die ihn fordert, in die er sich mit all seinen Sinnen einbringt und in der er sich ganz und gar angenommen und geliebt fühlt, wird nicht besonders anfällig für einen solchen Seitensprung sein. Hinzu kommt, dass man sich unbewusst besser benimmt, wenn man sich die Liebe des Partners weiter verdienen will und diese nicht für selbstverständlich hält, was in der Ehe allzu oft der Fall ist.

Problem Einsamkeit und Alleinsein

Viele Ehen scheitern, weil sie die Einsamkeit der Partner nicht kurieren können. Wie wir gesehen haben, spielen bei der Heirat die unterschiedlichsten Motive eine Rolle, doch eines ist allen Hochzeitern gemein: die Hoffnung, das Eheleben werde die eigene Einsamkeit wenn schon nicht aufheben, so doch lindern. Was geschieht, ist das Gegenteil: Das Wort gemeinsam macht oft erst recht einsam. Die Mutter, die jeden Morgen den Frühstückstisch deckt, muss zusehen, wie Mann und Kinder eilig Kaffee und Orangensaft hinunterstürzen und dann zur Tür hinausflitzen. Zurückbleibend am abgegessenen Tisch, kommt dann nicht selten Melancholie auf, manchmal sogar die plötzliche Urangst des einstigen Herdentiers, wenn die Gemeinschaft in unterschiedliche Richtungen abbiegt. Die Einsamkeit wohnt in der geleerten Kaffeetasse und klebt am vergessenen Sportbeutel. Manchmal hat sie etwas Rührendes, wie ein verblasstes Hochzeitsfoto, auf dem die Träume und Hoffnungen den Beteiligten von einst mit den Jahren immer deutlicher ins Gesicht geschrieben stehen. Die Melancholie über die Zerbrechlichkeit der Welt, über die Flüchtigkeit des Augenblicks, über die Liebe, die im Moment ihres Entstehens schon wieder vergeht und mit ihrer Erfüllung immer auch ein bisschen stirbt, bedingt bei dem einen eine übergroße Hektik – bloß nicht verweilen, bloß nicht nachdenken –; bei einem anderen übergroße Disziplin, die oft einer Selbstabtötung gleichkommt, ob mit Arbeit oder Sport. Wieder andere sublimieren die Einsamkeit, indem sie sie zu Kunst destillieren, oder sie wenden sich anderen Menschen zu.

Rainer Maria Rilke sagte: »Darin besteht die Liebe: dass sich zwei Einsame beschützen und berühren und miteinander reden.« Mehr kann man nicht verlangen. Die Liebe, wie glücklich sie auch sein mag, kann die Einsamkeit immer nur vorübergehend vertreiben.

Doch es gibt noch eine andere Einsamkeit, die in Beziehungen wichtig ist: das Bedürfnis nach dem Alleinsein. Der Einzelne braucht Platz, auch und gerade in der Liebe. Man muss diesen Wunsch nach gelegentlicher Isolation akzeptieren und respektieren – und darf ihn nicht als Kritik an der Partnerschaft auffassen. Solche Phasen des Rückzugs dienen der Reflexion und der Selbstfindung, und damit letztlich auch der Beziehung. Zumal in der Ehe ist aber Alleinsein nicht eben vorgesehen, der Wunsch danach wird gar als Bedrohung aufgefasst. Menschen, die sich immerfort aneinander klammern, können keine gesunde Beziehung führen. Wer einmal längere Zeit Single war, hat meistens gelernt, das Alleinsein zu schätzen. Jeder Mensch braucht solche Phasen, um nachzudenken und Ereignisse zu verarbeiten, auf seine innere Stimme zu achten – und um anschließend wieder umso fröhlicher und aufgeschlossener auf seine Mitmenschen zugehen zu können.

Zu einer erfüllten und erfüllenden Liebe gehört vor allem das Nachdenken darüber. Dazu braucht es Rückzugsmöglichkeiten zur Reflexion. Distanz ist für die ideale Beziehung ganz wichtig, damit es immer wieder zur freiwilligen, erneuten Annäherung kommen kann. Menschen, die nie gelernt haben, allein zu sein, wie viele der seriellen Monogamisten, fällt dies besonders schwer.

Problem Rollenverteilung und Abhängigkeit

In einer Beziehung, in der die Partner nicht zuvörderst Bestätigung, sondern Erweiterung und Erfüllung suchen, ist nicht nur die Arbeitsteilung hinfällig, sondern auch das Rollenspiel, das viele Ehen zu einem dauernden Anschlag auf die gute Laune macht. Die ideale Beziehung kann nur unter Gleichen und auf Augenhöhe stattfinden. Wenn jeder dem anderen alles sein kann und sich die Partner bemühen, einander immer wieder neu wahrzunehmen, definiert man sich weniger über Aufgaben und Rollen. Da jeder sich ständig verändert und weiterentwickelt, verharren die Partner nicht bei dem Bild, das sie sich einst voneinander gemacht haben, sondern entdecken immer wieder neue Facetten aneinander.

Aber auch materielle Abhängigkeit ist mit dem Freiheitsgedanken einer Liebe, wie ich sie meine, schwer zu vereinbaren. Der geliebte Mensch muss frei sein, er selbst zu sein, und benötigt genügend Spielraum, um sich zu entfalten. Wer dabei den anderen immer erst um das nötige Kleingeld bitten muss, erlebt dies oft als demütigend und freiheitsbeschneidend.

Problem Bequemlichkeit

Die Ehe ist nicht zuletzt deswegen so beliebt, weil man es sich darin gemütlich einrichten kann. Sie steht auch für eine wohltuende Erschlaffung des romantischen Bemühens, für eine gewisse Selbstverständlichkeit, die nach einigen Jahren von einem Sich-gehen-Lassen oft kaum noch zu unterscheiden ist. Nach der vorehelichen Balzzeit ist nun traute Entspannung angesagt. Man hat sich gekriegt und kann jetzt an die Lebensplanung gehen, Kinder in die Welt setzen, Häuser bauen, Grabstätten kaufen. In der Ehe strecken wir gewissermaßen emotional alle viere von uns und erwarten, dass die Institution das Zusammenleben schon für uns regeln wird. Es ist aber immer gefährlich, sich zu sehr zu entspannen.

Die wahren Romantiker verzichten darauf, den Weg des geringsten Widerstands einzuschlagen. Sie wollen nicht bequem werden. Und indem sie die Annehmlichkeiten und Sicherheiten, die eine Ehe zweifellos bietet, bewusst ausschlagen, zwingen sie sich dazu, sich weiterhin anzustrengen, sich immer wieder um den anderen zu bemühen.

Wer durch das Nadelöhr Ehe geht, tut dies nicht zuletzt, um sich selbst zu disziplinieren. Viele vertrauen immer noch darauf, dass es irgendwo einen Schalter gibt, den man umlegen kann, und schon sind Kopf, Körper und Herz auf Ehe-Modus eingestellt. Dann, so hofft man, werde man sich nie wieder nach einem anderen Leben, geschweige denn einem anderen Partner sehnen. Die wirkungsvollere Disziplinierungsmaßnahme jedoch scheint mir, nicht zu heiraten, und sich damit selbst zu zwingen, die Präsenz des geliebten Anderen nicht für selbstverständlich zu halten, ebenso wenig wie seine Gefühle für uns. Wo Eheleute mit beiden Beinen fest auf dem Boden der Tatsachen bleiben wollen, steht der wahre Romantiker gewissermaßen immer schon auf den Zehenspitzen, bereit, die Bodenhaftung zu verlieren und sich nach den Sternen zu recken. Nicht darauf zu bauen, dass sich alles irgendwie von selbst ergeben wird, sondern am eigenen Glück mitzuarbeiten. Eheleute meinen, sie hätten die Ziellinie bereits passiert, während wahre Romantiker darauf beharren, dass es ohnehin nur ein Ziel geben kann, nämlich den gemeinsamen Weg.

Und so kommt ein positiver Kreislauf in Gang: Wer nicht heiratet, verzichtet auf finanzielle Annehmlichkeiten und emotionale Bequemlichkeit nicht nur zum Wohle des Partners und der Beziehung, sondern auch zu seinem eigenen Besten. Die erfreuliche Nebenwirkung des steten Bemühens um den anderen besteht darin, dass wir selbst dabei zu immer vielschichtigeren, tieferen und liebesfähigeren Zeitgenossen werden. Weil wir uns bemühen, werden wir geliebt, und weil wir unser Bestes geben, empfinden wir uns selbst als liebesfähig und liebenswürdig. Mit wachsender Wahrhaftigkeit und innerer Substanz der Partner gewinnt wiederum die Beziehung: Während die Liebe in der Ehe meistens immer weniger gepflegt wird und irgendwann zum Reflex verkommt, geht es in der idealen Beziehung umgekehrt. Die Liebe wächst, weil man sich umeinander bemüht, so dass die Partner sich immer unentbehrlicher werden.

Materialisten, Machiavellisten und Machos mögen einwenden, dass die ideale Beziehung hemmungslos unvernünftig und für den Alltag erst recht unpraktisch sei, weil sie sich gegen alle Berechnung und Berechenbarkeit sträubt. Darauf lässt sich nur entgegnen, dass die ideale Beziehung sich selbst als Schule der Herzensbildung begreift. Die Romantiker sind aber darum keine esoterisch gestimmten Heiligen der Moderne.

Natürlich ist es unendlich schwer und anstrengend, sich dauernd zu ermahnen, nicht bequem zu werden, den Partner nicht für selbstverständlich zu nehmen, ihm zu Gefallen Dinge zu tun, die uns vielleicht lästig sind. Es sind Kleinigkeiten, an denen man den Willen zur idealen Beziehung erkennt. Eine Freundin von mir zum Beispiel legt sich mit ihrem Mann in den Ferien zwecks Vogelbeobachtung auf die Lauer, obwohl sie sich aus »Bird-watching« nichts macht. Ein Freund, der seit einem Vierteljahrhundert ein und dieselbe Frau inbrünstig liebt, trainiert täglich auf dem Laufband, weil sie seinen Bauchansatz unattraktiv findet. Banal, sagen Sie? Grandios, finde ich. Es sind doch nicht die großen Gesten, sondern die alltäglichen Kleinigkeiten, an denen man erkennen kann, dass die Partner sich nach wie vor umeinander bemühen.

Endlich am Ziel? Lob der Disziplin

Romantische Liebe bedeutet heute, selbst entscheiden zu können, was Liebe eigentlich ist und was sie uns bedeutet. Sie ist unser Privatkunstwerk, der eine Bereich, in dem jeder für sich Nobles vollbringen und Anerkennung dafür bekommen kann. Stattdessen jedoch gehen die meisten Menschen nach wie vor den Weg des geringeren Widerstandes, suchen sich einen Partner, der ihrer Eitelkeit gut tut, der sie seinerseits schmückt und ihnen nützt. Unter dem Tarnnamen Liebe verbirgt sich oft ein gegenseitiger Vampirismus, zu dem sich keiner von beiden bekennt.

Es geht aber auch ganz anders. Denn neben Hormonen, Statistiken, künstlerischen und historischen Beispielen, religiösem Vertrauen, Schicksals- oder Aberglauben haben wir ja noch immer unseren freien Willen, der uns schließlich nicht nur zu-, sondern auch abraten kann. Der Glaube an die Unvermeidbarkeit von Gefühlen, so verführerisch die Idee im Einzelfall auch sein mag, war noch nie mein Ding. Man mag seine Hormone nicht immer hundertprozentig im Griff haben und man mag sich zu Menschen hingezogen fühlen, die nicht zu einem passen – doch was man mit ihnen anstellt, entscheidet man immer noch selbst.

Disziplin ist etwas, das wir verlernt haben, scheint es – jedenfalls in emotionaler Hinsicht. Da andere Menschen nur einen Tastendruck oder eine Flugstunde weit entfernt sind, fällt es uns leicht, die Arme nacheinander auszustrecken. Doch dann scheint es umso schwieriger, die einmal ergriffene Hand festzuhalten, ohne mit der anderen weiterhin suchend umherzutasten. Im Rausch der Möglichkeiten verpassen viele das beglückende Erlebnis, dass die dauerhafte Nähe zu einem anderen einen ganz eigenen Sog ausüben, ja dass sie regelrecht süchtig machen kann. Soziologen bestätigen, was sich allenthalben beobachten lässt: Paare, die besonders viel Zeit zusammen verbringen, sind offenbar die zufriedensten – wie schon die unzertrennlichen Philemon und Baucis. Es sind eben nicht unbedingt die besonderen Geschenke oder die großen Gesten, die uns aneinander binden, sondern es ist auch die konstante liebende Zuwendung.

Und doch kann ich mir nicht helfen: Nähe macht zwar süchtig nach mehr Nähe – doch zu viel Nähe nimmt der Liebe jenes Geheimnis, das sie spannend macht. Zwei Wohnungen oder eine? Getrennte Schlafzimmer oder ein gemeinsames Bett? Und wenn ein Bett – eine Decke oder zwei? Die richtige Mischung muss jeder selbst finden. Vielleicht lässt es sich nur aushalten, wenn Phasen extremer Nähe mit Zeiten völligen Loslassens abwechseln, so dass man sich anschließend wieder viel zu erzählen hat und neu entdecken kann. Auch eine gewisse Bescheidenheit gehört dazu. Zur Überprüfung der eigenen Beziehung empfehlen sich die kleinen Maximen, nicht die großen. Glücklich ist, wer lieber zu seinem Partner heimkommt als wegfährt. Liebe heißt, an jemanden denken, ohne nachzudenken. Liebe bedeutet, glauben zu können, dass es dauert, ohne zur Dauer verpflichtet zu sein.

Die meisten von uns neigen zu der Annahme, dass die ideale Beziehung mit dem idealen Partner steht und fällt. Stellt dieser sich in unserem Leben ein, wird die große Liebe nicht nur möglich, sondern geradezu selbstverständlich sein. Wenn es mit dem aktuellen oder dem letzten oder dem nächsten nicht passt, war es niemandes Schuld, sondern es war eben nicht »die große Liebe«. Der Weg zur idealen Beziehung führt aber erst einmal durch uns selbst hindurch, nicht über den anderen. Liebe geht durch Kopf und Herz und nicht nur über Hormone. Forscher bestätigen: Was Liebende übereinander und ihre Verbindung denken, hat großen Einfluss darauf, wie glücklich sie miteinander sind. Und je zufriedener sie mit dem anderen sind, desto konstruktiver streiten sie und desto stärker unterstützen sie sich. Mit anderen Worten: Glück vermehrt sich, ebenso wie die Tendenz zum Schwarzsehen alles Positive verschlingt. Das zeigt, dass man die Liebe nicht allein für Schicksal halten, sondern an ihre Veränderbarkeit glauben muss. Wer meint, ohnehin nichts ausrichten zu können, hat schon aufgegeben und wird unweigerlich scheitern. Wie so oft im Leben, ist auch die Liebe eine Frage der richtigen Einstellung: Wer glücklich liiert ist, gibt eher äußeren Umständen als dem Partner oder sich selbst die Schuld an negativen Beziehungserlebnissen.

Dieses Glück kostet kein Geld, man braucht dazu keine Ausbildung, kein Abitur und kein Studium, es ist altersunabhängig. Alles, was man dazu braucht, ist die grundsätzliche Bereitschaft, Herzensbildung, Humor und Großzügigkeit. Den unbedingten Glauben daran, dass es sich lohnt, auch bei Rückschlägen. Und Mut. Ziemlich viel Mut, wenn ich ehrlich sein soll. Sommers fällt es einem vielleicht leichter als an kurzen dunklen Wintertagen.

Be happy, don't marry!

Ein Heiratsantrag mag das größte Kompliment sein, das ein Mann einer Frau machen kann; ihn jedoch abzulehnen scheint mir das größte Kompliment, das eine Frau einem Mann machen kann. Denn damit sagt sie: Du brauchst mich nicht zu heiraten, um mir zu beweisen, wie ernst es dir mit mir ist, du bist frei und ich bin frei, und wir sind frei, uns so zu lieben, wie es uns gefällt.

Nach der ausführlichen Beschäftigung mit Vorbildern, abschreckenden Beispielen, hormonellen Ursachen und kopfgesteuerten Disziplinarmaßnahmen bin ich der festen Überzeugung, dass es Beziehungen gibt, die das Beste von alldem enthalten, was Männer und Frauen in Tausenden von Jahren miteinander ausprobiert, verworfen und genossen haben. Die richtige Mischung muss sich individuell ergeben. Das ist meines Erachtens in der Ehe keineswegs unmöglich, aber meistens außerhalb leichter.

Ich will nicht noch einmal heiraten. Ich will aber auch nicht allein sein. »In der Ehe ist für gewöhnlich immer einer der Dumme«, hat George Bernard Shaw gesagt, nur wenn zwei Dumme zusammenkämen, könne es mitunter gut gehen. Es ist aber sehr selten, dass zwei gleich dumm sind. Daher appelliere ich an die Klugheit des Einzelnen, sich viel Leid zu ersparen, indem er gar nicht erst heiratet. Ich plädiere gewissermaßen für den intelligenten, beherzten Egoismus, der begreift, dass der anstrengende Weg die größere Belohnung verheißt. Von Mensch zu Mensch ist letztlich nichts so selbstverständlich, wie es den Anschein hat. Aber man schuldet diese Art Liebe nicht zuerst den anderen, sondern vor allem sich selbst.

Nun kann man durchaus an das Wunder der menschlichen Begegnung glauben, aber doch wissen, dass der Alltag mehr fordert als das große Versprechen, sich gegenseitig glücklich zu machen. Wir sollten es also in kleinen Schritten versuchen. Milena Jesenská, die Freundin Franz Kafkas, bringt es zum Ausdruck, wenn sie schreibt: »Warum versprechen die Menschen einander nicht, daß sie niemals faul sein werden, eine Apfelsine, einen Strauss Veilchen, einen neuen Bleistift oder eine Tüte Rosinen mitzubringen? Warum versprechen sie nicht, zum Frühstück gewaschen zu erscheinen, nach Wasser und Seife duftend, frisch und sorgfältig gekleidet, sowohl am Tage nach der Goldenen Hochzeit wie jeden Tag bis dahin? Warum versprechen sie nicht, daß sie sich im Zorn lieber selber schlagen, als einander etwas Widerwärtiges, Geschmackloses, Häßliches vorzuhalten? Warum versprechen sie nicht, sich immer um den anderen und seine Interessen zu bemühen, mögen diese der Kunstgeschichte, dem Fußball oder einer Schmetterlingssammlung gelten? Warum versprechen sie nicht, sich gegenseitig die Freiheit des Schweigens, die Freiheit des Alleinseins, die Freiheit ungezwungener Bewegung zu lassen? Warum versprechen sie nicht diese unendlich schweren ›Kleinigkeiten‹, die man erfüllen kann, und die doch niemals erfüllt werden, anstelle von so etwas Nebensächlichem wie dem Glück?«

Milena hält die Ehe deshalb für so schwer, »weil man in dem Moment, da man diese Bindung eingeht, auf alles verzichten muß, was sie nicht bietet. Und das ist der Punkt, an dem die heutigen Ehen scheitern: Die Menschen heiraten, ohne sich definitiv füreinander zu entscheiden. Oder besser gesagt: ohne sich zu entscheiden, auf alles andere zu verzichten.«

Wenn Sie trotz der ersten fünf Stadien der Ehe-Evolution unbedingt heiraten wollen – bitte sehr. Aber sagen Sie hinterher nicht, man habe Sie nicht gewarnt. Befolgen Sie wenigstens einige wenige Ratschläge. Heiraten Sie von mir aus Ihren Eltern zuliebe, tun Sie es, um Ihren Namen zu ändern, aus Jux und Tollerei oder einfach nur so. Nur tun Sie es nicht um des Glückes willen. Die kluge Milena gelangt nach einschlägigen eigenen Erfahrungen zu der Überzeugung, der Wunsch nach Glück sei kein legitimer Grund zum Heiraten, vielmehr sei es richtiggehend unseriös, »ebenso eigennützig wie wegen zweier Millionen, eines Autos oder eines Adeltitels« zu heiraten. »Zwei Menschen – zwei kleine vereinsamte, der ganzen Hoffnungslosigkeit, Trübseligkeit und Aussichtslosigkeit des Lebens preisgegebene menschliche Wesen, zwei Menschenkinder auf der riesigen Erdkugel, die so unvorstellbar und beunruhigend groß ist, zwei nach natürlichem und gewöhnlichem Recht unglückliche Menschen – sollen auf einmal, unversehens, etwa um halb zehn Uhr vormittags, eingesperrt in eine Wohnung, einen Namen, ein Hab und Gut, ein Schicksal haben, sollen plötzlich und nur deshalb, weil sie zwei sind, glücklich sein?« Ihrer und meiner Auffassung nach ist die einzige Berechtigung für die Ehe unüberwindliche gegenseitige Zuneigung, eben »dass es ihnen unmöglich ist, einander nicht zu heiraten. Dass sie einfach ohne einander nicht leben können. Ohne alle Romantik, Sentimentalität, Tragik: das gibt es.«

Eine einfache, für alle passende Lösung all dieser Liebes- und Ehe-Fragen kann es naturgemäß nicht geben. Aber ein Szenario schwebt mir doch vor. Es stammt ausnahmsweise nicht aus einem Roman, sondern aus dem Kino, genauer gesagt aus *Vier Hochzeiten und ein Todesfall.* Charles (Hugh Grant) hat soeben seiner Braut sowie der versammelten Hochzeitsgemeinde vorm Traualtar anvertraut, dass er in Wahrheit nicht die Frau mit dem Schleier neben sich, sondern eine andere liebe und daher nicht heiraten könne. Und dann steht er seiner Carrie, gespielt von Andie MacDowell, im strömenden Regen gegenüber und macht ihr einen unwiderstehlichen Antrag: »Könntest du dir vorstellen, also, ich meine, nachdem wir uns abgetrocknet haben und jede Menge Zeit miteinander verbracht haben, dass du einverstanden sein könntest, *nicht* die Ehe mit mir einzugehen …? Und könntest du dir vorstellen, dass *nicht* mit mir verheiratet zu sein etwas sein könnte, was für den Rest deines Lebens für dich gelten könnte …? Geht das?«

Und wenn sie nicht geheiratet haben, lieben sie sich noch heute.

Literaturverzeichnis

Abaelard: Der Briefwechsel mit Heloisa. Stuttgart 1989.

Al Andalusi, Ibn Hazm: Das Halsband der Taube. Frankfurt a. M. 1961.

Almqvist, Carl Jonas Love: Die Woche mit Sara. Berlin 2004.

Bachmann, Ingeborg: Werke. Zweiter Band: Erzählungen. München 1993.

Berg, Scott A.: Katharine Hepburn. Ein Jahrhundertleben. München 2003.

Bernard, Jessie: The Future of Marriage. New Haven 1982.

Bollmann, Stefan und Naumann, Christiane: Starke Frauen. München 1999.

de Botton, Alain: Trost der Philosophie. Frankfurt a. M. 2001.

Bowen, Elizabeth: Die Fahrt in den Norden. Frankfurt a.M. 2003.

Brandreth, Gyles: Philip and Elizabeth. Portrait of a Marriage. London 2004.

Cavell, Stanley: Pursuits of Happiness. The Hollywood Comedy of Remarriage. Cambridge, Mass. 1981.

Comte-Sponville, André: Ermutigung zum unzeitgemäßen Leben. Reinbek 1996.

Diamond, Jared: The Rise and Fall of the Third Chimpanzee. How our animal heritage affects the way we live. London 1992.

Diamond, Jared: Why is Sex Fun? The Evolution of Human Sexuality. London 1998.

Dörrzapf, Reinhold: Eros, Ehe, Hosenteufel. Eine etwas andere Sittengeschichte. München 1995.

Frischauer, Paul: Weltgeschichte der Erotik. München 1998.

Gädeke, Wolfgang: Ehe – Sehnsucht, Idee, Wirklichkeit. Stuttgart 2000.

García Márquez, Gabriel: Liebe in den Zeiten der Cholera. Köln 1987.

Genazino, Wilhelm: Die Liebesblödigkeit. München 2004.

Gersdorff, Dagmar von: Königin Luise und Friedrich Wilhelm III. Berlin 1996.

Goethe, Johann Wolfgang von: Werke. Hamburger Ausgabe in 14 Bänden. München 1999.

Gottschalk, Maren: Der geschärfte Blick. Sieben Journalistinnen und ihre Lebensgeschichte. Weinheim 2001.

Groffy, Christoph und Ulrike (Hrsg.): Das Insel-Buch der Ehe. Frankfurt a.M. 1986.

Hildebrandt, Irma: Frauen, die Geschichte schrieben. München 2002.

Hörner, Unda: Lauren Bacall und Humphrey Bogart. Berlin 1999.

James, Henry: Porträt einer jungen Dame. München 1997.

Jesenská, Milena: Alles ist Leben. Feuilletons und Reportagen 1919-1939. Hrsg. von Dorothea Rein. Frankfurt a. M. 1999.

Kästner, Erich: Doktor Erich Kästners Lyrische Hausapotheke. Hamburg 1986.

Kast, Bas: Die Liebe und wie sich Leidenschaft erklärt. Frankfurt a. M. 2004.

Kennedy, A. L.: Also bin ich froh. Berlin 2004.

Kierkegaard, Sören: Tagebuch des Verführers. München 1974.

Kierkegaard, Sören: Entweder - Oder. Teil I und II. München 1998.

Koch, Manfred und Overrath, Angelika (Hrsg.): Schlimme Ehen. Ein Hochzeitsbuch. Frankfurt a. M. 2000.

Lauster, Peter: Die Liebe. Psychologie eines Phänomens. Reinbek 1982.

Lebert, Ursula und Lebert, Stephan: Du bist mein Augenstern. Was die Zeit aus Ehen macht. München 2002.

Lentz, Michael: Liebeserklärung. Frankfurt a. M. 2003.

Matt, Peter von: Liebesverrat. Die Treulosen in der Literatur. München 1989.

Miersch, Michael: Das bizarre Sexualleben der Tiere. Frankfurt a. M. 1999.

Mitford, Nancy: Sein Sohn Sigi. Frankfurt a. M. 1953.

Möhrmann, Renate: Ingrid Bergman und Roberto Rossellini. Berlin 1999.

Montaigne, Michel de: Die Essais. Ditzingen 1984.

Montreynaud, Florence: Love. Ein Jahrhundert der Liebe und Leidenschaft. Köln 1998.

Nicolson, Nigel: Portrait of a Marriage. London 1992.
Nürnberger, Christian: Frauen. Warum wir sie trotzdem lieben. Berlin 2004.
Ortega y Gasset, José: Über die Liebe. München 2002.
Platon: Das Trinkgelage oder über den Eros. Frankfurt a. M. 1985.
Posener, Alan: John F. und Jacqueline Kennedy. Berlin 1997.
Reinhardt, Volker (Hrsg.): Deutsche Familien. Historische Portraits von Bismarck bis Weizsäcker. München 2005.
Reventlow, Franziska zu: Amouresken. München 1994.
Rougemont, Denis de: Love in the Western World. Princeton 1983.
Sasse, Günter: Die Ordnung der Gefühle. Das Drama der Liebesheirat im 18. Jahrhundert. Darmstadt 1996.
Schuldt, Christian: Der Code des Herzens. Frankfurt a. M. 2004.
Schwarz-Schilling, Marie-Luise: Die Ehe. Seitensprung der Geschichte. Frankfurt a. M. 2004.
Sichtermann, Barbara (Hrsg.): 50 Klassiker: Frauen. Hildesheim 2001.
Sichtermann, Barbara (Hrsg.): 50 Klassiker: Paare. Hildesheim 2000.
Stendhal: Über die Liebe. Frankfurt a. M. 1999.
Taraborrelli, Randy J.: Grace Kelly und Fürst Rainier. Frankfurt a.M. 2004.
Tanner, Tony: Adultery in the novel. Contract and Transgression. Baltimore 1979.
Wilde, Oskar: Werke in 5 Bänden. Zürich 2004
Zeldin, Theodore: An Intimate History of Humanity. London 1994.

Mehr als ein Register

Abaelard und Heloïse: fortschrittliche Liebende im Mittelalter 15, 278 f.
Adam und Eva: göttliche Liebe ohne Trauschein 10, 181, 265
Adorno, Theodor W.: eine Ehe, Minima Amoralia 147
Agassi, André: in zweiter Ehe Spiel, Satz, Sieg um das Herz von Steffi Graf 73
Albee, Edward: war lange glücklich mit seinem Partner Jonathan Thomas 168
Ali, Muhammed (Cassius Marcellus Clay): im Boxring der Liebe vier Ehen 142
Allen, Woody: der Stadt- und Liebesneurotiker schlechthin 18, 50, 137, 184, 201
Almqvist, Carl Jonas: verarbeitete das eigene Ehe-Leid literarisch 275
Amis, Martin: Seit mehr als zwanzig Jahren konsequent verheiratet 87
Andreas-Salomé, Lou: eine Ehe, viel fremde Liebe 255
Antonius, Marcus: Feldzüge der Liebe mit Kleopatra 18, 50
Arendt, Hannah: liebte trotz zweier Ehen vor allem Martin Heidegger 270
Ariost, Ludovico: der Hofdichter der Familie Este heiratete spät 248
Armstrong-Jones, Anthony: war 16 Jahre lang Schwiegersohn der Queen 121
Arnim, Achim von: erholte sich in Wiepersdorf von Gattin Bettine 92
Augstein, Rudolf: vier Scheidungen, fünf Ehen 156
August der Starke, Kurfürst von Sachsen: liebte, wie ihm beliebte 200
Austen, Jane: lieber über die Ehe schreiben als sie selbst erleben 102, 109, 259
Bacall, Lauren: Humphrey Bogarts Witwe trotz einer kurzen Folgeehe 92, 171 ff.
Bachmann, Ingeborg: ehescheu 243
Barker, Lex: Old Shatterhand schlug fünfmal zu 166
Barrie, J. M.: heiratete eine Familie 116
Bayley, John: an der Seite seiner Frau Iris Murdoch wurde es ihm nie langweilig 84
Beauvoir, Simone de: an der Seite Sartres bewusster Verzicht auf die Ehe 51, 270
Benn, Gottfried: zweimal Witwer, dreimal Ehemann 87, 104, 153
Bergerac, Cyrano de: kühner Dichter und Soldat 248, 277

Bergman, Ingmar: sechs Ehen im Dienst des filmischen Melodrams 166
Bergman, Ingrid: drei Ehen, drei Kinder, 47 Filme 13, 17, 22 f., 47
Bibesco, Marthe: begnadete Verführerin von Staatsmännern 208
Birkin, Jane: Muse von Musikern wie John Barry und Serge Gainsbourg 51
Blixen, Tania: nach gescheiterter Ehe Verzicht auf weitere Heirat 50, 243
Blixen-Finecke, Bror Frederik Baron von: Schürzen- und Großwildjäger 134
Boccaccio, Giovanni: mönchische Liebe zu einer verheirateten Frau 197
Böhm, Karlheinz: sieben Kinder von vier Frauen 161
Bogart, Humphrey: glücklicher Viertheirater 92, 171 ff.
Bonnie und Clyde: beim Gangsterpärchen war jeder Schuss ein Kuss 50
Booth Luce, Claire: zwei Ehen und viele dezidierte Meinungen 140
Bouvier, Jacqueline: von der First Lady zur griechischen Millionärin 110, 122 ff.
Brando, Marlon: drei Ehen, unzählige Geliebte, mindestens elf Kinder 161
Brandt, Willy: in drei Ehen ging nichts verloren, was nicht längst verspielt worden war 195
Brassens, Georges: hielt auch im Leben um niemandes Hand an 16
Brecht, Bertolt: als glücklicher Zweitheirater Freund der Ehe zu dritt 104
Brentano, Bettine: liebte keinen so wie Goethe, auch nicht Mann Achim 85, 92
Brentano, Clemens: nach der zweiten Ehe war der Dichter kuriert 31 f., 150, 154
Brontë, Emily Jane: ihre Schwestern und sie dachten sich Männer aus 48
Burton, Richard: mehrere Ehen, zwei mit Liz Taylor 17, 166 ff.
Cage, Nicolas: drei Ehen und kein Ende in Sicht 102
Callas, Maria: verheiratet bis zur Begegnung mit Aristoteles Onassis 51
Canetti, Elias: zwei Ehen, viele Kratzfüße vor fremden Türen 105, 200
Cardinale, Claudia: drei große Lieben ohne Trauschein 258
Caroline von Monaco: drei Ehen, vier Kinder 126, 134
Casanova, Giacomo: der erste Playboy 210, 223, 225
Cervantes, Miguel de: Affäre mit verheirateter Frau, spätere Ehe, vor der er flieht 164
Chanel, Coco: Liebe schützt vor Ehe, fand Mademoiselle 141, 243
Charles, Prinz von Wales: nach der Ehe zu dritt heute ein glücklicher Zweitheirater 121, 212
Châtelet, Emilie de: liebte geistig Voltaire, körperlich einige mehr 51
Chaucer, Geoffrey: Vater der englischen Literatur und von Kindern in ungewisser Zahl 259
Chopin, Frédéric: fand erst Trost, dann Liebe bei George Sand 86
Churchill, Winston: fast 60 Jahre mit einer Frau verheiratet 105
Clinton, Bill: Hillarys First Husband 110, 195
Clinton, Hillary: schwere Not mit Schwerenöter Bill 110, 195
Clooney, George: gibt den ewigen Junggesellen trotz einer Scheidung 149
Colette, Sidonie-Gabrielle: drei Ehen, zahlreiche Bücher und Lover 22, 201
Cruise, Tom: kleiner Mann, große Frauen 47, 195
Curie, Marie: zweifacher Nobelpreis, eine Ehe, zwei Lieben 114
Curtis, Tony: sechsfacher Monogamist 165
Dalí, Salvador: vergötterte seine Frau Gala äußerst malerisch 202
D'Annunzio, Gabriele: Liebe zur Kunst und zu den Frauen, fünf Kinder 50
Dante Alighieri: Jugendliebe zu Beatrice inspirierte seine Dichtung 248
Depardieu, Gérard: ein Homme à femmes in bester französischer Tradition 105, 131
Descartes, René: dachte, heiratete darum nicht 30
Dietl, Helmut: kennt sich aus im Suchen und Finden der Liebe 178
Dönhoff, Marion Gräfin von: Porsche fahrend den Männern entkommen 242
Don Quijote und Dulcinea: voller Liebe gegen Windmühlen 248

Douglas, Lord Alfred: die Liebe zu ihm brachte Oscar Wilde ins Gefängnis 118
Duarte, Eva (Evita): Argentiniens eitle Prinzessin der Herzen 110, 124
Dumas, Alexandre: erotisch und literarisch, aber nicht ehelich produktiv 14, 210
Duncan, Isadora: die Tänzerin war verheiratet mit dem Dichter Sergej Jessenin 243
Duse, Eleonora: Tragödin der Liebe; eine Ehe, zahlreiche Liebschaften 50
*E*astwood, Clint: auf die erste Ehe folgten eine wilde Liebe und eine zweite Ehe 258
Edward VII. von England: eine Frau, viele Mätressen 207
Edward VIII. von England: zog die Ehe dem Thron vor 49, 121
Edward, Herzog von Wessex: in erster Ehe die letzte Hoffnung der Briten 121
Elisabeth, Kaiserin von Österreich: Tristesse an der Seite von Franz Josef 72
Elizabeth II., Königin von England: standesgemäße Liebesheirat 84, 121
Éluard, Paul: hatte mit erster Frau Gala seine Liebesmüh 202
Ernst, Max: fiel mit vier Ehen aus dem Rahmen 202
*F*arrow, Mia: auf Frank Sinatra folgte Woody Allen 18
Ferguson, Sarah: nach Scheidung Allianz mit Weight Watchers 121
Ferrer, Mel: kein Erfolg in der Rolle des Ehemanns von Audrey Hepburn 92
Fielding, Henry: heiratete in zweiter Ehe die Zofe seiner verstorbenen Frau 196
Finch Hatton, Denys: seine Freiheitsliebe trieb Tania Blixen zur Verzweiflung 50, 134
Fischer, Joschka: liebte viermal erst auf die Ehe zu, dann wieder hinaus 156, 159
Fitzgerald, Scott F.: schwierige Eheliebe zu Zelda 18
Florentino Ariza und Fermina Daza: glückliche Liebe in den Zeiten der Cholera 274
Fontane, Theodor: Ehe-Romancier an der Seite Emilies 84, 106 f., 198
Friedrich II., König von Preußen: ging der Gattin aus dem Weg 109 f.
Friedrich Wilhelm III., König von Preußen: Liebesehe, gefolgt von Konvenienzehe 131 f.
Frisch, Max: zwei Ehen und viele unbeantwortete Fragen 243
Fröbe, Gert: berühmter Sachse mit Hang zu Vielweiberei 166
*G*able, Clark: der Windhund hatte fünf Leading Ladys 125
Gabor, Zsa Zsa: achteinhalb Ehen, von denen eine nur einen Tag lang hielt 142
Gainsbourg, Serge: zwei Ehen, viele Male »Je t'aime … moi non plus« 51
Gardner, Ava: kuriert nach Mickey Rooney, Artie Shaw, Frank Sinatra 167
Goethe, Johann Wolfgang von: verliebt in viele, verheiratet nur mit Christiane Vulpius 16, 29 ff., 32, 53, 85 f., 104, 199, 203, 233, 256, 286
Gontard, Susette: auch für Hölderlin wollte sie ihren Mann nicht verlassen 204
Graf, Steffi: vorteil Agassi 73
Grant, Cary: fünfmal verheiratet und viermal geschieden 167
Grant, Hugh: Junggeselle am seidenen Faden 9, 37, 242, 297
Greene, Graham: blieb katholisch verheiratet, lebte jedoch mit einer anderen 199
Griffith, Melanie: von Kopf bis Fuß auf Antonio Banderas eintätowiert 167
Grönemeyer, Herbert: Nachfolger von Orpheus 187, 255
Gropius, Walter: Ach, Alma 92
Gründgens, Gustaf: zwei Ehen ohne Sex 119
Guevara Serna, Ernesto (Che): als Ehemann kein Revoluzzer 241
*H*affner, Sebastian: Junggeselle 13
Hardy, Oliver: seriöser Zweitheirater 157
Hébuterne, Jeanne: wollte nach Modiglianis Tod ebenfalls nicht mehr leben 18
Hemingway, Ernest: legendärer Schürzenjäger, viermal verheiratet 9, 157
Hepburn, Audrey: nach zwei gescheiterten Ehen ohne Trauschein glücklich 92
Hepburn, Katharine: einmal verheiratet und nie wieder 15, 50, 60, 167, 172, 279 ff.
Hero und Leander: vom Meer getrennt 18
Hitchcock, Alfred: einmal verheiratet, liebte im Film den Typ kühle Blonde 87, 105
Holden, William: Golden Boy mit Hang zu Romanzen125

Hölderlin, Friedrich: liebte eine verheiratete Frau 204 f., 277
Honecker, Erich: dreimal verheiratet; schönster Kuss aber mit Leonid Breschnew 167
Hoppe, Marianne: nach der Scheidung von Gründgens nie wieder im Standesamt 119
Horváth, Ödön von: unehelich geboren, ohne Ehe gelebt 147
Hughes, Ted: überwand nie den Tod seiner ersten Frau Sylvia Plath 18
Hugo, Victor: gelungene Ehe zu dritt 220
Huxley, Aldous: Schöne neue Welt in zweiter Ehe 164
Ibsen, Henrik: beschrieb in *Nora* eine unglückliche Vernunftehe 106, 136
Jagger, Mick: der ewige Streuner 73
James, Henry: zahlreiche Frauenporträts in seinen Büchern; im Leben ledig 136, 198
Jesenská, Milena: beherzte Eheanalytikerin 296
Johnson, Samuel: Witwentröster um des Geldes willen 138
Jolie, Angelina: verdrehte als Lara Croft den Männern den Kopf 196
Jones, Bridget: Chaotischer Single auf der Suche nach Mr. Right 74, 232
Jürgens, Curd: den Schauspieler lockten fünf Eheweiber 166
Kafka, Franz: verliebte sich oft, verlobte sich einmal, heiratete nie 295
Kahlo, Frida: zweimal Ja zu Diego Riviera 18
Kalb, Charlotte von: Schillers Seelenfreundin verharrte in ihrer unglücklichen Ehe 85, 150
Kant, Immanuel: der Königsberger saß alle Eheanbahnungsversuche aus 28, 46
Kelly, Grace: spielte das Hollywoodmärchen in Monaco 122, 124 f.
Kennedy, John F.: eine Ehe, die Geschichte schrieb 110, 122f., 195
Keppel, Alice: pflegte die hohe Kunst der Verführung 207
Keppel, Violet: brannte erst mit Vita Sackville-West durch und heiratete danach 212 f.
Keyserling, Eduard Graf von: beobachtete als Junggeselle die Ehen anderer 108, 149
Kidman, Nicole: Single nach gescheiterter Cruise-Control 47, 195
Kierkegaard, Sören: schrieb ledig das Tagebuch eines Verführers 179
Kleopatra VII.: von Julius Cäsar zu Marcus Antonius 18, 50
Klum, Heidi: seriöse Zweitheiraterin 63
Knigge, Adolph Freiherr von: lehrte Manieren auch in Ehefragen 136
La Rochefoucauld, François Duc de: heiratete mit 15 Jahren, acht Kinder 28
Laurel, Stan: Glücklos in sechs Ehen 157
Lauterbach, Heiner: in zweiter Ehe gezähmter Macho 73
Lawrence, David Herbert: vergötterte nur seine Ehefrau Frieda von Richthofen 197
Leigh, Vivien: weniger Ehen als ihr Alter Ego Scarlett O'Hara 48 f.
Lenclos, Ninon de: lieber viele Liebhaber als einen Ehemann 179, 208
Lengefeld, Charlotte von: Friedrich Schillers bessere Hälfte 868, 150
Lengefeld, Karoline von: Schillers geliebte Schwägerin 150
Lennon, John: der Mann von Yoko Ono 17
Lentz, Michael: Liebeserklärer 36
Lessing, Gotthold Ephraim: viel zu kurze Liebesehe mit Eva König 277
Lopez, Jennifer: heiraten ist schön und teuer! 157
Lorenz, Konrad: Graugans-Freund, eine Ehe 181 f.
Louis XV. König von Frankreich: neben der Ehe viele Betthupferl 208 f.
Ludwig I., König von Bayern: die fesche Lola war zu viel für ihn 210 f.
Luise, Königin von Preußen: fühlte sich zu Zar Alexander I. hingezogen 131 f.
MacDowell, Andie: zwei Hochzeiten und kein Todesfall 131, 297
Madonna: Kaballa und Liebe nach Scheidung von Sean Penn 73
Magnani, Anna: liebte drei Regisseure, ging zwei Ehen ein 187
Mahler, Anna: die Tochter von Alma heiratete ihrerseits fünfmal 175
Mahler, Gustav: schwierige Ehe mit Alma Schindler 92, 175
Mailer, Norman: fünf Scheidungen, sechs Ehen 163, 166

Majakowski, Wladimir: unglückliche Liebe beflügelt die Poesie 44
Mandela, Nelson: drei Ehen 114
Mann, Thomas: wenn eine Frau, dann keine bessere als Katia Pringsheim 113, 119
Mansfield, Katherine: offene Ehe mit John Middleton Murry 115
Manzoni, Alessandro: schrieb *Die Verlobten,* heiratete zweimal 109
Mereau, Sophie von: auf eine Vernunft- folgte eine Liebesehe mit Clemens Brentano 31, 150, 153
Miller, Arthur: im dritten Eheanlauf endlich glücklich 47, 104, 156
Miller, Henry: fünf Ehen oder die schönen Torheiten der Jugend 161, 171, 217
Mira, Brigitte: die Dame vom Grill heiratete fünfmal 167
Mitchell, Margaret: erst die Ehe, dann der Roman 48
Mitford, Nancy: Geliebte, nie Gattin 205
Mitterrand, François: Ehe zu dritt 195, 216
Modigliani, Amedeo: malte am liebsten seine Muse Jeanne Hébuterne 18
Molière (Jean-Baptiste Poquelin): Maître de plaisir von König und jungem Weib 113
Monroe, Marilyn: in zwei Ehen unglücklich 47, 104
Montaigne, Michel de: Vernunfthochzeit mit Françoise de la Chassagne 28, 56
Montand, Yves: der große Romantiker des französischen Films heiratete zweimal 155
Montez, Lola: undurchschaubares und vielbeschäftigtes Liebesleben 208, 210 f.
Morgenstern, Christian: in der Ehe keine Galgenlieder 286
Mountbatten, Philip: Kronjuwel der britischen Monarchie 84
Murdoch, Iris: fasziniert von einigen – verheiratet nur mit einem 84
Murdoch, Rupert: teure zweite Ehe 117
Newman, Paul: Liebesglück in zweiter Ehe 155
Nicolson, Harold: liebte vor allem seine Frau 118, 212 ff.
Nietzsche, Friedrich: große Klappe (»Gehst du zum Weib …«), keine Ehe dahinter 102
Nin, Anaïs: Ehe zu dritt 217
Novalis (Friedrich Freiherr von Hardenberg): zweimal verlobt, nie verheiratet 131
Odysseus und Penelope: es geht doch keine Calypso über die Ehefrau 196
O'Keeffe, Georgia: ein Ehemann und die Malerei in Mexiko 155
Olivier, Laurence: in dritter Ehe glücklich 48 f.
Onassis, Aristoteles: zwei schwierige Ehen und Liebe zu Maria Callas 50, 123 f.
Orpheus: liebte Eurydike und die Musik 17, 223, 241
Othello und Desdemona: tragische Verdächtigung 18, 191
Paltrow, Gwyneth: Ehefrau von Popsänger Chris Martin mit Fruchtzwerg 73
Parker-Bowles, Camilla: heimliche Liebe im Rampenlicht 121, 207, 212
Pasternak, Boris: Ehe zu dritt 202 f.
Peck, Gregory: glückliche Zweitehe 155
Perón, Juan: zweifacher Witwer 110, 124
Petrarca, Francesco: Laura über alles 248
Philemon und Baucis: Ovids Bild der ehelichen Treue 139, 293
Picasso, Pablo: von Musen geküsst, zweimal verheiratet, vier Kinder von drei Frauen 9
Platon: der erste Kugelmensch 113, 245
Poisson, Jeanne-Antoinette, Madame de Pompadour: Ludwigs Puderluder 208 ff.
Pringsheim, Katia: Frau Thomas Mann 113
Proust, Marcel: keine Frau lernte ihn so gut kennen wie Haushälterin Céleste 20
Rainier, Fürst von Monaco: der tragische Witwer 122, 124 ff.
Reagan, Ronald und Nancy: eine Art Philemon und Baucis der Neuzeit 131
Reventlow, Franziska Gräfin zu: eine Ehe, zahlreiche Liebschaften 179, 243, 247, 269
Rice, Condoleezza: verheiratet mit ihrem Beruf 242
Rilke, Rainer Maria: Dichter der Einsamkeit und ehelosen Liebe 240, 255, 288
Rimbaud, Arthur: liebte Paul Verlaine 118
Roberts, Julia: Pretty Wife 73
Romeo und Julia: ideale Beziehung trotz Liebesheirat 10, 13, 17, 29, 231, 274, 276 f.
Roosevelt, Franklin Delano: Ehe aus Vernunft, Daueraffäre aus Liebe 110
Rossellini, Roberto: die Amore war nie von Dauer 13, 17, 22 f., 47, 187

Rousseau, Jean-Jacques: Liebe zur Natur 204
Russell, Bertrand: philosophisch, praktisch, verheiratet: viermal 166
Sachs, Gunter: drei Ehen, ungezählte Liebschaften 161
Sackville-West, Vita: liebte Viriginia Woolf, vor allem jedoch ihren Mann 118, 212 f.
Sade, Donatien Alphonse François, Marquis de: aus arrangierter Ehe wurde wahre Liebe 113
Sagan, Françoise: zwei Ehen, zahlreiche Abenteuer - Bonjour Tristesse 73
Sand, George: einmal Ehe und nie wieder 86, 243
Sartre, Jean-Paul: ein Leben lang unverheiratet 51, 105, 221, 258, 270
Schelling, August Wilhelm: aus dritter Hand kriegt er Caroline Michaelis zur Frau 58
Schiller, Friedrich von: Ruhe mit Lolo nach Stürmen und Drängeln 57 f., 84 f., 150
Schindler, Alma: wahlweise Frau Mahler, Frau Gropius, Frau Werfel, Fast-Frau Kokoschka 92, 157 f., 161, 175
Schlegel, Caroline: in dritter Ehe am glücklichsten 58
Schneider, Romy: verlobt mit Alain Delon, später zwei unglückliche Ehen 72, 157
Schopenhauer, Arthur: Muttersohn wider Willen; verliebt, nie verlobt 19, 258
Schröder, Gerhard: Profi in Sachen Treueschwur 9, 139, 156 f., 171
Schumann, Robert: gemeinsame Liebe zur Musik mit seiner Frau Clara 92, 137
Schwarzer, Alice: ehelos glücklich 242
Shakespeare, William: Liebes Leid und Lust 48, 168, 191, 276
Shaw, Artie: achtmal eheliche Flötentöne 166
Signoret, Simone: glückliche Zweithochzeit mit Yves Montand 155
Simpson, Wallis: beim dritten Mann wurde alles ganz anders 49, 48, 121
Sinatra, Frank: Did It His Way, viermal 161, 171
Sokrates: ging in die Eheschule von Xanthippe 206, 258
Spencer, Diana: hatte Grund, ihre Kinder mehr zu lieben als ihren Mann 121
Steinbeck, John: drei Ehen, zwei Söhne, ein Nobelpreis 182
Stoiber, Edmund: beständiger in der Ehe als in der Politik 139
Taylor, Elizabeth: achtmal verheiratet mit sieben Männern 17, 166 ff., 196
Thatcher, Margaret: ohne Denis in Politik und Leben verloren 115
Thatcher, Denis: Margarets häuslichere Hälfte 14, 114 f.
Tolstoi, Lew: seine Frau schrieb Krieg und Frieden siebenmal ab 257
Tschechow, Anton: heimliche Liebesehe mit Olga Knipper 127f., 198
Tracy, Spencer: einmal verheiratet und einer anderen treu ergeben 15, 50, 279 ff.
Tristan und Isolde: Liebe über Eheschranken hinweg 18, 29, 108
Turner, Lana: acht Ehen mit sieben Männern 166 f.
Updike, John: der amerikanische Ehe-Porträtist heiratete selbst zweimal 199
Vanderbilt, Consuelo: zwei Ehen im Dienst von Glitzer und Gold 116 f.
Verlaine, Paul: Pflichtehe, doch dann Bekenntnis zur Homosexualität 118
Voltaire (François-Marie Arouet): geliebt und gehörnt von Emilie du Châtelet 51
Wagner, Richard: Scheidung für Cosima 17
Weissmüller, Johnny: fünfmal »Ich Tarzan, du Jane« 166
Wellershoff, Dieter: ein Autor formuliert den Liebeswunsch 199
Werfel, Franz: unter der Fuchtel seiner Frau Alma Mahler-Werfel 161
Werther: gab sich die Kugel, weil er Lotte nicht heiraten konnte 18, 29, 31, 248
West, Mae: eine Ehe, viele Liebhaber 154
Wilde, Oscar: zwei Söhne, eine Frau, Liebe zu Lord Alfred Douglas 118, 199, 242, 258, 260
William, Prinz von Wales: englischer Prinz der Herzen 9
Woolf, Leonard: rührend um seine Frau Virginia besorgt 84, 115, 213
Woolf, Virginia: verheiratet – und verliebt in Frauen 84, 115, 168, 213
Xanthippe: lehrte ihren Philosophenmann Mores 206, 258
Zola, Émile: geglückte Ehe zu dritt 216 f.